TACK!

Genom att välja en klimatsmart pocket från Månpocket bidrar du till vårt arbete för att göra produktionen av pocketböcker miljövänligare.

Vår vision är att ge ut böcker där man tagit hänsyn till miljön i varje steg av produktionen - och vi strävar efter att bli ännu bättre.

Vi har därför valt att trycka alla våra böcker på FSC-märkt papper. FSC står för Forest Stewardship Council och är en oberoende, internationell organisation som verkar för socialt ansvarstagande genom ett miljöanpassat och ekonomiskt livskraftigt bruk av världens skogar. FSC:s regelverk slår bland annat vakt om hotade djur och växter, om hållbart och långsiktigt bruk av jorden och om säkra och sunda villkor för dem som arbetar i skogen.

För de utsläpp som trots allt inte går att undvika i bokproduktionen klimatkompenserar vi genom Climate Friendly. Vi bidrar härigenom till utbyggnaden av hållbar utvinning av förnybar energi, såsom vindkraft.

Vill du veta mer? Besök **www.manpocket.se/klimatsmartpocket**

Jan Mårtenson

DEN GREKISKA HJÄLMEN

En Homandeckare

Varje eventuell likhet med nu levande eller döda personer (utom Johan Kristian och Cléo) liksom med inträffade händelser är oavsiktliga tillfälligheter.

Denna Månpocket är utgiven enligt överenskommelse med
Wahlström & Widstrand, Stockholm

Omslag: Anders Timrén
Foto baksida: Hotell McAlpin, Miami Beach, Ingrid Giertz-Mårtenson
Foto framsida: Getty Images, Shutterstock

Copyright © Jan Mårtenson 2013

Tryckt hos ScandBook AB, Falun 2014

ISBN 978-91-7503-322-8

Kapitel I

Egentligen hade hela den här egendomliga historien börjat i Stratford-upon-Avon, Shakespeares födelsestad några timmars tågresa norr om London, även om den tog en omväg via Miami Beach i Florida: elefantkyrkogården dit äldre välbärgade amerikaner drog sig tillbaka för några solnedgångsår i det milda klimatet. Ett lapptäcke av "gated communities" har dragits över delstaten; inhägnade områden med vakter vid grindarna där man kan leva tryggt och lugnt vid sin golfbana utan några störande yttre element. Och fenomenet är inte nytt. Redan de gamla romarna talade om "otium cum dignitate", att dra sig tillbaka till lantlig ro efter avslutat livsverk.

Och det hade börjat med ett bröllop. En av mina äldsta vänner i England, Jeremy Wells, skulle gifta sig. Jeremy är en kollega, har en stor antikhandel i Mayfair, en exklusiv del av London och med en lika exklusiv kundkrets. Lite som Eric Gustafson, min vän, kollega, granne och antagonist tvärs över Köpmangatan i Gamla stan. Jag måste motvilligt erkänna att hans sortiment ofta är några snäpp bättre än mitt och han kallar sina kunder för "klienter". Det verkar väl lite elegantare och han underhåller sin "krets" med hembakade scones och Earl Grey i rummet innanför affärslokalerna. Men han är trevlig, fast han försummar aldrig en liten gliring. Jag ger igen så gott jag kan. Och han är välformulerad, välklädd, lite i överkant för min smak, och vet allt om alla. Jag kallar honom Köpmangatans svar på Oscar Wilde och det har han ingenting emot, tvärtom.

Det var genom Eric jag träffat Jeremy. Han gjorde då och då ”räder”, som han kallade det, till Stockholm. Han var särskilt intresserad av Karl Johanmöbler i ljus björk, senempire, liksom engelska möbler i mahogny, massiv mahogny alltså, inte fanerade. De hade ju varit populära i Sverige mot senare delen av 1700-talet, och också tillverkats här, men mycket hade importerats från England. Han återförde de ”landsflyktiga” som han kallade dem. Spelbord, sidebord, chippendalestolar och mycket annat. Kinesiskt porslin också.

Genom Ostindiska kompaniet, ett av Sveriges framgångsrikaste företag genom tiderna, hade man under ett knappt århundrade med början på 1730-talet importerat omkring femtio miljoner porslinsföremål från Kanton i Kina förutom kryddor, siden och annat. Det gör att vi i Sverige har en rik marknad när det gäller antikt kinesiskt porslin och attraherar inte minst kinesiska köpare.

Det var under ett av sina stockholmsbesök som Jeremy Wells kommit in i min affär. Lång och gänglig. Mager, verkade lite knotig, i fyrtioårsåldern kanske. Intensivt blå ögon, hög ansiktsfärg och ett varmt leende. En mörkblå blazer i Harris Tweed med skinnförstärkta armbågar. Skrynkliga flanellbyxor och mockaskor. Engelsman, tänkte jag när jag såg honom. Och jag hade rätt. Mer engelsk kunde han inte bli. Och hans engelska var ”the Queen's English”.

Han presenterade sig och sa att han kommit på inrådan av Eric Gustafson. Att Eric sagt att jag hade en del objekt som kunde intressera honom, särskilt äldre kinesisk keramik. Det är ju inte huvudfåran i min affär, men då och då kommer det in någonting intressant. Jag önskar att jag kunde mer om området, men jag har vissa hållpunkter på de viktigare dynastierna. Han är omkring Kristi födelse, Tang vikingatid, Ming den heliga Birgitta till drottning Kristina och Qianlong under 1700-talet, Ostindiska kompaniets blomstringstid. Grovt räknat alltså, men det är i alla fall en viss vägledning. Men jag måste läsa på bättre, särskilt som kineserna dammsög Europa på jakt efter sina exporterade kulturskatter.

Jag visste vad Eric hade syftat på. Ett par mycket dekorativa hästar från Tang-dynastin, den dynasti som härskade under en del av vår vikingatid, från sexhundratalet och trehundra år framåt. Den förste kejsaren var en av Kinas mest lysande härskare, lagstiftare och administratörer. Många religioner levde sida vid sida och influenserna från omvärlden var stora, inte minst tack vare Sidenvägens kommersiella betydelse. Kulturen blomstrade, konst och poesi. Keramik, manifesterad i utsökta gravfigurer för efterlivet, som hos de gamla egyptierna, särskilt hästar och ryttare. Hästen intog ju en central plats i det dåtida livet och var en symbol för status och makt. Avstånden var långa i det väldiga riket, det krävde kraftiga och uthålliga hästar och hårda straff väntade den som behandlade hästar illa.

I mitt stora vitrinskåp hade jag några gravfigurer från olika dynastier, men det var särskilt mina två hästar som intresserade Jeremy Wells. De var ungefär trettio centimeter höga och lika långa och hade kvar spår av den ursprungliga bemålningen. På den ena satt en ryttare, en bågskytt där pilbågen försvunnit och på den andra, en magnifik hästskulptur fångad i ett djärvt språng, fanns en kvinnlig polospelare. Hästen var monterad på ett stativ som bar upp kroppen, fick den att verka som om den svävade fritt.

Jeremy höll upp först den ena, sedan den andra, vände och vred.

– Visste du att man under Tang-dynastin hade en mycket liberal syn på kvinnor, sa han. Dom sågs som jämlika med männen och kunde vara med på jakter och ritter. Det ser du ju på den här polospelaren. Modet blev också lättare. Istället för dom åtsittande kläderna blev dom ledigare och behagligare.

– Dom var före sin tid.

– Jag ser dom små hålen. Det gläder mig.

– Det är klart att dom är restaurerade. Figurerna är trots allt omkring femtonhundra år gamla.

– Jag vet, men det var inte det jag menade. Jag ser hålen efter laboratoriet i Oxford. Du har väl certifikaten?

Jag nickade, jag hade intygen från Oxford Authentification som bevisade äktheten. Marknaden översvämmades ju av skickligt utförda kopior, men genom att ta prover med små borrar i olika delar av ett föremål kunde man via radioaktiv lagring i materialet på ett ungefär fastställa åldern. Mina hästar var äkta, det hade jag papper på! Och jag förstod att han kunde sina saker. Inte många kunder letade borrhål i mina hästar.

Det blev affär. Den kraftfulla hästen med den graciösa ryttarinnan blev Jeremys för fyrtiofem tusen. Mitt utgångspris var femtio, men jag prutade. Det var inte varje dag ett objekt i den här prisklassen gick, så nu blev det fest i Kapernaum. Ja, inte riktigt, men jag skulle bli kvitt en av mina gamla surdegar som flöt omkring bland obetalda fakturor och gav mig dåligt samvete. Och Jeremy var nöjd. Jag var övertygad om att han redan visste vem bland hans konstsamlande kunder som skulle erbjudas min häst. Londons konstmarknad var köpstarkare än Stockholms.

Hade han varit för nöjd? Skulle jag ha begärt mer? Men man måste vara realistisk i min bransch. Tang-hästarna hade samlat damm i flera år och var kanske lite för sofistikerade för mina vanliga kontakter. Risken var stor att de skulle sluta sina dagar uppe i min våning vid Köpmantorget 10 liksom så många andra godbitar som var mitt pensionssparande. Jag litar inte riktigt på alla orangefärgade kuvert. Det skadade inte att ha lite i bakfickan när den dagen kom och pensionen stod för dörren.

Tang-hästen var alltså inledningen till vår bekantskap, en bekantskap som skulle utvecklas till vänskap genom åren. Varje gång Jeremy kom till Stockholm hälsade han på i min affär, vi brukade äta middag tillsammans och när det trasslade med hotellrum hade han bott hos mig. Och när jag reste till London någon gång på "fyndjakt" stod Jeremy alltid på programmet. Francine hade han också charmat med sin stillsamma engelska humor.

Så fick jag mejl en vacker dag. Jeremy skulle gifta sig och Francine och jag var inbjudna på bröllop. I Stratford-upon-Avon av alla platser! Jag hade en vag idé om var det låg, visste egentligen bara att Shakespeare fötts, gift sig och dött där. Men Francine visste mer, var påläst. Hon älskade Shakespeare, såg hans dramer på teatern när de gick och läste sonetterna på originalspråket.

Själv stod jag honom inte lika nära. Det var mest när jag lyssnade på min vän Calle Asplunds utläggningar som jag kom Shakespeare närmare inpå livet. Chefen för Riksmordkommissionen var besatt av Shakespeare och hans stora intresse var att försöka bevisa att någon annan skrivit Shakespeares verk, Earl de Vere, sir Francis Bacon, Marlow och andra.

Jag var inte lika involverad. Konstaterade bara kallt att det inte spelade så stor roll vem författaren var. Verken talade för sig själva. Hade fascinerat mänskligheten genom århundradena. Men inför resan till England skulle jag läsa på. Fick inte verka alldeles blåst om jag hamnade mellan två kunniga Shakespearefans på bröllopsmiddagen. Och det hörde ju faktiskt till allmänbildningen. Visserligen kunde jag den berömda monologen ur Hamlet: "Att vara eller inte vara" etc., och "Macbeth" hade jag sett på film och en del av dramerna hade Francine bildat mig med på Dramaten, men det var ju inte mycket att komma med. Nu var Shakespeare ännu mer aktuell inför det stora 400-årsjubileet av hans död som skulle firas över hela världen. Google fick väl hjälpa mig att täppa till de värsta luckorna.

Och Shakespeares verk var fortfarande levande, lästes i skolor, citerades i engelska parlamentsdebatter och spelades på världens scener.

Så var den stora dagen inne. Tyvärr kunde Francine inte följa med. Hon var i Bryssel för ett stort seminarium om terroristbekämpning och skulle bidra med svenska erfarenheter i sin egenskap av chef för Säpos personskyddsavdelning. Dessutom hade hon kanske inte varit speciellt intresserad. Hon hade inte haft mycket kontakt med Jeremy och hade varit i Stratford-upon-Avon flera gånger tidigare. Vid sidan av juridikstudierna i Uppsala hade Francine också läst litteraturvetenskap, så hon kunde vad hon behövde om Shakespeare, som hon uttryckte det.

Jag bodde på East India Club, den anrika klubben vid St. James Square, som jag brukade vid mina Londonbesök. En god vän hade rekommenderat mig som medlem. Klubben låg i ett stort, centralt beläget hus med nära till skjortaffärerna på Jermyn Street och till Piccadilly Cirkus. Den hade grundats för mer än 150 år sedan och bildats för medlemmar i East India Company och andra som arbetade och verkade i Indien men som var hemma på tillfälliga besök.

Ostindiekompaniet hade varit ett särpräglat inslag i engelsk historia. I början av 1600-talet hade en grupp affärsmän fått kungligt privilegium på att driva handel med Indien. En handfull hårdföra män hade satt igång och snart hade man expanderat, skaffat en egen armé, spelat ut maharadjorna mot varandra och med list och hänsynslöshet lagt under sig landet innan engelska staten tog över.

Det var en epok då imperiet utvidgades. Råbarkade sjökaptener förde sina skepp till okända delar av världen. Man gick i land, planterade en engelsk flagga i sanden och förklarade att territoriet nu låg under drottning Victoria. Så avrättade man några ur lokalbefolkningen för att statuera exempel, sjöng God Save the Queen, hissade segel och gav sig iväg till nästa erövring. Med någon överdrift alltså, men det var väl så det i stort sett hade gått till.

Jag hade bott på klubben tillsammans med Francine också, i St. Jamessviten för att imponera på henne. Två stora rum med utsökta engelska antikviteter, ett fullskaleporträtt av hertigen av Denver och en säng stor som en mindre villapool. Den här gången fick det räcka med ett mindre anspråksfullt logi, typ svenskt stadshotell, fast bättre.

På matsalens väggar liksom i andra utrymmen trängdes porträtt av ordensstyngda, bistra generaler i imperiets tjänst. Några hade varit aktiva under fälttågen i Afghanistan, men de hade lika litet lyckats som senare tiders Sovjetunion och USA.

Churchill saknades givetvis inte i samlingen och här och där fanns uppstoppade jakttroféer. I min korridor hälsades jag av ett jättelikt flodhästhuvud med kolossala betar, en gåva från någon jägare bland medlemmarna och jag tänkte på att flodhästen var Afrikas farligaste djur i umgänget med människor, fast de såg jovialiskt trevliga ut.

Dagen för bröllopet syndade jag, kunde inte motstå frestelsen. Istället för min vanliga frukost på en halv grapefrukt, rågbröd utan smör men med knallröda tomatskivor och kaffe, beställde jag en ”English breakfast” i matsalen. Francine håller annars efter mig. Brukar nypa i mina ”love handles” och påminna om att jag inte längre är tjugofem och att hon vill ha mig i tjugofem år till, men nu var hon på säkert avstånd. I Bryssel. Min dåliga karaktär hade fritt fram.

Francine vill också att jag ska träna, gå på gym, vilket ger mig dåligt samvete. Men jag rör faktiskt på mig: jag går ibland i trapporna – och jag bor högst upp. Sen har jag just läst att det senaste i träningsväg är att det räcker med tre minuter i veckan. Eftersom det har stått i tidningarna måste det ju vara sant. Jag har berättat det för Francine, men hon tror mig inte.

Efter generösa portioner äggröra, bacon, korvar, grillade tomater och svart kaffe, embarkerade jag tåget på Paddington Station och efter knappt två timmar steg jag av på den lilla stationen i Stratford-upon-Avon. En taxi tog mig till hotellet, som passande nog hette Shakespeare Inn. Och det var typiskt för den lilla staden. Den verkade vara helt uppbyggd kring Shakespeare. Där fanns hans födelsehus, hans teater och där var han begravd. Souvenirbutikerna låg tätt med skyltfönster fyllda av hälsningar från skalden. T-shirts, muggar med hans porträtt, tallrikar och böcker.

De idylliska husen stod kvar sedan århundraden, låga och inte sällan i korsvirke. Tyskarna hade tydligen inte tyckt att staden varit intressant nog och istället koncentrerat sina bombningar under andra världskriget på andra mål.

Jeremy hade en filial till sin Londonaffär här, fast med ett enklare sortiment, hade han berättat. Det var anpassat till turister och lokalbefolkning. Det dyrare segmentet fanns i London med dess köpstarkare kundkrets.

Bröllopsceremonin i den gamla katedralen med anor från tidigt 1200-tal var vacker och stämningsfull. Orgelmusiken brusade upp mot höga valv och solen glittrade genom de stora glasfönstrens mångfärgade facetter. Ett av de stora fönstren var en gåva från amerikanska folket till ”Shakespeares kyrka”.

Jeremy var blek men samlad, hans blivande hustru smal och späd. Hennes hår framträdde ännu mörkare mot den vita brudklänningen och ögonen strålade. Jag förstod Jeremy. Anastasia var vacker. Mycket vacker. Hon kom från Ukraina, hade Jeremy berättat. Hennes föräldrar hade lämnat korruption och maktfullkomlighet och flyttat till London.

Under ceremonin hade de stått framme vid altaret, där också Shakespeares grav fanns under en stor stenhäll. Bredvid vilade hans pappa, hans fru och hans båda döttrar. Och bröllopsmiddagen skulle hållas på ett hotell, i en byggnad som ägts av Shakespeares far. Bättre kunde det alltså inte bli i skaldens egen stad. Och jag var glad att jag fick vara med. Fast då anade jag inte att Jeremys och Anastasias bröllop skulle bli början till ett drama nästan värdigt Shakespeares penna.

Kapitel II

Det vore synd att säga att bröllopsmiddagen var en kulinarisk höjdare. Visserligen har det engelska kökets skamfilade rykte putsats upp genom franska, italienska och andra influenser, särskilt bland Londons restauranger, men till landsorten verkade inte de nya trenderna ha nått. Åtminstone inte till Shakespeares Inn i Stratford-upon-Avon. Men jag ska inte klaga. Jag hade ju inte rest till Jeremys bröllop för matens skull. En liten fiskrätt med obestämd smak, dold under salladsblad, var entrén som följdes av en alldeles för stor bit ljummen kyckling som jag inte orkade äta upp. Fast dessertens glass var god. Där är det svårt att misslyckas. Och bröllopstårtan var pampig. En stor, gräddig historia i flera våningsplan, prydd med ett brudpar i marsipan. Den måste attackeras med en jättelik kniv och en lika stor gaffel om man skulle få något av den kaloristinna härligheten.

Den hade bakats av en av Jeremys kolleger, en glad, rundnätt skotte, Ian Douglas, i röd-grön-brunrutig kilt med den traditionella, fransprydda väskan på magen. Vita strumpor och en kniv i sin slida. Ian var inte bara antikhandlare, han var också en framstående kock med tårtor som specialitet.

När vi hälsade hade jag frågat vad han hade under kilten. Det var efter champagnen ute i trädgården så stämningen var uppåt. Han skrattade.

– Om min pappa vetat skulle han ha vänt sig i sin grav.

Så jag förstod att han var garderad mot insyn.

Jag hade gått runt och hälsat på mina medgäster, ett hundratal personer i smoking och eleganta klänningar. Alla åldrar, från tonåringar till pensionärer och alla verkade glada och trevliga. Fast det är man väl på bröllop? Och jag hade tänkt på Francine och mig. Skulle vi gifta oss? Än var det inte aktuellt, vi hade det bra som det var. Bodde i var sin våning. Jag högst upp vid Köpmantorget med utsikt över Djurgården och inloppet till Stockholm. Francine på Lützengatan, alldeles vid Karlaplan och bara några tunnelbanestationer bort. Det hände att jag sov över hos henne så vi var väl någon sorts särbo eller delsbo. Kanske "kulbo" som Juholt skulle sagt.

I ärlighetens namn hade jag dragit mig för att ta upp ämnet. Jag var rädd för att hon skulle säga nej. Ja, kanske inte, men ändå fanns det lite oro med i bilden. Om jag var realistisk skulle hon kunna göra ett bättre kap än en halvgammal, lönnfet antikhandlare som drog sig fram på en liten affär i Gamla stan. Hennes egna utgångspunkter var annorlunda. Vacker, lite lik Julia Roberts, kom från en stor egendom i Sörmland där huset ritats av Adelcrantz, arkitekten bakom Drottningholmsteatern. Pappan var greve och mamma delägare i ett franskt vinslott i Loiredalen. Föräldrarna hade tagit emot mig med öppna armar, fast jag gissade att de kanske hade tänkt sig en lämpligare svärson. Jag tröstade mig med att Francine älskade mig.

Jag hade tur med placeringen, hamnade mellan två intressanta kvinnor. Den blonda hade antikhandel i London, Anne Winter, och specialiserade sig på kinesiskt porslin och kinesisk keramik, så jag hade stort utbyte av vårt samtal. Jag berättade om Tang-hästen jag sålt till Jeremy och det visade sig att hon hade ett par liknande, liksom kameler i glasyr. En grupp dvärgar också, gravfigurer. Dvärgar hade varit populära som tjänare i dåtida kinesiska hushåll och figurerna skulle ju tjäna sina husbönder efter döden.

Han-perioden fanns också i hennes samlingar, perioden runt Kristi födelse, liksom de föregående dynastin: Qin. Hon berättade om den dåtida härskaren, som låtit 700 000 tvångsarbetare bygga den kinesiska muren och uppföra ett väldigt mausoleum över sig själv. Han hade också låtit göra den väldiga terrakottaarmén av soldater och hästar. Den hade grävts fram för en del år sedan, ett av världens största arkeologiska fynd. Föremål ur samlingarna hade varit utställda i Stockholm och Anne hade varit på plats.

Jag kontrade med Ostindiska kompaniet och deras stora porslinsimport i Sverige, så hon kunde verkligen göra fynd, sa jag.

Elisabeth Moody på min andra sida, mörk och livlig, levde inte i det förgångna, tvärtom. Hon var verksam inom modebranschen som journalist. Skrev artiklar, gjorde tv-program, reste världen runt och rapporterade från mässor och visningar. När hon hörde att jag var svensk lyste hon upp. Hon hade varit i Stockholm flera gånger under de stora modeveckorna och var entusiastisk inför svensk design. Renhet, enkelhet och användbarhet.

Vid desserten började talen. Många var roliga och trevliga och en del högstämda, de flesta från rörda äldre släktingar. Tack och lov fick inte något vara längre än tre minuter. Till min förvåning ropade toastmastern upp mig som ”an old friend from Sweden”.

Det hade jag inte riktigt väntat mig, men jag fick ta skeden i vacker hand. Och jag fann mig. Tyckte jag åtminstone.

– Eftersom vi är i Shakespeares stad så tänker jag på Hamlets ord, började jag. ”To be or not to be”, men vi fick aldrig nåt riktigt svar på vad han egentligen ville. I Jeremys fall var det annorlunda. Han frågade sig: ”To marry or not to marry” och vad svaret blev ser vi tydligt här i kväll. Den enda frågan är inte varför Jeremy valde Anastasia, det är självklart, men inte lika självklart är hennes val.

Så lade jag till lite annat som jag kom på och slutade med att önska brudparet all tänkbar lycka. Fast det fanns ett annat Shakespearecitat jag kunde använt, som kunde passa bättre på mitt oförberedda tal: ”Upp flyga orden, tanken stilla står.”

– Bra, sa Anne.

– Utmärkt, kompletterade Elisabeth, och Ian Douglas ropade ”Jolly good” tvärs över bordet när jag lättad satt mig ner för att belönas med min del av den stora bröllopstårtan.

Efter middagen och Jeremys tacktal till alla gästerna, för alla välgångsönskningar och för alla bröllopspresenterna återsamlades vi i lokalerna utanför matsalen. Också där framgick husets ålder tydligt. Lågt i tak med bruna takbjälkar. Kraftiga stockar i mörkbrunt trä stöttade upp väggarna vid dörrarna, golvets stenplattor var slitna och i den stora öppna spisen brann en brasa.

Jag hade satt mig i en av de väl tilltagna, nedsuttna skinnfåtöljerna vid brasan med ett glas calvados och en nytänd Cohiba, den cubanska cigarren som Castro brukade ge sina vänner. Det sprakade hemtrevligt från elden, blågrå steg röken från min Cohiba och min calvados rensade upp bland smaklökarna efter den långa middagen. I bakgrunden sorlade gästerna framme vid baren. Jag hade avstått från kaffet som bars omkring i vita koppar på silverbrickor. Jag sover sämre då, avslutar hellre kvällen med ett glas lättmjölk och en rågskorpa. Fast det var det ju inte läge för just då.

Då satte sig någon i fåtöljen bredvid mig. En stadig man i sextioårsåldern. Magen rundade sig under smokingskjortan som glipade mellan knapparna, vällevnad har sitt pris. Ett kraftig, köttigt ansikte, med nästan brutala drag. Bestämd haka, ogenerös mun. Buskiga ögonbryn, fårade rynkor gav ansiktet karaktär. Vitt hår och bestämda ögon.

En makthavare, tänkte jag. En man som vet vad han vill och ser till att han får det också. Fast jag kanske hade fel. Det är ofta som jag drar förhastade slutsatser. Det kanske var en snäll morfar som slagit sig ner bredvid mig. En mysfarbror som odlade sin trädgård och lagade mat till sin familj och sina vänner. Men det var inte det första intrycket han förmedlade. Vagt kände jag igen honom. Var hade jag sett honom tidigare? I någon tidning, en intervju? Företagsledare? Eller var kultur hans område?

– Rickard, sa han och sträckte fram en hand i ett fast handslag. Rickard Bergman, förtydligade han. Jag tror inte vi hälsade förut. Det är ju så mycket folk här. Jeremy har många vänner. Anastasia också.

– Johan Homan, svarade jag. Det verkar som om vi är dom enda svenskarna här.

– Jag tror det, och förstod varifrån du kom när du talade. Bra tal. Det är inte alla som har förmågan. Var fick du tag på cigarren, förresten? Jag har ju ett cigarrfodral men det putar för mycket under smokingen. Den måste ha krympt i tvätten. Han log.

– Det finns cigarrer framme i baren. Cigaretter också.

– Ett kultiverat land, sa Rickard Bergman. I Sverige får du gå ut på gatan och röka när du är på krogen. Tänk dig själv att stå i blåst och mörker efter en god middag och röka cigarr! Han skrattade. Och nu har jag läst att renlevnadsknuttarna på kommunalkontor och i andra maktcentraler inte ens vill att dom anställda ska få snusa hemma.

– Det är väl välment. Tobak är skadligt.

– Jag vet, men jag ger mig fan på att om jag var nykterist och inte rökte så skulle jag bli överkörd av tåget och då hade det ju varit bortkastat. Dessutom har nykterister kortare liv, får oftare infarkt och stroke. Inte har dom lika roligt heller. Ungefär som optimisten och pessimisten. Båda kan ha fel, men optimisten har roligare.

Han skrattade, vinkade på en av servitörerna som balanserade glas med calvados och cognac på en bricka.

– Och vad sysslar du med då? frågade han sen när hans glas landat på bordet bredvid fåtöljen.

– Antikviteter, sa jag. Jag har en antikaffär i Gamla stan i Stockholm.

– Vänta nu. Han såg på mig. Nu vet jag. Homan. Köpmangatan, eller hur? Jag har gått förbi ibland och du har ofta bra grejer i dina fönster. Och jag känner Eric Gustafson, han som har sitt mitt emot dig.

– Världen är liten, konstaterade jag. Och vad gör du själv?

– Musik, sa han och log. Musik och teater.

– Är du musiker?

– Tyvärr inte, min talang räcker inte till för det. Jag får nöja mig med att lyssna. Nej, jag är producent. Agent. Sysslar med föreställningar, artister och hela det köret.

Då kände jag igen honom, visste vem han var. En ”nöjesprofil” som kvällstidningarna skulle ha skrivit. Han stod bakom stora produktioner på Oscars, Göta Lejon och andra scener och inte minst utomlands. Broadwaysuccéer var hans bästa gren. Internationella hits som han köpte rättigheterna till och sen satte upp eller sålde vidare. En av de ”stora” på området hade jag förstått av media.

– Då vet jag. Jag såg faktiskt en av dina musikaler för nåt år sen. ”Springtime”. Den var jättetrevlig. Hade ju filmats också.

– Tack. Det är verkligen en långkörare. Just nu går den för fulla hus i Tokyo och i Sidney.

– Jag har läst att det är stränga regler. Att allt måste vara i detalj som i originaluppsättningen. Är det så?

– I princip. Rickard nickade. Det är klart att det måste finnas en viss flexibilitet, men om man skulle släppa fältet fritt så att varenda mer eller mindre begåvad regissör skulle sätta sin egen stil på verket så vet man ju aldrig hur det skulle sluta. Han log.

– Titta bara på vår käre vän William Shakespeare, fortsatte han. Jag vet inte hur många uppsättningar jag sett genom åren med motorcyklar på scenen, nazistuniformer, helmoderna kläder och möbleringar, musikinslag och mycket annat som ska visa regissörens begåvning och originalitet. Det vill vi inte råka ut för. Våra produktioner måste hålla sig till originalet om det ska funka. Publiken ska känna igen sig. Vad skulle hända med ”My Fair Lady” om man började fingra på den uppsättningen? Professor Higgins blir Putin och Eliza en gay lastbilschaufför med tatueringar.

– Varför inte? Det kanske skulle vara coolt, sa jag. Men jag håller med dig. Jag såg ”Trollflöjten” på Operan i Stockholm häromdan. Musiken är ju fantastisk och står för sig själv, men resten hade nog Mozart inte känt igen. Det började i ett modernt klassrum med elever vid sina bord och kören bestod av dansande björnar. Då och då marscherade en stor scoutpatrull över scenen, medelålders, lätt överviktiga herrar och deras anförare hade en stor Baden Powellhatt. Och den ska sättas upp igen, har jag hört. Nu med nyskriven dialog. Men musiken får vara kvar.

Rickard Bergman skrattade

– Du ser! Hur känner du Jeremy förresten? Eller är det Anastasia?

– Jeremy. Vi är ju kolleger och jag sålde faktiskt en fin Tanghäst till honom för ett tag sen. Det gjorde att jag fick råd att åka på bröllopet, skämtade jag.

– Jag är också intresserad av antikviteter och Jeremy är en av mina bästa kontakter i London. Jag samlar alltså på antikviteter, riktiga antikviteter, om du förstår vad jag menar.

– Inte helt och hållet, erkände jag.
– Grekisk och romersk konst exempelvis. Från ”tiden”. Säg omkring Kristi födelse och fram till medeltiden. Lite senare också kanske, om det är nåt som intresserar mig.
– Det låter dyrt.
– Det är det också. Rickard log. Men jag ser det som en investering. Aktier går upp och ner innan dom försvinner genom golvet i nån bankkris. Och en stor satsning på en pjäs kan gå snett och bli nerskriven av kritikerna. Då är det bara att bita ihop. Fast det ger lite spänning i tillvaron och en estetisk upplevelse.
– Jag är rädd för att jag inte har några romerska marmorskulpturer på lager.
– Det förstår jag. Men Jeremy hittar ibland en del smått och gott. England är ju fullt av gamla slott och herresäten. Mastodonthus med samlingar som rika lorder fått ihop, inte minst på 1700- och 1800-talen när dom gjorde sina europeiska ”tours”, bildningsresor på kontinenten. Det skapade ju begreppet ”turist” och dom köpte på sig vad som roade dom i Rom och Aten. Konst, statyer och mycket annat. Till Egypten reste man också för att bese pyramiderna och andra monument. Så det gör att det då och då dyker upp nån raritet på den engelska marknaden, en skulptur av Michelangelo eller ett konstverk av Leonardo da Vinci som hängt i nåt dammigt gemak ute på landet. Sen är det det där med arvsskatten. Det var också viktigt.
– Arvsskatten?
– Dom hade ju nästan konfiskatoriska arvsskatter till för en del år sen här i England, särskilt om du satt på ett stort slott, och det gjorde att man måste sälja av inventarier när den skulle betalas. Ibland hela egendomen. Då kom det ut en massa godbitar på marknaden.
– Jag förstår. Ungefär som när fideikommissen avskaffades i

Sverige. Förr hade ju fideikommissarien, slottsägaren, inte fått sälja nånting av sitt arv, inte av lösöret heller, men sen blev det fritt fram och marknaden fick en rejäl injektion.

– Just det. Och då, i England alltså, är Jeremy framme. Han är välkänd och respekterad och många vänder sig till honom när man vill sälja. Eller köpa. Som jag.

– Intressant. Och han arbetar på kontinenten också? fortsatte han. Nyligen köpte jag en rustning av honom. En magnifik riddarrustning som hade tillhört hertigen av Brunswick-Wolfenbüttel och hade burits av en av hertigarna i mitten av 1500-talet i slaget vid Kehlfeld. Den var ju tänkt som nån sorts skyddsväst som täckte nästan hela kroppen. Ramlade du av hästen var du såld. Du kunde knappast springa din väg. Rustningen väger över trettio kilo och synfältet från hjälmen är ungefär som på en burka.

– Jag kan föreställa mig att du fick betala en hel del.

– Alldeles riktigt. Han log.

– Här sitter du! Jag letade efter dig.

En kvinna hade kommit fram till oss. Lång, slank i någonting urringat svart. Kortklippt grått hår, höga kindknotor. På ett finger bar hon en stor diamantring på åtskilliga karat. Långa, smala fingrar. Eleganta och graciösa händer. Hon hade stil, hon var vacker. Och det märktes att hon visste det.

Femtio plus minus kanske. Jag har alltid svårt med kvinnors ålder. Ett halsband med stora, grå barockpärlor. Trophy wife? Yngre vacker hustru, medelålders rik man som gått sina matcher, behövde någonting att visa upp. Jag slog bort mina cyniska tankar. De hade säkert gift sig av kärlek.

Hon log mot oss och kysste Rickard lätt på pannan.

– Oroa dig inte. Jag springer inte bort, svarade han.

– Det vet jag. Får du en cigarr och en konjak så håller du dig lugn.

Jag reste mig ur fåtöljen.

– Trevligt tal, sa hon. Jag är alltså Rickards fru. Louise.
– Johan Homan, och jag räckte fram handen till hälsning på svenskt manér.
– Vi sitter här och pratar antikviteter, förklarade Rickard. Johan har en antikhandel och är kollega till Jeremy, så vi har mycket gemensamt.
– Det förstår jag. Sälj ingenting till honom bara, log hon. Vi får knappt plats själva för allt han drar hem.
– Drar hem! Rickard fnös. Ett exklusivt privatmuseum och det kommer att göra dig till en rik änka, mycket rik, den dan du slipper mig.
– Det hoppas jag ska dröja.
– Vi bor både i Schweiz och i Sverige, förklarade Rickard, så än finns det plats för nyförvärv.
– Hur har ni det med säkerheten? frågade jag. Med så dyrbara samlingar måste du väl ha en massa larm och annat?
– Självklart. Det är lättare att komma in i Fort Knox. Rickard skrattade. Skämt åsido har jag naturligtvis sett till att tjuvarna inte har nån chans. Teoretiskt åtminstone.
– Jag vill att du ska träffa några gamla vänner från Genève som också är här, sa Louise Om du ursäktar oss, Johan.
– Självklart.
Rickard reste sig.
– Man har inte mycket att säga till om. Han log. Men det var trevligt att träffas och nästa gång jag kommer till Stockholm hör jag av mig. Du kanske har nånting intressant i dina gömmor.
– Tyvärr har jag nog ingenting som kan platsa i ditt museum. Men du är välkommen.

När de gått gick jag fram till baren. Det var trångt och högljutt. Jag beställde en stor, engelsk öl och drog mig undan till en fredad hörna framme vid ett av de låga fönstren.

Då hördes plötsligt det gälla ljudet från en säckpipa. Mitt på golvet stod Ian Douglas i sin kilt och han höll en säckpipa med säcken under vänstra armen och blåste i melodipipan med utspända kinder. Glada gäster hade samlats i en ring runt honom. Någonstans hade jag läst att säckpipan användes i fältslagen mellan skottar och engelsmän för att överrösta skriken från sårade och döende, den skar som en rakkniv genom stridslarmet. Och jag hade hört talas om en skotsk lord som deltagit i landstigningen i Normandie på D-dagen. Framför honom hade hans säckpipeblåsare gått för högsta volym. En skröna kanske, men det kunde mycket väl vara sant. Britterna är excentriska. Och säga vad man vill, säckpipan är mer personlig och karismatisk än dragspelet, det svenska nationalinstrumentet.

Då kom Anastasia

– Hello. Hon log. Vi har inte hunnit prata än. Det har varit lite mycket idag. Jag har förstått att du är en gammal vän till Jeremy. Han talar väl om dig.

Hennes röst var låg och behaglig med en lätt slavisk brytning. Det var väl ryskan som spökade. Eller talade hon ukrainska, om det nu fanns som språk?

– Ett vackert bröllop, sa jag. Och du var fantastisk i din vita klänning. Var har du gjort av släpet?

– Det är avknäppt. Man kan inte gå omkring med flera meter vitt siden efter sig.

Hon log igen och jag tänkte att Jeremy verkligen haft tur. Anastasia påminde om en klassisk ballerina. Smal, lätt, spenslig med ett vackert blekt ansikte och stora grå ögon som fick henne att lysa upp när hon log. Det blanksvarta håret var uppsatt med ett stort spänne i något som såg ut som diamanter.

– Jeremy har berättat att du kommer från Ukraina.

– Precis. Kiev. Dit kom dina landsmän för längesen.

– Du tänker på vikingarna?

– Just det. Inte bara dom. Vi hade en svensk prinsessa också. Ingegerd.

– Verkligen?

– Det borde väl du veta som är svensk. Vi får lära oss det i skolan. Hon var dotter till en svensk kung på tusentalet, Olof, och hon gifte sig med Jaroslav den Vise som härskade över hela regionen.

– Det ringer en klocka, sa jag. Olof Skötkonung tror jag han hette, den förste kristne svenske kungen. Och vi var faktiskt med om att skapa Ryssland.

– Det visste jag inte?

– Rurik hette en vikingahövding som grundade Novgorod. Det var början till Ryssland.

– Det hade varit bättre om han stannat. Nu har vi ingen vikingahövding, men har fått en kejsare istället. Det var därför min familj flyttade till England.

– Intressant. Är du också i antikbranschen, som Jeremy?

– Han sysslar med dåtid och jag med nutid. Fast jag hjälper honom ibland. Jag läste konsthistoria i Kiev och arbetade ett tag på ett museum i Moskva. Men nu jobbar jag alltså med musik. Det var en ren slump och började innan jag träffade Jeremy. Jag dejtade en kille som var musiker. Och nu är jag agent i musikbranschen och manager för några grupper. Har du hört talas om ”The Red Caps”?

– Tyvärr inte. Skulle jag det?

– Definitivt, om du bodde i London.

– Jag har en känsla av att dom nog är lite för avancerade för mig. Jag ligger mera åt det lugna hållet. Apropå det så träffade jag just en kollega till dig.

– En kollega? Anastasia såg frågande på mig.

– En annan svensk faktiskt. Rickard Bergman. Han arbetade också med musik och teater, sa han. Producent, agent.

Anastasia stod tyst, såg på mig.

– Det är faktiskt Jeremys gäst, sa hon sedan. Jag ville inte bjuda honom, men han insisterade. En av hans bästa kunder.

– Vad har du emot Bergman då?

– Jag vill inte gå in på det, sa hon lågt. Jag vill inte diskutera våra gäster, men jag kan säga en sak. Håll dig borta från honom. *It's an evil man.*

Kapitel III

Jag lämnade inte England innan jag fått ett sista möte med Shakespeare. Inspirerad av dagarna i Stratford-upon-Avon tog jag en taxi till hans teater samma dag jag skulle lämna London. Jag hade några timmar över innan planet gick från Heathrow.

Den ursprungliga teatern, the Globe, byggdes i slutet av 1500-talet men hade brunnit. Nu reste sig en replik av den gamla byggnaden på samma plats på Themsens västra strand, snett emot Towern. Teater var ett populärt nöje i dåtidens England och flera fanns redan då i London. En samtida författare skrev att publiken inte bara fick lära sig moral och historia utan också seder och umgängesvett, förutom att man kunde få kunskaper om främmande länder och folkslag. Ett uppfostrande syfte alltså.

Jag gick in i den runda byggnaden. Längst fram fanns en scen och längs väggarna hade man byggt gallerier där den välbeställda delen av publiken kunde äta och dricka medan de såg pjäserna. Man spelade under bar himmel, kvinnoroller bars upp av unga pojkar, och teatern rymde omkring 2 000 åskådare.

Framför scenen fanns inte några bänkar eller andra sittplatser på Shakespeares tid, upplyste guiden. Man gick omkring, pratade och umgicks, drack och åt. Minglade. Ett muntert folkliv och då och då avbröts spelet av grovkorniga kommentarer och raka skämt från åskådarna. Fast man fick se upp.

Trängseln på teatrarna var bördiga jaktmarker för ficktjuvar.

Jag fick också lära mig att i programmen för pjäserna som sattes upp vid entrén fanns en asterisk, en stjärna, vid huvudrollsinnehavarnas namn.

Beteckningen har bevarats, ledande skådespelare kallas ju fortfarande ”stjärna”. Visserligen var teatern relativt nybyggd, men jag tyckte ändå att jag kände en fläkt från Shakespeares tid. Här hade han skrivit, förmodligen regisserat och också agerat på scenen.

Knappt hade jag kommit tillbaka till Stockholm från mina bröllopsbestyr i Stratford-upon-Avon förrän Eric Gustafson kom in i min affär. Jag satt i den nersuttna fåtöljen inne på mitt lilla kontor med Cléo i knät som jag hämtat hos Ellen Andersson, ”min Rut” och allt i allo på Köpmangatan 11, och gick igenom posten som samlats under brevinkastet. Räkningar mest, en och annan inbjudan till vernissage. Reklamerbjudanden trots skylten ”Ingen reklam. Tack” på dörren. Och en förvarning om vinter och snö fanns också med. En uppmaning att boka julbord, det var hög tid och man fick varm glögg vid brasan innan man gick till bords.

Jag såg ut mot den stora kastanjen utanför mitt öppna fönster, såg ut i sensommarens milda ljus över den lilla gårdens stensättning och kände inte någon riktig julstämning, längtade inte efter glögg. Det skulle tack och lov dröja länge än innan kastanjen fällde sina gröna, flikiga löv.

– Jag såg att du hade kommit tillbaka, sa Eric och satte sig i stolen mitt emot. Berätta allt! Jag dör av nyfikenhet.

– Synd att du inte kunde komma. Det var jättetrevligt och många intressanta gäster. Sen är ju Stratford en fantastisk stad. Verkar nästan orörd och man skulle inte bli förvånad om man mötte Shakespeare på nån av gatorna.

– Jag vet men jag var ju däckad av min sommarinfluensa. Och dom är sega, ger sig aldrig.

– Har det varit nån action förresten?

– Action? Hurdå?

– Jag menar i min affär. Om nån kommit in till dig och frågat. Jag har mycket framställt i fönstren och på dörren sitter ju en hänvisning till dig.

– Faktiskt inte, men du har bara varit borta ett par dar. Och ditt sortiment är ju inte direkt sånt att folk springer benen av sig för att köpa.

Han log sitt maliciösa leende, men jag föredrog att inte låtsas om hans insinuationer. Man får ta Eric med en nypa salt. Han missar aldrig ett tillfälle att retas, men han är snäll innerst inne.

– Jeremy var nervös förstås, men han skötte sig fint och Anastasia är en verklig skönhet. Har du träffat henne?

– Ja, i London. Jag var hemma hos Jeremy på middag bara för nån månad sen och då var hon med. Dom har ju varit sambos i flera år redan.

– Jag förstod på henne att hon jobbade med media, på musiksidan och är nån sorts agent.

– Precis. Hon lär vara duktig och producerar musik och teater, är agent för nån popgrupp som är framgångsrik. Ligger på olika listor i England. Jag fick en cd av henne. Fast jag förstår inte varför såna där grupper ska se så förbannade ut på bild. Som om dom var på väg till sin egen begravning.

– På tal om musik så träffade jag en kompis till dig. Rickard Bergman.

– Kompis och kompis, sa Eric. Det kanske är att ta till. Men jag känner honom. Han kommer in till mig då och då.

– Hittar han nånting? Jag förstod på honom att han är minst sagt sparsmakad. Grekiska marmorstatyer och romerskt glas och den sortens objekt var hans grej.

– Jag vet, men han har gott om pengar. VD för Ivar Lundström Agency. ILA till vardags. Mångmiljonär i dollar många gånger om på sitt musikimperium. Han är skriven i Schweiz, har sina pengar i Liechtenstein och bor delvis i Stockholm.

– Det verkade på Anastasia som om hon inte gillade Bergman. ”An evil man”, kallade hon honom.

– Jag tror att dom haft nån kontrovers nån gång. En upphovsrätt. Hon menar att han knyckt nån låt som hon hade rätten till och som blev en hit. Jag kan inte detaljerna, men det var nånting åt det hållet.

– Är han sån då? En som stjäl låtar?

– Det där med musik är inte min grej, men jag har hört att Rickard Bergman är mycket ska vi säga flexibel när det gäller affärer och moral. När man hälsar på honom ska man räkna fingrarna efteråt. Men det är klart att man blir inte mångmiljonär om man jobbar i frälsningsarmén. Och han har ju en god sida.

– Vad skulle det vara?

– Hans konstintresse. Att han investerar i det antika kulturarvet och jag tror att han håller på att bygga ett monument över sig själv.

– Hurdå?

– Han antydde nån gång att han skulle donera sina samlingar till nån institution i Sverige, om det nu var Nationalmuseum. Villkoret var att samlingen skulle hållas intakt och visas i en särskild avdelning med hans namn. Jag vet inte vilken policy museet har, men man ska ju inte skåda given häst i munnen. Och mecenater är inte alldeles vanliga nu för tiden med våra skatter. Dom står inte i kö om man så säger. Så man tackar nog och tar emot. Sen hade han en egendomlig kvinnosyn. Var allätare.

– Hur då menar du?

– Låt oss säga att han var mycket aktiv på den fronten. Han

brukade säga att kvinnan för honom var likt Amazonas outforskade djungler dit han kom som en forskningsresande. Skitprat förstås, men jag är säker på att Louise, hans fru, visste vad han höll på med.

– Har han barn? Och vad säger dom om pappas generositet?

– Ja och nej. Louise har barn. Hon är änka alltså och hennes man var den som hade byggt upp företaget och var en höjdare i branschen. Men han dog i en olyckshändelse för en del år sen och hon gifte om sig med Rickard som jobbade i firman. Jag har förstått att barnen inte tyckte att det var en bra idé. Det finns två barn. En son som heter Henrik och dottern Eva.

– Jag träffade Rickards fru som hastigast på bröllopet. Ingen ungdom direkt men det är ju ingen av oss. Men mycket stilig. Såg bra ut. Du verkar känna hela familjen.

– Rickard är ju kund sen många år och Louise känner jag från universitetet, vi läste konstvetenskap samtidigt. Barnen har jag bara träffat nån gång. Hon gifte sig mycket ung, hennes första man var ganska mycket äldre, och dom fick barn tidigt. Så hon är väl en 50 plus men ser mycket yngre ut än sin ålder. Så jag förstår Rickard. Han visste vad han gjorde, fick prinsessan och halva kungariket. Hela kanske. Jag vet inte om barnen har några intressen kvar i företaget.

– Du vet ju att jag kallar dig ” Vem är det? ”, sa jag. Efter det där biografiska uppslagsverket där man kan läsa allt om alla, åtminstone om 10 000 svenskar. Arbetar Henrik och Eva också i företaget?

– Eva är på UD. Jag tror hon tjänstgör hemma nu. Hon har varit i Brasilien senast jag hörde nånting. Förstesekreterare på ambassaden i Brasilia. Jätteskärpt och jättesnygg. Men Henrik är kvar i firman. Sköter Norden. Dom nordiska länderna alltså. En väldigt trevlig kille, brås på sin pappa. Och jag tror inte han är riktigt på samma våglängd som Rickard. Dom lever i nån sorts väpnad neutralitet har jag förstått och Louise får gå emellan. Så nu vet du det.

– Nu vet jag det. Berätta om dig själv istället. Har det hänt nånting sen jag for?

– Ingenting särskilt tyvärr. Den gamla vanliga lunken. Jag blev av med ett par sengustavianska pottskåp i mahogny häromdan och sen en barockspegel som kan ha varit Precht. Jag lämnade inga garantier, men den är i hans art, kan mycket väl ha kommit från hans verkstad.

– Grattis. Då slipper du svälta den här månaden i alla fall.

– Du uttrycker dig så brutalt. Men det kanske är så i din värld. Du kämpar varje dag för brödfödan. Annars finns väl Frälsis soppkök kvar. Eric skrattade förnöjt.

– På sig själv känner man andra. Jag kanske kan få följa med dig nästa gång du går dit.

– Du är välkommen. Men nu tycker jag vi ska gå och luncha på Stadsmissionen.

– Har dom också soppkök?

– Nej, men räkmackor på Stortorgskällaren. Jag bjuder. Du ser hungrig ut. Och det är bara femtio meter dit. Det klarar du.

– Det var lika kärt som oväntat, men deras räkor säger jag inte nej till.

Efter vår räklunch i solen vid Stortorget var jag tillbaka i affären igen. Vardagen började. Jag svarade på mejl som samlats på hög, jag betalade fakturor och hade just satt på vattenkokaren för mitt eftermiddagskaffe när Francine ringde från Bryssel.

– Hej, älskling, så skönt att du är hemma. Jag är alltid så orolig när du är ute på egen hand.

– Det är väl jag som ska vara orolig. Du är ute och far med alla möjliga höjdare som är perfekta terroristmål. Och att spränga en sån där antik-konferens som du är med på vore väl jackpot för dom där skurkarna.

Francine skrattade.

– Underskatta oss inte. Oss törs dom inte ge sig på.

– Säg inte det. När kommer du hem? Jag längtar efter dig.

– Det ska du säga oftare. Men med lite tur ses vi på fredag, om tre dar alltså. Då ser jag fram emot en sommarmiddag ute på din balkong.

– Vill du ha nånting särskilt?

– Jag litar på dig.

Då hördes en ringklocka i bakgrunden, ett ihållande, skärande ljud.

– Sorry, mötet börjar. Jag måste sluta. Vi ses snart. Jag älskar dig.

– Och jag älskar dig, sa jag, men hon hade redan lagt på.

Jag funderade på vad jag skulle bjuda henne på där jag satt med mobilen i handen. Fisk kanske? Jag fick gå upp till Saluhallen vid Östermalmstorg fredag morgon och se vad som bjöds. Melanders fisk var alltid ett säkert kort. Lisa Elmquist också. Och det fanns färdiga fiskrätter som det bara var att värma. Fusk visserligen, men ändamålet fick ibland helga medlen. Det skulle nog fixa sig.

Egentligen borde jag pröva Hötorgshallen också, tänkte jag. Där fanns ett stort utbud med hög kvalitet. Men vanans makt var stor. Det fick bli nästa gång.

På eftermiddagen ringde min kusin Jonas Berg. Han tjänstgör på UD som någon sorts samordnare på terroristsidan och hade haft med Francine att göra i ett uppmärksammat fall med attentathot mot riksdagshuset, falskt alarm som det skulle visa sig, men det kunde man ju inte veta innan.*

Vi hade inte setts på många år, Jonas hade tjänstgjort utomlands under långa perioder. Av en slump hade vi stött ihop på

*Mårtenson: *Mord i blått.*

UD efter en visning av Sofia Albertinas salonger, hon hade ju bott i sitt palats vid Gustav Adolfs torg i många år. Senare skulle departementet tyvärr stänga visningsverksamheten som varit mycket uppskattad. Som skäl angavs att ingen ville befatta sig med programmet där visningarna ändå skedde med guider utifrån. ”Man hade inte tid.” Vandringarna genom svensk historia och kulturhistoria upphörde alltså tvärt.

Hur som helst hade vi mötts i stora entrén till UD och vi hade fortsatt till några stora öl på Operabaren och minnen från barndomssomrar, släktkalas och vad livet fört med sig i våra respektive yrkesroller.

Nu ringde han för att bjuda till några glas vin i sin våning på Prästgatan alldeles i hörnet av Storkyrkobrinken, i backen nedanför Stortorget.

– Ingenting märkvärdigt, sa han. Bara några från jobbet och andra vänner. Helt impromptu. Har du lust att titta över är du välkommen. Jag förstår att Francine är på konferens i Bryssel. Jag skulle också åkt, men jag fick förhinder. Kom när du vill i kväll, mellan sex och åtta. Öppet hus, och portkoden har du.

När jag kom hem till våningen öppnade jag en kattmatburk till Cléo, lade upp hälften på hennes blå Meissenfat som jag satte nedanför kylskåpet och ropade ”sssströmming!” med många s.

Det rasslade i parketten ute i hallen, som ett jehu kom Cléo farande med svansen rakt upp som en flaskborste, så bråttom var det att hon nästan halkade i svängarna. Nu var det ju inte strömming jag bjöd på, men för henne betyder ordet strömming ”mat” med stora bokstäver.

Hennes middag luktade verkligen gott. Om jag inte vetat att det var kattmat hade det säkert kunnat fungera som smörgåspålägg.

Med huvudet på sned satte Cléo i sig anrättningen medan jag duschade och bytte skjorta. Så hällde jag upp mera vatten i hennes lilla skål och gick över Stortorget bort till Jonas våning.

Jag stannade upp inför några löpsedlar på vägen. Av den ena fick jag veta att en deckardrottning skilt sig medan den andra lockade med en lista på en känd dams sexpartners.

Det är mycket nu, tänkte jag. Mera än förr. Då var nyheterna mer handfasta. Krig och fred, mord och brand, inte så mycket privatliv och öppnade sängkammardörrar. Det var väl pengarna som styrde nyhetsflödet. Som så mycket annat. ”Money talks.”

Redan ute i trappan hördes att Jonas hade gäster. Det fanns inte någon hiss så jag gick uppför de nötta stentrapporna där en och annan mångmiljonårig ortoceratit låg i förstenad sömn.

Dörren stod halvöppen och jag gick in utan att ringa på. Många hade redan kommit och jag vinkade till Jonas som stod framme vid fönstret bland några mörkgrå kostymer. Kolleger förmodligen, på UD måste man väl vara strikt klädd, hade egen dresskod för att vara representativ när man tog emot utländska diplomater.

– Hej, Johan, han log och kom fram till mig. Vad kul att du kunde komma. Där borta finns vin, vitt och rött, och korvar och köttbullar på tandpetare. Jag har gjort dom själv. Glöm inte att ta bort tandpetarna innan du äter. Han skrattade och gav mig en vänskaplig puff i magen.

Jag gick bort till soffgruppen i vitt skinn som stod vid bortre kortväggen. Framför fanns ett bord med glas och flaskor och stora fat med plockmat som Jonas sagt. Små, trinda korvar. Runda köttbullar och fyrkantiga ostbitar, allt serverat med istuckna tandpetare. Och det var ju greppvänligt och praktiskt. Inte någonting kladdigt, ingenting man riskerade att spilla på mattorna.

Jag valde mellan rött och vitt, men avstod från det röda. Jag hade dystra minnen sen jag råkade slå ut ett glas rödvin över min bordsdam nyinköpta vita blus från NK. Hennes reaktion blev minst sagt frostig och mina ursäkter verkade inte riktigt räcka till trots att jag bad henne skicka kvittot från kemtvätten. Så jag tog ett glas Stoneleigh, en vit sauvignon blanc från Nya Zeeland som jag gillade. Flera flaskor finns i vinstället hemma i köket. Jag fiskade upp en tandpetare med en av de kaloristinna prinskorvarna och såg mig om i rummet.

Huset var säkert från 1600-talet, det var lågt i tak men utan takbjälkar som i Stratford-upon-Avon. På väggarna kopparstick ur Elias Martins Stockolmsbilder i guldram med liten pärlkant, en gustaviansk soffgrupp under en kraftfull häst av Dalì som kontrast mot den vita skinnmöbeln. Kaukasiska mattor i färgstarka nästan geometriska mönster och ett porträtt av Sofia Albertina med hertigkrona. Kunde vara Björck efter en av Lundbergs pasteller. Och det passade ju bra. Jonas arbetade i hennes palats. En stor, svart platt-tv kompletterade inredningen.

Jonas hade god smak, det märktes, och hans ungkarlsvåning passade honom. Han såg verkligen mycket bra ut, åt George Clooney-hållet med mörkt, tidigt gråsprängt hår. Vältränad och välbehållen trots arbetsdagar med champagne och eleganta snittar under diplomatiska kristallkronor för att nu schablonisera. Och karriären kunde han inte klaga på, trots krokben från avundsamma kolleger.

Jag log för mig själv. Jag fick passa mig så att jag inte blev avundsjuk. Och Francine verkade inte oemottaglig för hans charm. Inte så att jag var orolig, men man visste ju aldrig var haren hade sin gång. Och jag litade inte riktigt på Jonas i det avseendet.

Jag såg mig om i rummet. Ett tjugotal personer kanske, i skilda åldrar och nästan fler kvinnor än män. Utrikesdepartementet verkade leva upp till genusmålsättningarna. De flesta var också UD-kodade i kostym och strikta dräkter men en och annan uppstickare utan slips och i tröja. En del var äldre än de flesta som verkade vara i min och Jonas ålder, några lite yngre faktiskt.

– Hej, sa jag och gick fram till en man i fyrtioårsåldern som stod ensam framme vid dörren. Lång, smal och såg trevlig ut. Ett öppet ansikte och glada ögon. Grå flanellkostym, vit skjorta men slipsen hade åkt av. Det var trots allt efter arbetstid och varmt i rummet trots att fönstret stod öppet.

– Jag är Jonas kusin och heter Johan Homan. Jag jobbar alltså inte på UD. Jag log mot honom. Jag gissar att du gör det. Du har åtminstone kostym.

– Du gissar rätt. Jag jobbar faktiskt på UD. På protokollet. Oljan i maskineriet. Gösta Lönngren förresten, presenterade han sig. Jag är biträdande protokollchef.

– Behövs det? Olja i ert maskineri?

– Det behövs i alla sammanhang. Vi svarar alltså för kontakterna med utländska diplomater när det gäller deras problem och verksamhet. Allt från ambassadörernas ackrediteringar till parkeringsböter. Han log. Statsbesök och mycket annat.

– Då förstår jag det där med oljan. Det behövs säkert.

– Om! Och det är ganska praktiskt med alla dom här protokollära reglerna. Det ger oss en kompass i tillvaron.

– Det låter som om du jobbar på en båt. Olja i maskineriet och kompass på seglatsen.

– Det är inte så märkvärdigt som det låter, men ett internationellt regelverk är alltid bra att ha. Vi har ju över hundra ambassader i Stockholm och då finns exempelvis bestämmelser om vem som är ”finast”. Och det är viktigt. Det finns många ömma tår.

– Hurdå finast?

– Deras rangordning, deras anciennitet. Ambassadörernas alltså. Den räknas från den dag du ackrediteras, det vill säga lämnar över dina kreditivbrev till kungen på slottet. Ska du sen till exempel placera dom på en stor bankett så sitter Albanien före Kina om albanen varit hos kungen en timme innan kinesen. Och det accepterar alla trots att Kina är både större och viktigare.

– Jag antar att du sysslar med lite annat än bordsplaceringar? Gösta Lönngren skrattade.

– Självklart. Det är bara toppen på isberget. Trevligt att höra förresten att du är Jonas kusin. Han är faktiskt jättesympatisk. Och charmig. En frisk fläkt.

– Avbryter jag nånting viktigt?

En ung tjej hade kommit fram till oss med ett glas i handen.

– Inte alls, sa jag. Vi diskuterar vem som är finaste. Kinesen eller albanen.

– Jag förklarar protokollets finesser för Jonas, sa Gösta Lönngren.

– Jag förstår. På tal om protokollet och finesser så kanske du kan se till att jag får mitt nya pass utskrivet. Jag ska ju vikariera på Kuba om några veckor.

– Det ska jag fixa. Känner du Johan Homan? Han är kusin till Jonas Berg.

– Verkligen? Hon log mot mig.

– Eva, sa hon sen. Eva Lindström. Jag är alltså kollega till Jonas och Gösta. Fast yngre. Mycket yngre. Så skrattade hon.

– Ung och lovande, sa Gösta. Själv är jag varken det ena eller det andra.

– Det behöver du inte tala om, sa hon. Men du är inte på UD. Hon såg på mig.

– Faktiskt inte. Jag har en antikhandel här i närheten. På Köpmangatan. Ni är välkomna att titta in.

– Gärna.

– Hur mådde Shakespeare? Jonas dök upp bakom mig.

– Han mådde alldeles utmärkt hoppas jag. Jag var ju vid hans grav, men man kan ju aldrig veta efter så många år.

– Shakespeare? Eva såg frågande på mig.

– Jag var på bröllop i Stratford-upon-Avon, förklarade jag. Shakespeare föddes ju där. Dog också.

– Vad lustigt, sa hon. Mina föräldrar var just där också. På bröllop. Var det samma? Dom heter Bergman, förtydligade hon. Mamma är omgift sen pappa dog.

Då kom jag ihåg vad Eric Gustafson berättat. Om familjen Bergmans dotter Eva. ”Jätteskärpt och jättesnygg och jobbar på UD.”

– Då vet jag mycket väl vilka dom är. Rickard är i samma bransch som jag. Han är ju inte handlare förstås men samlare. Vi är en förutsättning för varandra. Jag säljer och han köper. Fast jag är rädd för att mitt sortiment inte riktigt är i hans klass.

– Jag vet. Han har oerhört exklusiv smak. Jag är rädd för att han ruinerar oss. Hon log, men det var inte något vänligt leende.

– Lustigt med Shakespeare förresten, sa hon snabbt, som ville hon byta samtalsämne. Ville kanske inte visa upp sprickor i familjefasaden.

– Lustigt? På vilket sätt?

– Det kanske är fel ord men ser du ett klassiskt citat så är det antingen Bibeln, Shakespeare eller Churchill. Inte så sällan Churchill som citerar Shakespeare. Och efter alla dessa år är han fortfarande aktuell, spelas över hela världen. Jag läste bara häromdan om bibeln på Robben Island.

– Nu hänger jag inte med.

– Det vet du väl? Apartheidregimens fängelseö. Där hade man smugglat in Shakespeares samlade verk i en volym som hade maskerats till en sorts bibel. Den cirkulerad bland fångarna och var och en fick stryka under sitt favoritcitat. Nelson Mandela valde några rader i Julius Caesar. Jag minns inte orden exakt men det gick ut på att den fege dör många gånger före sin död medan den tappre nås av döden bara en gång.

– Det visar hans storhet, sa jag. Att citeras av en fängslad frihetshjälte nästan fyra hundra år efter sin död visar hans snille och genialitet. Han är allmängiltig och odödlig. Universell. Eller som hans vän Ben Jonson beskrev honom: "Not of an age, but for all time".

Kapitel IV

Storebror slår till igen, tänkte jag där jag låg i min säng med morgontidningarna. Systembolaget hade introducerat en gratis-app. Med hjälp av den kunde man ha koll på sitt drickande. Om den uppdaterades med min konsumtion registrerades det och kom man över en viss promillegräns meddelades det.

Jag undrade hur? Beethovens femma eller en trumpetfanfar? Och det kanske bara var första steget på förmyndarnas intrång i hemmets lugna vrå? Skulle RFSU följa i spåren så att den äktenskapliga samvaron kunde kopplas till mobilen? Överskreds en viss, av myndigheterna fastställd, anständighetsgräns så blev man påmind. ”Triumfmarschen” ur Aida kanske eller någon annan lämplig signal.

– Vi får passa oss, sa jag till Cléo som låg på täcket nere vid mina fötter. Efter två Dry Martinis kanske det blev kortslutning i appen. Men det hände nästan aldrig. En räckte mer än väl och inte sällan blev det noll. Ett glas vitt vin fick räcka och det hamnade säkert under appens spärrar.

Jag lade undan tidningarna, tänkte på kvällen innan, hemma hos Jonas. Där hade det kanske blivit ett par glas vitt, men inte mer. Och jag tänkte på Eva, Rickards dotter. Hon hade varit rädd för att hans samlande skulle ruinera familjen och med sonen Henrik levde han tydligen, enligt Eric, i någon form av väpnad neutralitet.

”An evil man” hade Anastasia kallat Rickard. Eric Gustafson hade inte varit alldeles positiv när han talade om honom. ”När man hälsat på Rickard skulle man räkna fingrarna efteråt.” Och hans fru hade inte verkat särskilt entusiastisk över hans samlande. ”Vi får knappt plats själva för allt han drar hem”, hade hon sagt när vi sågs på Jeremys bröllop.

Ingen charmknutte direkt, men han var tydligen duktig, hade lyckats i sin svåra bransch. Så några förtjänster måste han ha. Så lämnade jag tankarna på Rickard Bergman och hans komplicerade familjeförhållanden, det var ju faktiskt ingenting som angick mig. Gick ut i köket och gav Cléo frukost innan duschen fick fräscha upp mig inför dagens prövningar. Men innan jag gick ner till affären var det en sak jag måste göra, någonting jag glömt.

Jag tog fram min mobiltelefon och knappade in Calle Asplunds direktnummer. Calle är alltså en gammal vän, dessutom chef för Riksmordkommissionen och vår bekantskap började för många år sedan när jag av en slump hamnade i en mordutredning. På ytan kan han ibland verka sträv och otillgänglig, men han har mycket charm och stor personlighet. Karismatisk. Och man fick inte låta sig bedras av hans sävliga sätt. Bakom hans ibland buttra uppsyn döljer sig ett mycket aktivt intellekt. Och han hade många intressen som man inte alltid kopplade till hans yrke. Som Shakespeare.

– Godmorgon konstapeln, sa jag.

– Hoppas det är nånting viktigt. Har du ställt till det för dig nu igen? Så kom hans stora, bullrande skratt, välkänt inom poliskåren.

– Tack och lov inte men jag har en hälsning till dig. Och en present.

– Present? Det var lika kärt som oväntat. Och vem hälsar?

– En kär gammal vän. Fyrahundra år gammal.

– Om du tror att jag har tid att sitta här och prata strunt så har du fel.

– Det är faktiskt Shakespeare som hälsar. Jag har just varit vid hans grav i Stratford-upon-Avon och jag har köpt en mugg med hans porträtt. Jag tänkte att det kunde passa till ditt morgonkaffe.

– Vad fan gjorde du där? I Stratford av alla ställen.

– Var på bröllop faktiskt och hälsade på Shakespeare. Och han hälsar till dig och sa att det minsann är han själv som har skrivit alla hans verk. Inte som du tror.

Calle skrattade igen.

– Och det påstår du bara rakt upp och ner?

– Jag är ledsen om jag berövar dig dina illusioner, men nu har man gjort en datoranalys av alla hans verk och kommit fram till att han verkligen är författaren. Jag vet att du säger att han kom från enkla förhållanden och inte hade nån bildning. Att den som skrev dramerna måste stå högt på samhällsstegen och vara mycket bildad och beläst. Som Edward de Vere, sir Francis Bacon eller sir Henry Neville. Eftersom dom var adliga kunde dom inte stå med sina namn på teaterpjäser. Det gick inte för sig i deras kretsar. Och en del av dem, som Rickard II, var politiskt laddade.

– Och?

– Det visar sig att Shakespeares pappa var borgmästare i Stratford-upon-Avon, att hans mamma kom från en förmögen familj med stora jordegendomar och att Shakespeare fick en grundlig utbildning i bland annat latin och grekiska. Och när han dog var han rik och så ansedd att han begravdes framför altaret i katedralen i Stratford. Så det så.

Det blev tyst i luren, så tyst att jag trodde att han stängt av, inte klarade av att hans favoritprojekt sköts i sank.

– Roligt att du börjar få lite intellektuella intressen, sa han sedan. Och Shakespeare är inte det sämsta. Men vi kan väl göra som höjdarna i stora förhandlingar.

– Nu hänger jag inte med riktigt.

– Att vi förklarar att vi är ense om att vara oense. Han skrattade. Bara för att du ringer och påstår en massa om nånting som du inte har en aning om så sväljer jag det inte rakt av.

– Det förstår jag. Men tittar du in hos mig på Köpmangatan så ska du få muggen jag köpt åt dig. Det är en bild av Shakespeare så du kan möta honom flera gånger om dan.

– Okej, det var snällt av dig och skönt att det bara var Shakespeare och hans mugg som du hade på hjärtat. Ofta är det ju mycket konstigare problem. Lik du har hittat och mördare du har spårat. Skrattet kom tillbaka.

– Små sår och fattiga vänner ska man inte förakta, sa jag. Det är faktiskt flera gånger som jag har hjälpt dig. Det får du hålla med om.

– Visst, ta inte illa upp. Och det här med Shakespeare får vi diskutera lite närmare. Du måste redovisa dina källor. Men nu har jag inte tid längre. Hej så länge. Så bröts kontakten.

Nu har jag i alla fall gjort vad jag skulle tänkte jag och stoppade mobilen i kavajfickan. Författarskapet till Shakespeares verk var ett av Calles favoritämnen och han kunde lägga ut texten i evighet ibland när vi träffades. Nu hade han i alla fall fått någonting att bita i. Och ganska belåten med mig själv gick jag med Cléo på axeln ner till affären för att möta dagens utmaningar.

Så malde vardagen på i sin jämna lunk. Jag talade i telefon med Francine och berättade att jag längtade efter henne, att det var långtråkigt när hon inte var hemma. Jag sålde ett och annat till utländska och andra turister. På sommaren ankrar ju då och då stora kryssningsfartyg i hamnen, stinna av gäster som väller ut över Stockholm. NK och Gamla stans pittoreska gränder och åldriga hus lockar och många tittar in i antikaffärerna för att "fynda". För det mesta blir det mindre objekt, man kan ju inte gärna släpa med sig barockskåp ombord, men jag har hittat en bra nisch. Jag har slaktat en sen men fräsch 1800-talsupplaga av Suecia Antiqua och ramat in de vackra kopparsticken från 1600-talet i gustavianska, förgyllda ramar. Lätthanterligt och prisvärt, en trevlig souvenir från Sverige och svensk stormaktstid. Och jag betalade fakturor, läste tidningarna och såg på tv. Inte särskilt upplyftande men man fick inte ha för höga anspråk. Det var väl så här livet gestaltade sig för de flesta av oss. Vardagliga rutiner. Fast jag skulle inte klaga. Jag hade ju varit och hälsat på vid Shakespeares grav och jag hade fått nya, lätt mystiska bekanta som Rickard Bergman.

Fredag kväll skulle Francine komma från Bryssel. Jag hade gått tidigt till Östermalmshallen, matkulturens tegelkatedral vid Östermalmstorg. Jag gick in under de höga valven, förbi dignande diskar med ett nästan skamlöst, vällustigt utbud av kött i alla former; från mörkröda, lagrade stekar till syltor, patéer och korvar. Förbi grönsaksdiskarnas prunkande trädgårdar, där fräscha, stora salladshuvuden trängdes med knallröda rädisor och ljusgröna dillknippen och slanka sparrisstänglar. Förbi bröddiskarnas hälsoutbud av fibrer och surdeg, förbi ostdiskarnas kalorifestival där franska ostar samsades med svenska och italienska i ett frestande virrvarr.

Jag skyndade förbi alla lockelser och fastnade vid fiskdisken. Blanka laxar, färska torskar, silvriga strömmingar och berg av rosa räkor bredvid lackröda humrar och fullmatade krabbhalvor som lyste av rom. Men jag fastnade för en aluminiumform med slätvar i vitvinssås, kräftstjärtar och riven parmesanost omgiven av spritsat potatismos. Jag kände inte för att laga mat och visste att mina kulinariska färdigheter inte gick upp mot kockarna hos Lisa Elmquist. Ett par hekto blanka strömmingar till Cléo fick också följa med. I ostdisken kompletterade jag med några lagrade ostar; en smältande, grönmöglig gorgonzola, en bit parmesan och ett hörn italiensk ost gjord på opastöriserad komjölk.

På hemvägen gick jag förbi Systemet och inhandlade en flaska Sancerre, det vita vinet från Loiredalen med en lätt ton av svartvinbärsblad. Francines franska mamma är ju delägare i ett litet vinslott där. Till osten köpte jag en butelj Alamos, ett hyggligt argentinskt vin från Mendoza, en hälsning från Andernas sluttningar. Från etikettens baksida kunde jag lära mig att vinet var en kombination av solljuset över bergssluttningarna och det snösmälta, rena vattnet från bergen och det lät ju betryggande.

Jag dukade ute på balkongen med blåvitt, kinesiskt kompaniporslin. Tog fram fiskbestick i silver, linneservetter och mina höga kristallglas. Var det fest så var det!

I köket satte jag fram ostarna så att de skulle hålla rumstemperatur, lade Sancerren i kylskåpet och öppnade rödvinsflaskan för luftning. Flaskan hade kapsyl, inte kork. Det fanns ju en debatt om vilket som var att föredra, kork eller kapsyl. Båda hade fördelar, men mitt vin var så pass ungt att det inte kunde ha någon större betydelse vilket alternativ man valde.

Så ställde jag ugnen på rätt temperatur, den som stod på fiskformens bruksanvisning. Jag hade duschat, bytt skjorta och satt på mig min mörkblå cashmeretröja och kände mig redo för Francine.

Hon hade ringt tidigare från Arlanda och jag räknade med att hon skulle vara hos mig på Köpmantorget om någon halvtimme efter en snabbdusch hemma på Lützengatan och jag såg verkligen fram mot kvällen. Vi hade varit från varandra över en vecka och Francine var alltid så glad och positiv när vi möttes. Varje gång hon kom och öppnade dörren ute i tamburen brukade hon ropa: ”Jag är här nu, är du glad då?” Och hon spred verkligen glädje kring sig. När hon kom in i ett rum så lyste det på något sätt upp. Stark personlighet. Karisma. Dessutom intelligent och begåvad. Att hon påminde om Julia Roberts var ju inte någon nackdel.

Då ringde telefonen. Först hittade jag den inte, gick runt i våningen för att identifiera signalen. Till slut kom jag på den, i fickan till min morgonrock som hängde i badrummet. Ofta fick jag börja dagen med att gå omkring och leta efter nycklar, mobilen, glasögon och annat som jag lagt ifrån mig någonstans utan att ha en aning om var. Ibland måste jag faktiskt ringa mobilen från min vanliga telefon för att hitta den.

Var det Francine som ringde? tänkte jag när jag tog upp mobilen. Var hon försenad? Men det var någon helt annan. En mansröst.

– Hej, Johan det är Rickard Bergman. Vi sågs ju för ett tag sen.

– Just det. På Jeremys bröllop. I Stratford.

– Precis. Och nu skulle jag vilja träffa dig. Är du fri för middag i morgon?

– Jag tror det, sa jag och drog på det.

Vad ville han? Vi hade ju bara setts vid kaffet efter bröllopsmiddagen.

– Vad gäller det? frågade jag sen.

– Jag vill inte ta det över telefon, men jag vill att du köper en sak åt mig.

– Jag trodde det var du som köpte? Jag säljer ju bara och mina objekt tror jag tyvärr inte intresserar dig. Dom är alldeles för unga och vanliga. Gustavianska pottskåp från 1700-talet verkar inte vara din grej.

Rickard Bergman skrattade.

– Det kan du ha rätt i och här gäller det en grekisk hjälm. Över två tusen år gammal. Och den finns i Miami.

– Nu hänger jag inte med riktigt.

– Jag förstår det. Om en månad är det en stor internationell konstmässa i Miami Beach. Högklassig konst och exklusiva antikviteter. Där finns en korintisk hjälm med ett utropspris på 350 000 dollar.

– Och den skulle jag köpa menar du? Nu var det min tur att skratta. Över två miljoner!

– Oroa dig inte. Du köper och jag betalar. Då ses vi imorgon alltså. På Gastrologik. Hörnet av Artilleri- och Riddargatan. Jag har beställt till klockan halv åtta. En festlig restaurang. Dom har ingen meny men en stjärna i Guide Michelin. Vi ses.

Då ringde det på dörren. Francine.

Jag öppnade och vi kysste varandra. Länge. Jag höll henne tätt intill mig. Andades in doften av hennes hår.

– Underbart att vara hemma igen.

– Underbart att se dig. Har allt gått bra?

– Allt var perfekt. Och mitt anförande gick hem. Nu är jag jättehungrig. Jag känner dofter.

– Min fiskgratäng är precis färdig. Jag antar att du vill börja med din vanliga? Campari och apelsinjuice.

– Gärna. Och hur har du haft det?

– Jag kan inte klaga. Jag har ju varit vid Shakespeares grav och på Jeremys bröllop. Tråkigt att du inte kunde komma med, men jag ska berätta allt ute på balkongen. Sen har jag just blivit bjuden på middag på en restaurang som inte har nån meny och så ska jag köpa en grekisk hjälm för över två miljoner. I Miami.

Kapitel V

Rickard hade haft rätt. Det fanns inte någon meny på restaurang Gastrologik. Man fick välja mellan en trerätters middag eller en med sex rätter. Haken var bara att man inte fick veta vad som skulle serveras. Om huvudrätten var fisk eller kött var något som kockarna i köket och hovmästaren envåldigt bestämde över. Gästens enda bidrag var om han eller hon var allergisk. Då fick man ha synpunkter. Det blev alltså en total överraskningsmiddag.

– Var inte orolig, sa Rickard när vi satt oss till bords. Jag har varit här flera gånger med min fru och det är alltid lika fantastiskt. Och spännande. En av Stockholms bästa restauranger. Man börjar med olika smårätter innan varmrätten serveras.

Och han överdrev inte. En mängd små läckra, speciella och sofistikerade anrättningar bars fram med ingredienser som överträffade min fantasi. Det var glass på palsternacka, en friterad boll med smält älgmule, parmesankräm med Gotlandstryffel. Det var grillade lökar med syrad grädde, friterade laxfenor. Så kom huvudrättens hjortfiléer med rödbetsjuice och rödbetssorbet. Och alla anrättningar var oerhört estetiskt presenterade.

Till det fantastiska surdegsbrödet kom nykärnat smör och grapefruktsorbeten åtföljdes av olika chokladvarianter. Fick man tro den trevliga servitrisen varierades utbudet från dag till dag. Bara fantasin satte gränser och man älskade lokala produkter från hela Sverige. Hjortron från Arvidsjaur och malört från Smygehuk.

– Du hade rätt, sa jag. Ett fantastiskt koncept. Det är inte bara kökskonst, kulinariskt artisteri, det är "riktig" konst också. Titta bara på presentationen av rätterna. Dom är små installationer.

– Jag håller med dig. Och vinerna är hyggliga.

Medvetet hade jag låtit bli att fråga Rickard vad han egentligen ville med sin inbjudan. Visserligen hade han talat om en grekisk hjälm i Miami som kostade över två miljoner, men varför jag skulle köpa den hade jag fortfarande ingen aning om. Jag väntade på att han skulle ta initiativet. Och det gjorde han till vår Grappa di Chardonnay.

– Jag förstår att du undrar, sa han och höjde sitt glas i en skål.

– Faktiskt. Om jag ska vara ärlig.

– Som jag sa i telefon vill jag alltså att du ska flyga till Miami och köpa ett objekt till mig.

– Du sa det. En grekisk hjälm. Jag förstår bara inte varför.

– Det skulle jag inte heller göra om jag var i dina kläder. Rickard log. Och jag ska berätta varför. Som du vet samlar jag på den här typen av objekt. "Riktiga" antikviteter om du förstår vad jag menar. Museiföremål. Dels av estetiska skäl och dels som placeringar och när jag började samla fanns ju förmögenhetsskatt. Aktier går upp och ner, banker går omkull, guldpriset fluktuerar men såna här exklusiva föremål stiger bara i värde. Sen har jag en personlig relation till dom. Jag kan lägga händerna på en marmorbyst, blunda och känna närhet i tid och rum. Låter det fånigt?

– Inte alls. Jag har visserligen inga romerska marmorkejsare, men jag förstår vad du menar. Jag gör det själv ibland, kan ta en stenåldersyxa som jag har som brevpress i handen och känna vibrationerna. Inbillning förstås, men vi är på samma våglängd. Fast det förklarar ju inte varför inte du själv åker till Miami och shoppar.

– Det är lite komplicerat. Låt oss säga att IRS, den amerikanska skattemyndigheten och jag, har lite olika uppfattningar när det gäller taxering. Det gör att jag inte har möjlighet att resa in i USA. Det är tillfälligt, lade han snabbt till. Jag har överklagat, men sånt där drar ju ut på tiden. Du vet ju hur det är med skattmasarna.

Jag nickade. Inte för att jag var portad i Amerika av skatteskäl, men sina relationer med skatteverket måste man vårda.

– För din del är det ganska enkelt. Du flyger till Miami, resa och uppehälle står jag naturligtvis för. Du badar och solar, tittar på bikinitjejerna, dricker Dry Martini och äter blodiga biffar. Sen köper du min hjälm och åker sen hem. Och du får femtio tusen för besväret. Pengar vi inte behöver besvära taxeringsgubbarna med. Han log igen.

Jag satt tyst, tänkte. Låg det en hund begraven? Var det lagligt det han planerade? Men varför inte? Hjälmen fanns på marknaden, han hade pengar som han ville placera och lägga ett nytt exklusivt objekt till sin samling. Min roll var ju skäligen enkel. Jag skulle köpa hjälmen. Betala. Se till att den fraktades hem och sen flyga tillbaka. Det skulle inte ta mer än några dagar. Och jag hade aldrig varit i Miami, men jag kände till den berömda amerikanska art déco-arkitekturen i Miami Beach. Den fanns i kursplanen när jag läste konstvetenskap och det kunde vara intressant att se den i verkligheten.

– Det låter intressant, fast lite komplicerat, sa jag. Varför ber du just mig och hur gör jag med betalningen? Jag kan ju knappast komma med ett par miljoner i resväskan.

– Du är i branschen och ingen kommer att tycka att det är konstigt om du köper ett dyrbart objekt för en kunds räkning. Och jag gillar dig. Det gjorde jag första gången vi sågs på Jeremys bröllop. Efter alla år har jag lärt mig att skilja agnarna från vetet när det gäller människor. Sen har jag gjort lite diskreta efterforskningar. Och leendet var tillbaka. Alla talar mycket väl om dig.

– Det var trevligt. Så du vill inte riskera att jag sticker med dina miljoner? Det är väl Eric Gustafson du har pratat med?

– Just det. Bland andra.

– Jag måste fundera på saken. Och jag måste kolla så att jag inte blir tagen av polisen i Miami. Att affären är okej. Vem är säljaren till exempel. Och kan han garantera att det inte rör sig om stöldgods från nåt museum? Handel med konst och antikviteter är ju oerhört omfattande, inte minst med stöldgods, och den organiserade brottsligheten är inblandad på olika nivåer. Tänk bara på vad som hände när museet i Bagdad plundrades.

– Oroa dig inte. Det är en stor, internationell och prestigefylld konstmässa typ Maastricht. Och det finns en liknande i Palm Beach. Alla utställare är välkända och etablerade och deras objekt är väldokumenterade med tydlig proveniens. Ingen av dom skulle riskera att bli inblandade i nån form av bedrägeri eller ta befattning med stöldgods. Då skulle dom vara körda på marknaden. Du kan ju kolla med Jeremy. Jag vet att han sålde en Gainsborough där en gång. En av dom stora engelsmännen alltså. Ett porträtt av nån hertiginna från 1700-talet.

– Det låter ju bra.

– Jag har stämt av hjälmen med The Art Loss Register i London. Dom har koll på handeln med stulen konst. För nåt år sen omsatte den marknaden sex miljarder dollar. Trea efter illegal handel med vapen och droger. Tänk på saken. Det är ingen brådska, men kan du ge besked om nån vecka så vore jag tacksam. Och du behöver inte oroa dig för den etiska sidan. Som jag nämnde kommer mina samlingar att doneras till ett museum. Jag har redan diskussioner med Nationalmuseum. Så det finns inga ekonomiska spekulationer med i bilden. Du gör alltså en insats för konst och kultur.

– Det låter ädelt.

– Det är det också. Jag ska visa dig en bild på den så förstår du.

Rickard drog fram ett vitt kuvert ur kavajfickan, öppnade det och vecklade ut ett pappersark som han höll upp. En grönskimrande bronshjälm mot röd bakgrund. En dramatisk bild av en hjälm som likt en huva täckte större delen av huvudet och ansiktet med undantag för de mörka öppningarna för munnen och ögonen som stirrade mot mig med en underlig, sugande kraft. En stark bild som nästan kändes obehaglig.

– En magnifik hjälm, sa Rickard. I formspråket påminner den om våra hjälmar från Vendelgravarna, från vikingatiden. Samma utformning nästan som dom romerska hjälmarna.

– Det beror väl på att dom hade samma syfte? Att skydda huvud och ansikte mot hugg och slag. Men jag håller med dig. Den är fantastisk.

Nästa morgon ringde jag Francine och berättade om middagen med Rickard. Hon lät tveksam och det hade hon varit också uppe i min våning kvällen hon kom från Bryssel när Rickard just ringt. Men då hade ju hans förslag inte konkretiserats.

– Lite för komplicerat för min smak, sa hon. Han har tydligen inreseförbud till USA och det får man ju inte utan anledning.

– Kan du inte dra i lite trådar och lyfta på några stenar och kolla honom? Inte för att jag tror att du hittar nånting. Han har ju ett ledande företag inom teater- och musikbranschen och förekommer i alla möjliga officiella sammanhang så han är väl inte direkt nån mafioso.

– I dom lugnaste vattnen, sa Francine. Jag ska se vad jag kan göra. Men jag tvivlar på att det finns nånting i våra register. Vi sysslar ju med annat än grekiska hjälmar. Jag får passa mig bara så att JO inte slår ner på mig. Finns det nånting som heter ”otillbörlig tjänsteutövning”? Och att privatspana för sin sambos räkning är väl inte heller alldeles uppskattat.

– Där har du fel. Jag är inte din sambo. Möjligen delsbo.

– Du vet mycket väl vad jag menar. Men jag ska se vad jag kan göra. Var försiktig bara så att du inte blir inblandad i nånting som du får ångra.

– Det ska jag verkligen akta mig för. Men femtio tusen är femtio tusen och jag har ju haft den här sortens uppdrag förr. Att ropa in föremål på auktion till exempel när köparen inte velat skylta själv.

– Ja, men inte i Miami. Och inte för två miljoner.

– Jag ska tänka på saken och tala med Eric Gustafson också. Han känner Rickard Bergman och han vet allt om alla, vet allt dom har i sina skåp.

– Gör det och berätta för mig vad du hittar.

– Jag lovar. Och var försiktig. Du vet att du har en olycksalig förmåga att ge dig in i olika historier som kan sluta illa. Tänk på Shakespeares kloka ord: ”Det är en sak att bli frestad men en helt annan att falla för den.”

– Jag vet, men en grekisk hjälm är inte nån drivande mina. Den ska dessutom hamna på Nationalmuseum i slutänden.

Eric satt och läste Dagens Industri inne på sitt kontor när jag kom.

– Intressant, sa han och såg på mig över tidningens kant. Här står det att Sotheby's är Nordens och Sveriges största auktionshus när det gäller kvalitetsauktionerna. Större alltså än Buckan och Auktionsverket.

– Det beror väl på att dom säljer ”större” objekt. Sålde dom inte en Munch för ett tag sen för över 700 miljoner. ”Skriet.” Och dom tar inte in objekt som är värda under 100 000.

– Det är sant, men man har räknat bort Munch och då hamnar Sotheby's ändå i topp.

– Kul för dom, sa jag. På tal om det känner du till den här

stora amerikanska konstmässan i Miami? Den som går igång om nån månad.

– Självklart. Jag brukar få katalogen. Jag har en kompis som ställer ut där. Modern konst. Hurså? Slå dig ner förresten. Jag kan erbjuda te och hembakade scones med hallonsylt om det passar.

– Det passar och passar ännu bättre med kaffe och scones. Med hallonsylt.

Eric gick ut i sitt pentry och kom tillbaka med en kopp kaffe och ett glasfat med scones. Jag satte mig i en av de gustavianska baljfåtöljerna mitt emot honom.

– Pulverkaffe, sa Eric och log. Det får vara måtta på dina anspråk, men jag hade hett vatten i elkokaren. Vad kan jag göra för dig? Eller kom du över bara för att se hur jag mådde?

– Inte enbart. Jag kom faktiskt för att få veta lite mer om Rickard Bergman.

– Verkligen? Vill han handla på kredit hos dig?

– Jag tycker inte han verkar behöva det. Nej, vi kanske ska göra affärer ihop.

– Verkligen? Eric såg nyfiket på mig. Jag trodde att han hade exklusivare smak än ditt sortiment. Inget illa ment. Men han är ju mer inne på äldre saker. Mycket äldre, som du vet.

Han höjde händerna i en avvärjande gest, och jag såg en ametist i mörkt lilarött blänka i en ring på hans ena ringfinger.

– Grattis till din nya ring, förresten. Den ser dyr ut.

– Det är den också, sa Eric belåtet. Jag har inte ringar i vanliga fall, men den här är ett undantag. Jag kunde bara inte motstå den och jag förstår om du är avundsjuk. Jag fick just in den från ett dödsbo efter en gammal originell ungkarl. Så jag tänkte att den skulle få hänga med ett tag. Alltid retar det nån.

– Du vet väl att ametister skyddar mot dryckenskap?

– Så mycket bättre. Då finns det ännu större skäl att ha den.

Men till saken. Vad vill du veta om Rickard mer än jag redan har berättat att han gifte om sig med chefens änka och att hennes barn inte gillar honom?

– Allt. Ja, nästan i alla fall. Allt utom familjesitsen alltså. Är han hederlig? Är han okej i affärer? Kan man lita på honom? Du var ju lite tveksam sist.

Eric satt tyst, såg eftertänksamt på mig.

– Ja och nej, sa han sedan. Så länge du inte är i hans bransch tror jag han är alright och jag har aldrig haft några problem med honom. Och eftersom du varken spelar, sjunger, skriver låtar eller dansar är det väl inte aktuellt. Men det hör väl till hans affärsområde som producent och agent. Det är ju en oerhört snårig och riskfylld bransch med ett svåröverskådligt och komplicerat regelverk. Du måste nästan vara advokat själv om du ger dig in i det där getingboet.

– Hurdå, menar du?

– Jag kan inte mycket om det, men jag vet att många har fått fingrarna i kläm när det gäller arvoden, gager, rättigheter och mycket annat. Och det rör sig ju om stora pengar. Sätter du upp en stor musikal till exempel så kostar bara rättigheterna skjortan och också om den går bra så tar det lång tid innan du får avkastning på din investering. Och det är mycket spekulation i branschen. Man satsar ju på osäkra kort i många fall och steget mellan succé och fiasko är inte långt, inte minst i USA. Om en pjäs eller en musikal på Broadway får dåliga recensioner kan den läggas ner nästa dag och då står du där med hatten i handen och ändan bar. Eric fnissade förnöjt åt sin liknelse. Så jag hoppas att du inte går in som finansiär av nån nyuppsättning av ”Teaterbåten” eller ”Glada Änkan”.

– Skulle inte Rickard vara schyst när det gäller hans musikbusiness menar du?

– Det kan jag inte säga och jag påstår inte att han är ohederlig och jag har aldrig haft några problem med Rickard, men jag vet att det finns dom som avskyr honom, som känner sig lurade, satt in pengar i nån produktion som gått snett och han jobbar ju inte enbart i Sverige. Jag känner till ett fall där nån hade fått muntligt löfte om rättigheterna till en av långkörarna på Londonteatrarna men blev snuvad av Rickard i slutänden och förlorade en massa pengar. I den här branschen gäller den gamla regeln om att när man spisar med djävulen måste man ha en lång sked.

Var det så? tänkte jag. Skulle jag göra affärer med någon som åt soppa med djävulen? Det verkade ju lite drastiskt, men man fick ta Eric med en nypa salt.

– Du menar alltså att Rickard är hygglig och ärlig så länge han håller sig utanför musikbranschen?

– Nja, så illa är det naturligtvis inte och jag anklagar honom inte för nånting kriminellt. Jag menar bara att han jobbar inom ett område med ska vi säga mycket flexibilitet och snåriga regler där det gäller att hålla tungan rätt i munnen. Men när det gäller hans samlande och hans konstköp har jag aldrig hört nånting negativt. Så du kan lugnt sälja till honom utan att vara orolig för betalningen.

Jag ska inte sälja, tänkte jag. Jag ska köpa. För flera miljoner. Men det berättade jag inte för Eric. Han läcker som ett såll.

Kapitel VI

Långt därnere växte Grönlands vita ismassor fram under mig där jag satt i min trånga economystol på väg till New York och planbytet för Miami. Jag läste om mässan. Deltagare var internationella handlare som ställde ut allt från antikviteter till smycken och modern konst. Föremålen hade examinerats av mässans experter och det garanterade kvaliteten på objekten och att de var legitima, inte några förfalskningar eller stöldgods. Och många internationella godbitar skulle finnas med, som Fabergéägg. De berömda äggen, skapade för tsarfamiljen som presenter mellan olika familjemedlemmar, är utsökta konstverk i litet format och priserna astronomiska på de få objekt som kommer ut på marknaden. En stor samling riddarrustningar och vapen från medeltiden och några sekel framåt fanns också i utbudet liksom de traditionella verken av Picasso, Miró, Chagall och andra storheter på konstens firmament. Så min grekiska hjälm var i gott sällskap.

Som vanligt var planbytet i New York stökigt. Av någon anledning måste man lämna planet och stå i lång kö för att komma in i USA. Bagaget gjorde också en tur in i Amerika. På andra sidan blev det en lika lång kö för att hämta ut bagaget, checka in det och stå i ny kö för att formellt komma ut ur landet innan resan kunde fortsätta. Det var väl 9/11 som spökade, säkerhetskraven tog sig bryska uttryck.

Mitt hotell låg i South Beach, vid den långa, vita sandstranden ut mot Atlanten. Fönstret vette mot havet, nedanför rann trafiken fram i en tät ström. Över palmkronorna skymtade jag solbadande turister i mörkblå liggstolar under vita parasoll. Långa dyningar vällde vitkrönta in mot stränderna och längre ut skymtade surfare.

När jag packat upp och duschat gick jag ner och satte mig vid serveringen på trottoaren utanför hotellet. På Ocean Drive kom en ström av bilar, många öppna cabrioleter, och några poliser på cykel och i shorts susade förbi på andra sidan mitt bord så nära att jag nästan kände luftdraget.

Serveringen upptog hälften av trottoaren och på den andra halvan kom en brokig skara, många i extroverta utstyrslar. En transvestit i decimeterhöga, strassornerade rosa skor, bikini i starka färger och med en liten apa på ena axeln. Unga tjejer i minimala shorts med lika minimala T-shirts. Några kom i långa aftonklänningar med turban på huvudet och väskor i guldlamé. En man i jeans, cowboyhatt och med hela överkroppen täckt av tatueringar i invecklade drakmönster visade glatt upp sig, pekade på sin hudkonst.

Frisyrerna växlade från långt, utslaget hår till renrakade biljardbollar eller snarare bowlingklot och bling bling i alla färger och former dinglade runt halsar och armar. Alla i en strid, färgstark och pulserande ström uppblandad med handfasta, medelålders turister i blommiga utanpåskjortor, solhattar och med stadiga grepp kring handväskor och kameror. Och från serveringarna längs gatan kom dånande musik i en högljudd, blandad kakofoni. De kunde egentligen ta inträde till den exotiska paraden, tänkte jag där jag satt med en kanna svart kaffe. Jag måste mota jetlaggen i grind. Åtminstone försöka. För jag skulle gå till utställningen när den öppnade om någon timma och skulle man shoppa för ett par miljoner gällde det att vara alert.

Där jag satt kände jag mig plötsligt observerad. Någon betraktade mig. Jag såg upp. Några bord bort satt en man i ljus kostym och vit panamahatt med svart band runt kullen. Buskiga ögonbryn och han hade ett asiatiskt drag över ansiktet med de höga kindknotorna och de smala ögonen. Inte så att han direkt såg ut som en kines eller japan, farfar eller mormor kunde ha varit asiat, men det var ju inte någonting ovanligt i mångfaldens USA.

När han märkte att jag tittade på honom vände han bort blicken och höjde tidningen han läste som för att dölja ansiktet. Men jag inbillade mig väl bara, tänkte jag och fortsatte mitt kaffe. Varför skulle han vara intresserad av mig? Eller var han gay? Men jag slog bort tankarna. Jag hade inga illusioner, var inte tillräckligt attraktiv. Det vimlade av vackra unga män i South Beach för den som hade den läggningen.

Jag gick längs Ocean Drive med Atlanten och stränderna på ena sidan och husfasaderna i fantastisk art déco på den andra. Det var en design, ett konstuttryck och en arkitektur som hade sitt ursprung eller åtminstone sina officiella rötter i Parisutställningen 1925 som fokuserat på Arts Décoratif. Men konceptet var naturligtvis äldre och hade utvecklats ur den överdekorerade och organiska jugendstilen och de moderna strömningarna efter första världskriget med arkitekter och designers som Mies van der Rohe, Gropius, Saarinen och Le Corbusier i förgrunden. Neon och stål och ett ”nyttotänkande”, en funktionalism, var ledstjärnor i det som populärt kom att kallas ”funkis”. Det hade slagit igenom också i Amerika. Det märktes i stadsbilden i South Beach och manifesterades kanske tydligast i Chrysler Building, den metallblänkande, futuristiska skyskrapan på Manhattan som med sitt formspråk förde associationerna till rymdskepp och månlandningar. Faraonernas Egypten hade också varit en källa till inspiration.

Husen längs gatan hade varit privatbostäder men efter hand gjorts om till hotell och renoverats och restaurerats. Jag kom förbi Imperial Hotell i kubistiska former i en raffinerad pastellskala. Lila, svart och vitt. Glas och stål. Clevelander Hotel var inte lika utpräglat i sin arkitektur där pistagegrönt, gult och vitt dominerade. Ocean Drive i blått, gult och vitt hade en hög tillbyggnad i mittpartiet som bar upp hotellets stora namnskylt som övermodigt sträckte sig högt över husfasaden, som ett kubistiskt pekfinger. Arkitekturen gav intryck av ett fartyg, en lyxkryssare på väg mot det öppna havet.

Modeskaparen Gianni Versaces palats Casa Casuarina gick jag också förbi. Jag tjuvlyssnade på en guide som stod där med sin grupp och berättade att byggnaden var kopierad efter det palats i Havana som Columbus son uppfört på 1500-talet och att det var just utanför huset som Versace skjutits av en mentalsjuk mördare för några år sedan. Ett dramatiskt inslag i lyxen och överdådet.

Jag hade ögnat igenom en turistbroschyr på mitt hotellrum där det framgick att Miami hade världens största samling av art déco-byggnader och att området från början av 1900-talet hade varit en vattensjuk träskmark med kokospalmer som gränsade till havet. Två driftiga entreprenörer hade insett områdets potential. Löneutvecklingen i USA gjorde att allt fler hade råd att ta semester. Järnvägar byggdes och Miami exploaterades som ett turistcentrum där solen fanns under bistra vintermånader. Staden drog också till sig rika amerikaner som byggde sina palats i den nya stilen.

Antikmässan låg i en stor byggnad några kvarter in från Ocean Drive. En hög och bred port i stål, vita marmorfasader och höga, smala fönster. Art déco i monumental form.

Därinne var det högt i tak, ljust, luftigt och svalt från luftkonditioneringen. Publiktillströmningen hade inte börjat än på allvar, jag var tidigt ute och kunde röra mig ganska fritt mellan montrarna utan att behöva trängas.

Entrén dominerades av ett monstruöst biljardbord i svart ebenholts och guld. Enligt skylten bredvid hade det ursprungligen beställts av mångmiljonären bakom Gilbey's Gin och skapats för hans residens vid Portland Place i London, ett hus som ritats av den berömde 1700-talsarkitekten John Adams. Och priset var därefter. 730 000 dollar kostade åbäket, men jag kände mig inte frestad. Jag spelar inte biljard och pjäsen skulle inte få plats i min våning utan ombyggnad och den var dessutom omöjlig att ta in utan att riva dörrarna.

Men det fanns trevligare objekt. En knubbig, godmodig och avklädd farbror log mot mig från en röd sammetsdivan. Runt honom fanns ännu knubbigare damer, alla i Boteros voluminösa former. Bortsett från nakenheten påminde motivet om Lennart Jirlows naivistiska älskvärdheter.

Storheter som Picasso, Monet, Sisley, Cézanne och andra exponerades också med obscent avskräckande prislappar där siffrorna var långt bortom min räckvidd, men miljardärer finns det ju gott om i Florida; elefantkyrkogården för "the rich and famous", dit man drog sig tillbaka efter välförrättat och inkomstbringande värv för att avnjuta den milda aftonsolen över slutstationen. Och jag hade läst att man fick göra avdrag i deklarationen för konstköp om man förband sig att donera verket till ett museum efter sin död. Det var väl därför så mycket av Europas konstskatter fanns i USA.

Och vad är konst egentligen? Ett visuellt sinnesintryck, ett sensuellt budskap från tavlan vi ser på? En upplevelse som förenas med vår förvärvade kunskap som gör en Warhol till en Warhol för mig medan andra bara ser en avbildning av en soppburk, Campbell Soup, som kunde kosta miljoner. En mångfasetterad fråga som väl aldrig skulle få ett slutgiltigt svar.

Smycken och juveler förevisades i välbevakade montrar. Van Clef Arpel, Bulgari, Cartier och andra storheter var representerade tillsammans med utsökta antikviteter, konstverk av guld, diamanter, smaragder och rubiner, som i en kunglig skattkammare. I samlingen fanns också små Fabergéägg som hängsmycken.

De biffiga väktarna med stenansikten och stora pistolhölster behövdes säkert och jag tänkte på auktionshuset i Stockholm där man för några år sedan förevisade en stor smyckesamling inför en auktion. Plötsligt dök några män upp och svepte ner allt bling bling i en säck och försvann lika snabbt som de kommit. Ingen ingrep och bytet har väl aldrig återfunnits.

I avdelningen bredvid visades smäckra, svanhalsade violiner. Bakom en tjock glasvägg fanns kollektionens dyrgrip, en sidenskimrande, mörkbrun Stradivarius från 1600-talet.

På texten bredvid kunde man läsa att hans ”Lady Blunt” hade sålts på Sotheby's 1971 för 200 000 dollar. 37 år senare gick den för tio miljoner, ett pris som hade ökat till 16 miljoner 2008.

Den vänlige mannen i montern förklarade att prisnivån nu låg så högt för Stradivarius och hans kollega Guarneri att de nästan enbart köptes av stiftelser och institutioner som sedan lånade ut dem till framstående musiker.

Jag är i fel bransch, tänkte jag. Jag borde handla med fioler istället. Men eftersom jag inte spelade fiol själv frestades jag heller inte att lägga ett bud. Visserligen hade jag ett par miljoner, men de var Rickards. Och han ville ha sin hjälm. Dessutom skulle de inte räcka särskilt långt om jag ville ha ett fint instrument.

Möbler i art déco fanns också, som ett stramt massivt skrivbord i mörk palisander för 75 000 dollar. Bredvid stod en soffa med egyptiska stildrag av André Arbus. Den var 10 000 dollar billigare. Samma pris för två klumpiga fåtöljer i ebenholts och med sammetsklädsel.

Jag hade orienterat mig på kartskissen i utställningskatalogen och kom till slut fram till avdelningen för rustningar och äldre vapen. Den verkade mer museum än utställningsmonter. Längs väggarna blänkte hotfulla riddarrustningar i stål. På en sida hängde blanka svärd och värjor med fantastiska fästen, några med guldinläggningar. Armborst och spikklubbor, lansar och pilbågar, spjut. Rader med vackert dekorerade flintlåsgevär och pistoler med inläggningar av silver och elfenben. Allt verkade finnas i överväldigande mångfald.

Jag stannade upp inför en magnifik rustning från Italien, daterad 1580. Den hade tillhört den amerikanska miljardären Waldorf Astor som ägt Hever Castle i Kent. En senare ägare hade varit Randolph Hearst, tidningsmiljardären som byggt upp ett museum i Kalifornien med oerhört exklusiva antikviteter. För honom var enbart det bästa gott nog. Priset var därefter, 450 000 dollar! Över tre miljoner kronor.

Var skulle den hamna? Hos någon actionhjälte i Hollywood för att förstärka hans machoimage? Eller hos en oljemiljardär i Texas som ville putsa upp sin sociala bakgrund? En emir i arabstaterna kanske eller hos en japansk industrialist som ville placera ett exotiskt inslag i sin samling av samurajrustningar? Ett museum var väl den rätta platsen.

Då hörde jag en röst bakom mig.

– Marvellous, isn't it?

Jag vände mig om. En man stod där, han log.

– Are you interested? I am Ted Berger. Owner of the gallery.

– Mycket. Men min plånbok tackar nej.

Jag såg på honom. Typisk engelsman. Perfekt accent, klubbjacka trots värmen utanför luftkonditioneringen. En bylsig näsduk i rött i bröstfickan och slips med klubbränder. Solbränd, smalt fårat ansikte och runt de femtio.

– Priset är för högt för mig och jag kan inte ta den som handbagage. Men jag letar efter en hjälm. En grekisk hjälm.

Han lyste upp.

– Mr Homan! Jag är förvarnad av vår gemensamme vän Rickard Bergman, en gammal kund, en gammal affärsvän. Kom med mig.

Vi gick bort till andra änden av montern. Och där, på ett bord med svart sammetsunderlag, fanns den. Rickards grekiska hjälm, eller korintiska om man skulle vara noga.

Jag förstod Rickard. Hjälmen var magnifik, mer konstverk och skulptur än stridsattribut. Grönskimrande brons, markerade öppningar för ögon och mun, ett långsmalt skydd för näsan. Den utstrålade kraft och makt, gjorde ett nästan fysiskt intryck. De mörka ögonhålen förstärkte dramatiken.

– En museipjäs, sa Ted Berger. Det finns inte många utanför museerna och dom stora samlingarna. Den är också flera tusen år gammal.

– Jag har förstått det av Rickard Bergman.

– Den bars av hopliterna, ett fruktat inslag på dåtidens slagfält. Hjälmen ingick i en rustning med bröstplåt och benskydd som vägde över trettio kilo. Ingenting för småpojkar direkt. Dom slogs tillsammans med spartanerna vid Thermopyle mot perserkungen Xerxes trupper. Hopliterna stred i det som kallades falanger, en gruppering av tungt beväpnade krigare i en tät formering med åtta led. Dom första tre leden var beväpnade med långa lansar och det var en svårforcerad häck att ta sig igenom.

– Det kan jag föreställa mig.

– Den här taktiken gjorde grekerna svårslagna och lade grunden för deras militära expansion.

– Mr Bergman nämnde ett pris, sa jag. 350 000 dollar.

– Exactly. Det är ju svårt att prissätta den här typen av oerhört exklusiva objekt, men det är där vi hamnar.

– Tyvärr är ju Rickard förhindrad att komma själv, men jag har hans fullmakt.

– Jag vet. Han har ringt mig flera gånger.

– Vet ni förresten nånting om proveniensen? Vem har ägt den tidigare?

– Med den åldern är det nästan omöjligt att veta nånting, men vi känner till att den på senare tid ägdes av Lord Elgin. Han var brittisk ambassadör i dåvarande Konstantinopel i slutet av 1700-talet och han samlade antik grekisk konst.

– Elgin? Är det han med Parthenonfrisen?

– Precis. Bland allt annat han skeppade hem till England fanns också frisen som prytt Parthenon, templet på Akropolis. ”The Elgin Marbles.” Nu finns den på British Museum men grekerna trycker på för att få den tillbaka. Och det kan man ju förstå. Fast dom ska kanske vara glada att Elgin tog den med sig.

– Hurså?

– En hel del av marmorn från templet stals för att bli murbruk. Men vi vet alltså att han fick med sig den grekiska hjälmen också.

Vi gick in i ett litet kontorsutrymme längst in i montern och klarade av formaliteterna. Jag ringde Rickard som blev överförtjust och skulle föra över beloppet omgående. Han talade också med Ted Berger som var lika glad han. 350 000 dollar är trots allt 350 000 dollar också för en bortskämd antikhandlare i hans klass.

Vi diskuterade också transporten till Sverige. Det skulle inte bli några problem, enligt Berger. Han hade kontakt med en internationell speditör som var specialist på exklusiva föremål och som fraktat över hans samlingar från London till antikmässan. Dessutom fanns det heltäckande försäkringar. Jag var tacksam, för jag vågade inte ta med mångmiljonhjälmen som handbagage. Och jag ville heller inte riskera att den konfiskerades som någon form av vapen av övernitiska säkerhetskontrollanter på flygplatsen.

När vi var klara frågade Ted Berger vilket hotell jag bodde på och när jag skulle resa hem. Jag sa att jag tänkte ta någon dag för sol och bad före avresan.

– Vad gör du i kväll?

– Ingenting särskilt.

– Då föreslår jag att vi äter middag och firar att hjälmen har kommit hem. Han skrattade. Det finns en klassisk restaurang som är toppen. Joe's, med fantastisk seafood. Den är ett "måste" i South Beach, nästan hundra år gammal. Dit kommer kändisar från hela världen och dom serverar underbara krabbor, stone crab. Det var Al Capones favoritrestaurang. Edgar Hoover, FBI-chefen och Capones dödsfiende åt där också, men inte samtidigt. Ted skrattade.

– Bara en sån sak! Jag kommer gärna.

– Great.

Han satte sig vid skrivbordet och skrev ner en adress.

– Det ligger nära Ocean Drive. Och inte långt från ditt hotell. Ska vi säga halv åtta?

Glad och belåten, nöjd med mig själv, skakade jag hand med min nyfunne vän Ted och gick tillbaka genom lokalerna. Ikväll skulle det bli en full-size Dry Martini. Det hade jag förtjänat. Och det var vänligt av Ted att bjuda mig, men han hade råd. Verkligen! Och jag skulle satsa på en av mina kulinariska favoriter, en stor amerikansk stek med en Budweiser, om jag fick för Ted och hans lokalpatriotiska krabbor.

Just när jag gick ut genom den breda porten såg jag honom igen. Mannen i den vita panamahatten, han som observerat mig på serveringen. Följde han efter mig eller inbillade jag mig bara?

Kapitel VII

När jag kommit tillbaka till hotellet efter konstmässan satte jag på mig badshorts och badrock, mina bekväma seglarskor och gick över Ocean Drive och Lummus Park, den smala remsan med gräsmattor och palmer innan stranden tog vid.

Det var sen eftermiddag och det var ganska tomt bland solstolar och parasoller. En sval bris fläktade och hettan hade fått ge med sig. Jag kände verkligen att jag behövde fräscha upp mig efter den långa flygresan, skölja av resdammet, och för min kroppsklocka på Stockholmstid var det sent på kvällen.

Jag hyrde en solstol alldeles bredvid det berömda livvaktstornet, en arkitektonisk symbol för South Beach. Det var byggt i konsekvent genomförd art déco. Runt, i gult och rött eller snarare rödlila. På taket fanns en surrealistisk skulptur som kanske var en vindmätare och en trappa ledde upp till en plattform runt det låga tornet som omslöts av ett gult järnräcke. Livvaktstornet var säkert ett av de mest fotograferade objekten i Miami.

Däruppe vaktade muskulösa och vältränade unga män som då och då måste springa ut och rädda vackra fotomodeller i minimala bikinis, om man fick tro amerikanska tv-serier.

Långsamt gick jag ut i det ljumma vattnet. Rakt ut i det oändliga havet, men inte för långt, det fanns farliga strömmar.

Vid horisonten gled långa fraktfartyg fram i soldallrande

kolonn, surfare pilade snabbt över vågkammarna. En vindseglare med färggrant segel styrde förbi tio meter bort och pelikaner med stora näbbar patrullerade vattenytan på jakt.

Jag dök ner i den turkosgröna Atlanten, simmade under vattnet i långa tag. Så låg jag på rygg och flöt, såg rakt upp i en klarblå himmel. Jag hade läst i en lokaltidning på rummet att stränderna var oerhört nersmutsade och måste patrulleras av särskilda skräppatruller. Man hade samlat upp långt över tusen ton bara härom året. Och mycket låg och flöt i vattnet, det fanns stora sargassohav, en dödlig sörja av plast och annat skräp, som cirklade runt ute på havsvidderna. Sjöfåglar kvävdes av plastringar från ölemballage. Sköldpaddor dog av plastpåsar som de trodde var maneter, deras favoritföda, men värst av allt var kemikalier och annat som hade skadeverkningar på lång sikt för allt organiskt liv, inklusive människan.

Hemskt, tänkte jag där jag låg på rygg i dyningen. Men vi var inte mycket bättre hemma. Östersjön stod väl nästan på gränsen till vad den kunde tåla i form av föroreningar. Dumpad ammunition från andra världskriget, oljeutsläpp, avrinning från konstgödslade jordar och orenade avlopp i Baltikum och Polen bidrog. Åtgärder måste till innan det blev för sent.

”Efter oss syndafloden” hade franska aristokrater sagt före revolutionen och de hade ju fått rätt. Väntade en syndaflod också på oss? Men man fick väl ta en del miljöargument med en nypa salt. Under årmiljarderna hade istider växlat med värmeböljor. Skogar blivit öknar och sand fått ge vika för vegetation. Isar hade smält av för att sedan frysa till. Havsnivåer stigit för att i nästa fas sjunka. Allt i oändliga cykler långt innan ens mopeden var uppfunnen eller människan börjat kasta plastmuggar kring sig.

Jag kom tidigt till Joe's. Det var kö utanför, men jag förklarade för dörrvakten att vi hade beställt bord. Medan jag väntade på Ted satte jag mig vid den stora, fyrkantiga bardisken i solitt mörkbrunt trä som nästan tog upp ett helt rum. Jag beställde en Dry Martini på Bombay Sapphire och fick ett glas, stort som ett mindre akvarium. I mitten simmade en grön oliv på en tandpetare. Säga vad man vill om amerikanerna, tänkte jag, men de visste hur man gjorde perfekta Martinis. Det, plus Kalle Anka och Coca-Cola var väsentliga bidrag till resten av världen.

Baren var packad och jag hade haft tur som fått en av de högryggade stolarna. Jag tittade i en meny som låg på bardisken. Och jag fastnade för en kompromiss mellan stek och seafood. Det fanns en rätt som bestod dels av en top sirloin och dels av en halv portion stone crab. Om Ted inte hade någonting emot det skulle jag be om den varianten. Fast som lokalpatriot skulle han kanske insistera på total fokusering på den berömda krabbrätten. Vi fick väl se.

– Och här sitter du. Jag är glad att du i alla fall inte är ensam.

Ted Berner hade kommit fram till bardisken, han log och nickade mot det höga Dry Martini-glaset framför mig.

– Du är i gott sällskap. Good old Queen Victoria, gissar jag, fortsatte han. Bombay Sapphire är deras specialitet och hon tronar ju på etiketten.

– Exakt. Och på det här stället är till och med glasen art déco.

– Jag tog med min assistent, Judy Chardonnier. Hon är specialist på rustningar och vapen. Och det här är Johan Homan, en kollega från Stockholm som just köpte hjälmen. Den korintiska.

En kvinna vid hans sida log mot mig.

– Hello, sa jag. Det är en ovanlig specialitet för kvinnor, gissar jag.

– Varför det?

Jag såg på henne. Trettio, trettiofem kanske. En vackert skuren mörkblå klänning. Solbränd, stora, blå ögon. Blond. Hon såg svensk ut. En korsning mellan fäbodstinta och reklam för Arla mjölk. En stor, generös mun som verkade äkta. Inte någon Botoxprodukt.

– Det är väl lite krigiskt. Våld och blod. Macho.

– Jag är konsthistoriker, sa hon avmätt. Jag har doktorerat i Cambridge och jag har specialiserat mig på medeltida vapen. Ett fantastiskt formspråk och föremålen rymmer så mycket historia. Återspeglar dåtidens ståndssamhälle och sociala förhållanden.

– Judy jobbar för oss, sa Ted. Utan henne skulle jag inte klara mig.

Han log mot henne och jag undrade om han menade klassificering av medeltida rustningar eller om hennes insatser låg på ett närmare och mer personligt plan. Fast det angick ju inte mig.

– Johan är god vän till Jeremy Wells, sa Ted. Du känner ju honom?

– Verkligen, sa Judy. Han är jättetrevlig. Charmig och kunnig.

– Jag var faktiskt på hans bröllop för ett tag sen. I Stratford-upon-Avon.

– Han bjöd mig, men jag kunde inte komma, sa Ted. Det var en mässa i Milano där vi deltog. Annars hade vi träffats redan på bröllopet.

– Bättre sent än aldrig.

– Jag föreslår att vi går till matsalen, sa han. Jag har beställt bord och det blir för trångt att klämma in oss vid bardisken. Vi får ta drinkar därinne istället.

– Vad roligt att hjälmen har hamnat rätt, sa Judy när vi satt oss i matsalen. Det var fullsatt, decibeltalet högt och stämningen lika hög. Jag gillar Rickard Bergman, fortsatte hon. Han är alltid glad och positiv och en ”riktig” samlare. Han älskar sina objekt. Många av våra klienter jagar status och andra letar efter placeringar och siktar på värdestegring, men Rickar ser sina föremål som sina barn nästan. Hon log.

– Verkligen, höll Ted med och det är charmen med det här yrket. Det är inte så mycket att sälja och köpa. Det är mer en vänskaplig relation mellan människor som har samma intressen.

– Självklart i ditt fall, sköt Judy in och log. Du är en ”gentleman dealer” och du har ”gentlemen customers”. Du förmedlar högklassiga objekt till konnässörer och samlare och pengarna blir nästan nånting vid sidan om.

– Inte alldeles, protesterade Ted. Vi måste ju leva också, men jag håller med dig. Det är inte ekonomiska transaktioner vi håller på med, det är snarare en relation mellan själsfränder. Håller du inte med, Johan?

– I och för sig har du naturligtvis rätt, men med mina objekt så är väl profilen lite lägre. Jag handlar ju inte med rustningar och krigstroféer. Inte med romerska marmorkejsare heller.

Ted skrattade.

– Jag tror vi har rätt båda två och vi har tydligen valt rätt yrke, om man nu kan kalla det för ett yrke, det vi håller på med, snarare ett kall.

– Menar du att ni är nån sorts överstepräster i den goda smakens tempel? Judy skrattade.

– Kanske det, sa Ted. Men nu måste vi bli lite mer jordnära och beställa.

Vi ögnade igenom menyn, men valet var givet. Stone crab. Min sirloin fick vänta. Till det en Chablis från Kalifornien.

– Jag ska förresten till Stockholm snart, sa Judy.

– Just det. Det hade jag nästan glömt, sa Ted.

– Business or pleasure? frågade jag.

– Både och. Jag ska faktiskt träffa Rickard. Han vill ha en värdering på ett schatull med två magnifika franska flintlåspistoler från slutet av 1700-talet. Dom är gjorda i Versailles av en av dom berömda pistolmakarna. Han har skickat över bilder och dom är underbara. Stockarna är i valnöt med silverinläggningar.

– Då måste du höra av dig, sa jag.

– Absolut. Det vore trevligt. Du får visa mig Stockholm. Jag har aldrig varit där.

– Rickard behöver väl fylla på kassan efter hjälmköpet. Ted log. Men vi ska gärna åta oss att sälja dom om han vill.

– Jag har hört att han har problem med IRS, sa Judy. Skatteproblem. Och att det var därför han inte kunde komma hit.

– Inte bara det. Han lär ha andra problem också. *Very, very serious problems.*

Ted såg allvarligt på oss. Och jag undrade vad han menade.

Kapitel VIII

Jag tryckte in knappen till dörrklockan på den gula villan. Ett surrande ljud hördes därinne. Fotsteg. Dörren öppnades med ett brak, nästan vräktes upp, och en man sprang ut.

– Gubbjävel, ropade han, fast jag tror inte han avsåg mig. Så sprang han nerför trädgårdsgången, ut genom grinden i svart gjutjärn och satte sig i en metallgrå Volvo som han rivstartade så att gruset sprutade.

Det var värst vad han hade bråttom, tänkte jag. Och det var tur att han inte knuffade omkull mig på sin vilda framfart för jag hade ett paket under armen. Ett paket med den grekiska hjälmen. Den hade faktiskt kostat över två miljoner omräknat i svenska kronor.

Även om den inte var gjord av porslin så hade den kunnat få en buckla och det tror jag inte Rickard Bergman skulle ha uppskattat.

Jag hade kommit tillbaka från USA för bara ett par dagar sedan och paketet från Miami hade kommit nu på morgonen. Jag ringde Rickard som blev förtjust och ville att jag skulle komma över med det så fort jag kunde. Han gav mig adressen till en villa på Djurgården.

– Nästan längst ut, sa han. Framme vid Blockhusudden. Ett stort, gult hus med koppartak.

– Jag vet. Nära Thielska galleriet.

– Precis. Taxichauffören hittar.

– Välkommen Johan, sa Rickard när han kom emot mig ute i hallen. Kärt att se dig och du har gjort ett bra jobb. Har du jetlag nu? Du kanske vill ha en whisky?

– Nej tack, det är lite för tidigt. Här får du din skatt.

Jag räckte över paketet, som jag inte velat öppna. Men det kändes betryggande tungt. Och jag kunde inte se att det öppnats. Tullen hade väl litat på Teds formulär och blanketter han måste fylla i. Dessutom var han en etablerad och respekterad antikhandlare.

– Kom, så går vi in i biblioteket.

Han tog paketet och gick före genom en bred dörr in i ett stort ljust rum med fönster ut mot vattnet. Väggarna var klädda med bokhyllor, fyllda av vackra band. Mitt på golvet stod ett runt biblioteksbord. Rickard satte ner paketet. Hämtade en papperskniv från det stora skrivbordet framme vid kortväggen och sprättade varsamt och försiktigt upp det grova pappret runt lådan med hjälmen.

Så öppnade han den, tog bort de små uppblåsta plastpåsarna som låg runt till skydd och höll upp hjälmen framför sig, stod tyst.

– Fantastisk, sa han sedan så lågt att jag knappt hörde. Underbar. Han log och vände sig mot mig. Den ska få en hedersplats nere i Zug. Jag ska ställa den bredvid min venetianska hjälm. Den är yngre, från 1400-talet och kan spåras tillbaka till fortet på Chalkis som erövrades från Venedig av turkarna 1470.

– Ser den ut som den grekiska?

– Den är nästan lika praktfull, i ett kraftfullt formspråk, ser nästan hotfullare ut. Rickard skrattade. Det gällde att skrämma fienden. Jag bor ju i Schweiz också, som du vet. Där har jag huvuddelen av min samling.

– Är du inte rädd för inbrott? Det är ju oerhört dyrbara föremål du har.

– Jag vet, men mitt hus där nere är lika säkert som riksbankens kassavalv. Lås. Videokameror. Elektronik. Det är knappt att jag tar mig in själv. Dessutom har vi en hushållerska som vaktar huset som en drake. Och en stor schäfer som biter innan han frågar. Rickard skrattade. Så jag är inte orolig. Dessutom är föremålen av en sån klass att dom nästan är omöjliga att sälja. Inte på öppna marknaden i alla fall.

– En ny leksak?

Jag vände mig om. Rickards fru hade kommit in i rummet. Var det inte Louise hon hette? Jag kommer aldrig ihåg namn.

– Snart måste jag bo på hotell om du håller på så där. Jag får inte plats.

– Tänk på det som din änkepension, sa Rickard. Det enda som händer med den här sortens fantastiska föremål är att dom stiger i pris.

– Trevligt att ses igen, sa hon och såg på mig. Det var ju på Jeremys bröllop vi träffades. Men jag ska inte störa. Jag förstår att ni haft julafton och öppnat paket.

– Just det. Och Johan har varit jultomte och åkt ända till Miami för att hämta det. En grekisk hjälm. Flera tusen år gammal.

– Jag tycker mest det ser ut som en gammal plåtburk och jag törs inte fråga vad den kostade. Louise skrattade. Förlåt om jag svär i kyrkan, men grekiska hjälmar är inte min grej, som dom säger på tv. Vart tog Henrik vägen förresten?

– Han fick plötsligt väldigt bråttom, sa Rickard kort. Rusade iväg hux flux.

Henrik, tänkte jag. Eric hade ju berättat om honom, sonen som inte var på samma våglängd som sin styvpappa. De levde i någon sorts väpnad neutralitet, om man fick tro Eric. I vilket fall verkade han ha kort stubin.

– Jag tillät mig att ha en annan uppfattning än Henrik när det gällde vår uppsättning på Svenska Teatern i Helsingfors och det gillade han inte. Som vanligt sprang han iväg istället för att diskutera i lugn och ro.

– Lång dags färd mot natt? Louise såg frågande på honom.

– Precis. O'Neills pjäs, som faktiskt hade urpremiär på Dramaten. O'Neill hade testamenterat pjäsen till Dramaten som tack för att man satt upp så många av hans verk. Det var en fantastisk föreställning med våra bästa skådespelare. Ulf Palme, Lars Hanson, Inga Tidblad och Jarl Kulle. Om dom hade jobbat i Hollywood skulle dom varit världsstjärnor, absolut, i klass med Greta Garbo.

– Det löser sig nog, sa Louise överslätande. Elisabeth ringde alldeles nyss förresten, och ville äta lunch på NK, om du inte har nånting emot det. Och Henrik gick ju.

– Absolut inte. Hoppas ni får det trevligt. Jag kan ta nånting med Johan. Har du nåt emot att dela en enkel lunch?

– Självklart inte. Och jag tänkte på att det kunde bli läge att ta upp frågan om min "provision". Sommarmånaderna brukade aldrig vara några höjdare i min bransch. Mest småplock och turister. Inte de riktigt tunga objekten.

– Jag har förberett. Det finns rökt lax med färskpotatis ute i köket. Dessert också, i frysen. Glass.

Louise gav sin man en sval kyss på kinden, log mot mig och gick till sin lunch.

– Du har tydligen en hel del av dina samlingar här också?

Jag såg mig om i det stora rummet. Framme vid fönstret stod en byst i brons på en pelare. En romersk kejsare?

– Julius Ceasar, sa Rickard som sett min blick. Fast inte från tiden. En senare kopia, men den är högklassig. Sen har jag en del konst också. Kom så ska jag visa dig.

Vi lämnade biblioteket och gick in i salongen bredvid. Moderna möbler i svart skinn och blanka stålben. Vilstolen var säkert Le Corbusier. Mattor i geometriska mönster och glasbord. Lite kallt och opersonligt för min smak. Och modern konst. Ja, modern i förhållande till Grekland och Rom. En stor Picasso hängde över öppna spisen, flankerad av två mindre Braque.

– Det var ju dom där två farbröderna som uppfann kubismen. Nästan i alla fall. Och här hänger en Chagall som jag älskar.

Jag såg på tavlan. Den föreställde en by någonstans i Ryssland. En get flög över himlen och på torvtaket satt en man i grön rock, blå keps och röda byxor med en fiol under hakan. Ett stråk av drömsk nostalgi låg över duken och jag föreställde mig att Chagall målat sin hemlängtan under landsflykten i USA undan Hitlers terrorvälde.

– Han är så livsbejakande, sa Rikard. Så sensuell och så härliga färger. Jag köpte en hel del av sakerna i det här rummet i Paris för en hel del år sen. Nu är det såna priser att jag inte har råd, tyvärr.

Byt din hjälm mot en Miró eller Klee, tänkte jag. Fast då kanske du får sälja båda dina hjälmar.

– Nu har vi fått kultur så att det räcker. Nu går vi ut i köket och tar nånting att äta. Louise sa ju att det fanns lax och jag vet att jag har kall öl i kylen. Kör du bil?

– Nej, jag tog taxi hit. Det kändes lugnare.

– Klokt. Om man tänker efter har varje människa härute en privatchaufför och egen bil.

– Nu hänger jag inte med. Det är väl lite överdrivet?

– Inte alls. Om du vill åka nånstans, oavsett när på dygnet, så tar du telefon, slår ett nummer och fem, tio minuter senare står en bil med chaufför utanför porten.

– Det har jag faktiskt inte tänkt på.

– Jag har haft privatchaufför i tjänsten under en period. Och det hade jag inte mycket glädje av för han behövdes i princip mest på kvällarna när man skulle bort. Och då var övertiden jättehög. Sen hade han semester, var sjukskriven och så vidare. Men nu är det bara att ringa taxi.

Vi gick ut i köket. Stort, ljust och modernt med blänkande utrustning. Det fanns till och med en AGA-spis, kockarnas favorit. Rickard plockade fram rosa, tunna laxskivor ur kylskåpet, tog ett par gula citronklyftor, hällde upp färskpotatisen ur kastrullen på spisen. Så avslutade han med två höga och immiga ölburkar, Heineken. Skivade upp några bitar frasig baguette, tog fram tallrikar, glas och bestick, och så satte vi oss.

– Fantastiskt att bo så här mitt i Stockholm, men ändå i en lummig park, sa jag när Rickard hällde upp av det skummande ölet i de höga glasen.

Jag öppnade asiatiskt. Började samtalet om intressanta ämnen som inte hade något med mitt egentliga ärende att göra, för att så småningom zooma in på målet, mina utlovade femtio tusen kronor.

– Verkligen. Det är ett privilegium. Och Djurgården är unik. En nationalstadspark, en nationalpark, mitt i Stockholm. Den har en intressant historia också. Från början ägdes den av Klara kloster innan Magnus Ladulås köpte Djurgården av nunnorna. Sen blev det kunglig jaktpark under Johan III på 1500-talet. Han satte upp ett två mil långt stängsel runt om och planterade in hjortar, och Karl XII sköt sin första varg här som pojke. Fredrik I var också en stor jägare, med två hundra björnar på sitt samvete.

– Det var intressant.

– Sen kom Gustav III som hade andra intressen i livet än jakt. Det var teater, opera och musik. Kultur. Då blev Djurgården utflyktsmål för stockholmarna. Picknick i det gröna, vin, Bellman, dans och allmänt hålligång. Karl XIV Johan uppförde sitt Rosendal härute, det första monteringsbara huset. Det rika borgerskapet byggde också stora hus vid vattnet. Det var status på den tiden.

– Det är det väl nu också. Titta bara på dig och Louise.

Rickard skrattade.

– Det kan du ha rätt i. Och nu är det som ett lummig villaområde med stora, gröna ytor. Norra Djurgården, upp mot universitetet, har behållit mer av det ursprungliga skogslandskapet. Nu ska en del bebyggas uppe vid Hjorthagen. Så vi naggar på nationalparken undan för undan. Men Stockholm måste ju utvecklas.

– Jag glömde att hälsa från Ted Berger och Judy Chardonnier, sa jag och närmade mig målet.

– Tack. Ted är verkligen trevlig. Very British utan att vara snobbig. Jag har handlat en hel del med honom genom åren, fast ingenting så fint och dyrt som hjälmen.

– Judy sa att hon snart skulle komma till Stockholm. Värdera några pistoler åt dig?

– Det stämmer. Jag har ett etui i valnöt och silver med två underbara pistoler från slutet av 1700-talet. Dom är gjorda av en av dom ledande pistolsmederna i Versailles, Boutet. En samlare jag känner, en italiensk greve förresten som gift sig till ett vinslott nära Padua, är intresserad. Han har gett ett hyggligt bud, men jag vill gärna att Judy tittar på dom först. Hon är jätteskärpt och expert på medeltida vapen. Sen är hon snygg också, och sexig. Ingen dålig kombination. Skål! Rickard höjde sitt ölglas och blinkade åt mig.

Lite gubbigt, tänkte jag. Lite handelsresandestuk, jag undrade vad Louise såg hos honom. Men han hade väl dolda talanger och dimensioner. Jag var alltid snar att döma hundarna efter håren.

– På tal om Ted och Judy. Jag drog åt snaran. Vi diskuterade min provision tidigare. Och nu är uppdraget klart. Örnen har landat med en grekisk hjälm i klorna.

– Självklart, sa Rickard och lade för sig ett par laxskivor. Tog en citronklyfta och klämde saften över sitt mjälla byte. Du vill väl ha det i omärkta småsedlar? Han skrattade.

– Gärna i österrikiska Maria Theresia Thaler i guld.

– Inga problem. Jag sa ju förut att jag hade vissa svårigheter i mitt umgänge med IRS, dom amerikanska skattemyndigheterna. Förstå mig rätt, sa han och höll avvärjande upp händerna framför sig. Det är alltså inte fråga om skattefusk eller lurendrejerier. Det är bara att deras regelverk, särskilt när det gäller showbiz, är så komplicerat att dom inte hittar där själva. Jag hade varit involverad i en långkörare på Broadway. Och jag hade anlitat en av dom skarpaste skattejuristerna på Manhattan som kommit på en snilleblixt. En egen, briljant tolkning av vissa stadganden som gällde beräkningen av avkastningen på investerat kapital. Haken var bara att skattekillarna inte var lika entusiastiska utan trodde att jag försökte blåsa dom på pengar. Mycket pengar. För att rädda sitt eget skinn skyllde advokaten på mig så jag blev sittande i skiten. Jag kallades till New York för förhör. Men jag uppdrog åt advokaten att sköta det. Det var innan jag förstod att han lurat mig och han var ju boven i dramat. Summan av kardemumman blev att jag inte har inresetillstånd till USA. Och som läget är nu vågar jag mig inte på att försöka ta mig in där igen. Risken är stor att jag blir inlåst.

– Det var tråkigt att höra.

– Sen gör jag ju andra affärer också, utanför musikbranschen.

– Jag vet. Antikviteter.

– Inte enbart. Han log. Där kommer också min ”vän” advokaten in i bilden. Han rekommenderade mig att investera i ett bolag som handlade med jordartsmetaller.

– Vad är det?

– Det är mycket sällsynta metaller som kostar skjortan och som används inom högteknologin. Hårddiskar, mobiltelefoner och tv-skärmar till exempel. Solenergi och vindkraftverk. Det här företaget handlar bland annat med thulium som används i supraledare och kostar runt 350 000 kronor kilot. Sen finns det metaller med andra och mer dramatiska användningsområden. Rickard tystnade, hällde upp mera öl åt oss.

– Promethium, som man får fram genom fission av uran. Det är intressant, mycket intressant. Det behövs för atombatterier i rymdfärjor och missiler. Kärnvapenbestyckade robotar. Och Kina dominerar marknaden. Sen hade dom mage att påstå att jag skulle vara inblandad i nån form av korruption i Ryssland. Han skrattade. Men dom lever i sin egen värld, fortsatte han. Rena Sörgården. Det går inte att göra affärer i Ryssland eller göra nånting över huvud taget utan agentprovisioner och annat som i olika former funnits så länge Ryssland existerat. I korruptionstabellen ligger Ryssland på 133:e plats. Så ska exportkulorna fortsätta att trilla in i Moder Sveas kassakista så får hon nog omdefiniera sitt korruptionsbegrepp, se sanningen i vitögat. Skål för the real world.

Rickard höjde sitt glas och blinkade menande mot mig.

– Det räcker ju med att slå upp en dagstidning om du vill läsa om svensk korruption.

Jag såg på honom. Och jag tänkte på vad Ted Berner sagt häromdagen på restaurangen när vi talade om Rickards skatteproblem. ”Han har andra problem också”, hade Ted sagt. ”Very, very serious problems.” De hade uppenbarligen många dimensioner och flera bottnar.

Rickard var alltså aktiv på en marknad i skärningspunkten mellan stormakternas ekonomiska och politiska intressen, en marknad som Kina dominerade. USA satt säkert inte passivt i maktkampen och Nordkorea fanns säkert också med i bilden, liksom ryssarna. Jag undrade hur mycket Rickard var inblandad, om det egentligen varit så klokt av mig att hämta hans hjälm i Miami. Hade köpet finansierats av thulium och promethium?

Jag kom att tänka på vad Anastasia sagt om honom på middagen efter bröllopet. Och alldeles nyss hade styvsonen skrikit ”gubbjävel”, och styvdottern Eva hade heller inte verkat entusiastisk. Fick jag tro Eric var Rickards moral och affärsmetoder ”flexibla”. Många hade fått fingrarna i kläm. För att inte tala om IRS och skatteproblem. Det kanske var bäst att lämna skeppet innan det sjönk.

Kapitel IX

I taxin hem efter lunchen hos Rickard Bergman bestämde jag mig för att avsluta förbindelsen med honom, åtminstone de affärsmässiga kontakterna. Jag ville inte riskera att bli inblandad i någonting som hade med jordartsmetaller att göra eller med antikviteter i mångmiljonklassen.

Jag kom på nu att jag hade hört talas om metallerna under safariresan till Tanzania härom året.* Bloddiamanter och den där sortens metaller bidrog till finansieringen av inbördeskrig och våld och berikade olika klanledare och självutnämnda generaler. En del av mineralerna hade tydligen också militära användningsområden för missiler och andra system, en marknad som dominerades av Kina och där USA av strategiska skäl ville få sin bit av kakan i det maktpolitiska spelet om vem som var störst och vackrast. Det var ett område där både Pentagon, CIA och FBI hade intressen, förutom skattemyndigheten, IRS. Det hade Rickard smärtsamt fått erfara. Ville jag i fortsättningen kunna resa till USA utan problem var det kanske säkrast att hålla mig borta från honom. Jag hoppades bara att han skulle överföra de femtio tusen han var skyldig mig, men det hade han lovat att göra.

På vägen tillbaka bad jag chauffören ta mig till ett nummer på Humlegårdsgatan, till en äldre dam, en änka som enligt vad

*Mårtenson: *Safari med döden*.

hon antytt kom från en ”bättre” miljö där det funnits ”bättre” objekt. Fru Emilia Lundgren, maken hade varit kansliråd, underströk hon. Och nu ville hon avyttra en del av arvegodset. Inte för att hon behövde pengar, nej, bevare mig väl, utan för utrymmets skull. Efter mannens död hade hon flyttat till en mindre våning med alldeles för mycket möbler.

Jag hade lovat att komma och ”titta”, men jag hade inte några illusioner. Fyndens dagar var förbi, men hembesöken var en del av jobbet och man skulle aldrig säga aldrig. Det hände inte så sällan att jag hittade hyggliga objekt och jag behövde föremål till min affär även om det inte var Hauptbyråer.

Hon var säkert över sjuttio, damen som öppnade. Vitt hår, böjd rygg, pigga ögon och ett stort leende i det rynkiga ansiktet.

– Stig på, herr Holmberg. Det var snällt att ni tog er tid.

– Homan, sa jag och gick in, inte Holmberg.

– Det blir nog bra med det och det var som sagt snällt att Holmgren ville komma. Jag har faktiskt nånting här som borde kunna intressera er.

Hon visade med handen mot en öppen dörr till ett stort rum med fönster ut mot gatan. Jag kände doften av nybakat bröd. En kristallkrona blänkte i taket. Prismorna klirrade när en lastbil brummade förbi nere på gatan. Vid väggen en gustaviansk sittgrupp med en blå filt över soffan till skydd för den ljusa sidenklädseln. Mitt på golvet, på en mustigt röd afghanmatta, stod ett par förgyllda plianger.

– Dom här små taburetterna kanske kunde vara nånting? Dom kommer från mitt barndomshem, från min farfars farfars far ursprungligen. Han var hovmarskalk hos Karl XIII och var med när kungen adopterade Bernadotte som Sveriges tronföljare. Och han fick taburetterna av kungen i present.

– Karl Johan och kungen kanske satt på dom här pliangerna, skämtade jag.

– Plianger? Det har jag aldrig hört förut. Jag har alltid kallat dom taburetter.

– Det är väl inte alldeles fel. Och det är inte omöjligt att dom har kunglig proveniens. För det är egentligen ett slags fällstolar med ben som kunde fällas ihop. Det kommer av franskans ord för vika, *plier.* I Versailles satt kungen i en förgylld karmstol och uppvaktningen fick normalt stå. Man fick inte sitta i hans närvaro. Men några få hade privilegiet att göra det och då bar lakejer fram såna här plianger som fälldes upp så att vederbörande kunde slå sig ner i den kungliga närvaron. Tala om statussymboler. Det var det redan på faraonernas tid och i det gamla Rom.

– Det var värst, sa den gamla damen förtjust. Nu fick jag lära mig nånting nytt om mina gamla pallar. Holmgren borde vara med i Antikrundan i stället för den där som bara skrattar.

– Homan, sa jag igen, men hon verkade inte höra. Eller kanske hon inte ville bli korrigerad. Och mig spelade det inte någon större roll. Nu var det pliangerna som gällde och jag skulle köpa dem om priset blev rätt. Eric Gustafson skulle få någonting att bita i. Jag tänkte inte ligga lågt med den kungliga proveniensen och den gamle hovmarskalken.

– Jag vill gärna köpa dom, sa jag. Hur mycket hade fru Lundgren tänkt sig?

– Det vet jag faktiskt inte. I motsats till herr Boman brukar jag inte sälja begagnade möbler. Kom med ett förslag.

– Gärna, men jag måste tillbaka till kontoret först för att se om det finns nån marknadsnotering. Det är ju ganska unika objekt och jag vill inte att ni ska känna er lurad.

– Det var ädelt tänkt. Hon skrattade. Men ring när ni fått klarhet.

Tillbaka i affären konsulterade jag min boksamling och auktionskataloger liksom Google och jag hittade en intressant uppgift. 1755 hade drottning Lovisa Ulrika arrangerat en bröllopsfest ute på Drottningholm för sin man Adolf Fredrik. Den skulle äga rum i ett stort tält, krigsbyte från Karl XII:s tid, och man hade beställt ett antal fällstolar. Kunde fru Lundgrens plianger ha ingått i den samlingen? Omöjligt var det inte. Jag behövde bara kontrollera om de var signerade.

Och i Uppsala Auktionsverks katalog blev det bingo. Där fanns bild på två snarlika plianger som hade gått för 60 000. Det innebar att jag kanske kunde bjuda 40 000 för paret jag sett på Humlegårdsgatan. Fru Lundgren kunde visserligen sälja dem på auktion och få mer betalt, men dels fick hon vänta till hösten och dels blev det stora avbränningar för försäljningsavgifter och annat. Nu hoppades jag bara att Rickard Bergman skulle se till att jag fick mina pengar.

På kvällen var det Francines tur att bjuda på middag. Hon hade gjort det enkelt för sig, enkelt på ett trevligt sätt. Räkor och vitt vin. Petit Chablis. Rostat bröd. Och det kändes rätt. Sommaren hade tagit ett fast grepp om vädret, temperaturen hade stigit. Det talades om rekord på platser i Sverige man annars aldrig hörde talas om. Så stadiga middagar med stekar, såser och potatis föll bort.

– Hur gick det hos din vän Bergman? undrade Francine och serverade mig sval Chablis i det stora glaset.

– Vän och vän. Affärskontakt snarare. Jo, det gick väl bra.

Och jag berättade vad jag varit med om ute i den gula villan på Djurgården. Från att jag nästan blivit omkullsprungen av hans styvson Henrik till avslöjandet om affärerna med exklusiva mineraler.

– Så det kanske låg mer bakom Rickards problem i USA än skattetrassel?

– Det är väl inte osannolikt. USA och Kina tävlar ju om ledartröjan i den politiska världscupen och där väger den militära sidan fortfarande tungt. Och ryssarna är väl också intresserade. En del av produkterna Rickards firma sysslar med kan tydligen användas i sofistikerad vapenteknologi. Där gäller det att få försprång och behålla det.

– Jag tycker du ska lägga av med honom nu, sa Francine allvarligt. Jag tyckte redan från början att det verkade tveksamt det här med hjälmen. Han som sålde kunde väl ha flugit till Schweiz eller Stockholm och tagit med den som handbagage. Då hade Bergman sluppit den här omvägen med dig och dessutom sparat femtio tusen kronor.

– Det har du rätt i, men jag tyckte det var lite spännande. Och jag fick se Miami och den fantastiska arkitekturen i South Beach. Ett levande museum över art déco. Vi borde åka dit på bröllopsresa.

– Är det ett frieri? Hon lutade sig över bordet och kysste mig.

– Varför inte? Nån gång måste du gifta dig. Din mamma är orolig och vill ha barnbarn. Hon tror att du hamnar på överblivna kartan.

– Vad är det?

– På postkontoren ute i landsorten förr i världen fanns en tavla där man satte upp brev med fel adress och försändelser som man inte kunde hitta mottagare till. Där fick dom sitta tills ”den rätte” kom.

– Så du är den rätte som plockar ner mig från kartan?

– Precis. Vad säger du?

– Du inser väl att det är en retorisk fråga. Jag älskar dig och vill gifta mig med dig. När det är dags.

– Vadå dags?

– När jag känner för det.

Francine reste sig från sin stol, kom fram till mig. Slog armarna om min hals och kysste mig. Långsamt och njutningsfullt. Länge. En innehållsrik kyss med mersmak.

– Ingen brådska, mumlade jag med munnen mot hennes öra. Bara jag vet var jag har dig.

– Det vet du.

Jag kände doften från hennes hår och jag tänkte på någonting Shakespeare skrivit, någonting om att kärleken var djup som havet, ju mer den tar, desto mer har den kvar. En sanning då och en sanning nu.

När jag låg i Francines breda säng vaknade jag med ett ryck mitt i natten och kunde inte somna om. Återigen hade jag drömt om mannen jag sett i Miami, han med den vita panamahatten, en mardröm. Han hade trängt in i mitt hotellrum mitt i natten, haft en stor, bredbladig machete i handen och huggit sönder den grekiska hjälmen. Bredvid stod Rickard Bergman och han hade skrattat. ”Nu blir det inga pengar”, sa han. ”Nu kan du glömma dina plianger.”

Hade jag inbillat mig eller hade mannen verkligen följt efter mig? Sen Rickard berättat om sina affärer med mineralerna hade hela historien kommit i ett annat ljus. Numera fanns ju oerhört sofistikerad avlyssningsapparatur. Telefon, mail, sms, ingen kommunikationsteknik gick säker för avlyssning. Alla banktransaktioner kunde spåras, alla valutaflöden, alla affärsöverenskommelser, ingenting kunde längre hemlighållas. Hade man haft Rickard under så intensiv övervakning att jag också kommit med i bilden? Hade affären med den grekiska hjälmen varit en del av någonting större? Gällde det valutaöverföring med sofistikerade medel? Allt var väl möjligt för den amerikanska underrättelsetjänsten, ingen misstanke för liten för att avfärdas, särskilt nu efter 11 september.

Men jag målade väl fan på väggen. Som antikhandlare hade jag rest till Miami för en klients räkning med uppdrag att helt lagligt från ett etablerat och ansett företag i branschen köpa in ett objekt som jag sedan låtit frakta till Sverige. Punkt slut.

Och skulle mitt förflutna rannsakas skulle de inte hitta mer än en eller annan fortkörning. Åtminstone ingenting som skulle indikera anknytning till något internationellt brottssyndikat.

Men hur stod sig Rickard i en sån utredning? Och regnar det på prästen så droppar det på klockaren. Eller ”guilt by association” som väl var den engelska översättningen. Hade jag dragits in i någonting som var mycket större än jag kunde fatta? Och farligare.

– Älskling, kom Francines sömndruckna röst ur mörkret. Kan du inte sova?

– Jag drömde bara.

– En mardröm?

– Det kan man kanske säga. Om en man med panamahatt. En vit panamahatt med svart band runt kullen.

– Det låter inte så farligt,

– Nej, men det kanske är det.

Kapitel X

Under veckan som följde på min lunch med Rickard Bergman kontrollerade jag mitt konto varje dag, men några femtio tusen visade sig aldrig. Nåja, det var ju inte någon panik, ingen ko på isen, som ladugårdskarlen hemma i prostgården brukade säga. Man kunde kanske inte begära att han omgående skulle föra över pengarna, det tog väl tid. Kanske de skulle komma från något konto i Schweiz? Men lite angelägen var jag för jag hade tänkt köpa de båda pliangerna av fru Lundgren. Väntade jag för länge kanske de försvann till någon annan.

Jag hade ringt henne och hon blev förtjust, kunde inte tänka sig att de där gamla taburetterna kunde vara värda så mycket. Som alltid vid mina inköp hade jag förklarat att om hon gick runt till mina konkurrenter kanske hon kunde få mer. Hon skulle också kunna lämna in dem till någon av de stora kvalitetsauktionerna under hösten. Men det skulle ta tid, de brukade ju hållas närmare jul, och avbränningarna fick man inte glömma bort. ”Sen kanske dom inte blir sålda heller”, hade hon sagt. ”Och då står jag där med mina pallar och det blir inte så roligt. Eller hur, herr Boman? Sen en annan sak. Dom går inte att sitta på. Jag kommer inte upp, för det finns inga riktiga karmar till stöd.”

Jag höll med, hon var glad och nöjd med 40 000 och jag hade varit en gentleman. Redovisat hennes optioner. Men en sak oroade mig. Om nu CIA och IRS hade så noga koll på Rickard Bergman så kunde det väl också omfatta hans banktransaktioner? Särskilt om han handlade med strategiska metaller med USA och Kina i var sin ringhörna i den "stora" matchen.

Om min teori om övervakning var riktig skulle en överföring till mig på femtio tusen kronor få ögonbryn att höjas. Vem är den där Homan och vilken relation har han till Bergman?

Hade frågan redan ställts och var det därför mannen i den vita panamahatten hållit mig under observation?

Men jag överdrev förstås, jagade upp mig. Jag var en alldeles för liten fisk i en stor gryta för att vara intressant. Beloppet också. Femtio tusen kronor var väl en droppe i havet för affärsmän av Rickards format.

Under lunchrasten gick jag över till Ellen Andersson för att hämta skjortor. Hon är granne till mig, bor i Elvan, Köpmangatan 11. Det är en av Gamla stans bästa adresser och själv hade jag gärna bott där om jag inte haft min lya högst upp på Köpmantorget. En våning med utsikt över både Djurgården, Mälarens utlopp i Saltsjön och Gamla stans kubistiska, svarta plåttak, men den gick ändå inte upp mot Ellens. Den låg i ett av Stockholms äldsta kvarter som köpts upp av Samfundet S:t Erik som rivit ut innanmätet, den allra äldsta och fallfärdiga bebyggelsen, sedan sanerat och skapat en underbar gård, en grön oas med träd, buskar och planteringar. En sevärdhet dit stadens buller och oro inte nådde.

Dit går jag alltså ganska ofta och Ellen bjuder alltid på kaffe med hembakad sockerkaka. Solgul och nygräddad. Kardemummakaka också, Cléos favoriträtt. Jag brukade göra den åt henne när det fanns kakmix som tyvärr rationaliserats bort ur sortimentet.

Jag lämnar Cléo där när jag har ärenden utanför Stockholm,

auktioner och annat och det är motvilligt hon låter sig hämtas. Kardemummakaka, räkor och sardiner. Leverpastej. Det är ett annat kök, en annan kulinarisk standard i Elvan än på Köpmantorget 10.

Ellen är alltså, som jag redan nämnt, min allt i allo, min Rut med stora bokstäver. Tar hand om allt en slarvig och lat ungkarl helst vill slippa. Men det är inte bara min lättja som ligger bakom vår relation. Jag skulle exempelvis aldrig kunna stryka skjortor lika perfekt som Ellen och de små portionsförpackningar som hon fryser in åt mig att tinas när jag inte har lust eller tid att laga mat är också bidragande faktorer. Hennes enda problem med mig är att jag inte har gift mig än med Francine. Det kan hon inte riktigt smälta. ”En vuxen karl som sitter vid tv:n med en Dry Martini, en siamesisk katt, Simpsons och en skål jordnötter kan man ju undra över. Dessutom skräpar jordnötsskalen ner över hela mattan.”

– Vilken tur du har, sa Ellen när jag kom. Jag har precis bryggt kaffe och sockerkakan är nygräddad. Fortfarande varm. Och dina skjortor är klara. Hur visste du att jag skulle ha min kaffestund just nu?

– Det var ingen gissning. Jag vet att du alltid har din kaffestund när jag kommer. Du skulle inte klara dig utan kaffe med kontinuerlig tillförsel. Har du dropp när du sover?

– Det var en bra idé. Ellen skrattade. Men nu har jag läst att det är jättenyttigt. Man blir hundra år.

– Det låter obehagligt.

– Gör det? Frågande såg Ellen på mig över kanten på sina svarta glasögonbågar. De bruna ögonen glittrade.

Hon är lite fåfäng så när hon går ut och handlar sätter hon på sig kontaktlinser. ”Man blir så gammal i glasögon”, brukar hon säga.

Men hon ser inte gammal ut. Och det vet hon om. Vill bara

kokettera med sin ålder. Ellen har fyllt sjuttio, men det kan man inte tro. Förr var man gammal vid sextio, för att inte tala om sjuttio. Nu spelar man golf i Florida eller fotvandrar i Himalaya. Och häromdagen berättade en av mina kunder att hon blivit ombedd att visa legitimation i tunnelbanan. Hon åkte på röd remsa och då måste man vara folkpensionär. Kontrollanten trodde henne knappt när körkortet visade på sjuttiofem år.

Och inte ett grått strå syntes i Ellens blanksvarta hår. Fast det var väl med henne som med Eric förstås. Gud hade fått hjälp på traven. Hans skapelser hade förbättrats med hjälp av den moderna skönhetsindustrins kemikalier.

– Slå dig ner i soffan så kommer jag med brickan. Ellen log och gick ut i köket. Genom den halvöppna dörren spred sig kaffedoften. Hon hade satt på radion och jag hörde nyheterna. Det hade tydligen hänt någonting dramatiskt. En olycka av något slag. Jag lyssnade bara med ett halvt öra, volymen var dessutom för låg. Attentat i Afghanistan, tänkte jag, självmordsbombare i Bagdad? Tyvärr hade ju den sortens tragiska rapportering blivit rutin i media.

– Vad var det som hände? undrade jag när Ellen kom tillbaka med kaffebrickan.

– Jag lyssnade inte så noga men det var visst nån sorts explosion ute i Nacka. I ett lager. Du får väl titta på Rapport i kväll om du är nyfiken. Och tänk på den stackars påven som slutar fast han bara är 85. Men måste han inte ”avglorifieras” på nåt sätt?

– Hurdå, menar du?

– När vanliga kyrkor läggs ner och blir bingohallar och annat så är det väl nån sorts ceremoni för att ”avgudifiera” kyrkorummet. Nu verkar det bara som om dom kallar honom Påve Emeritus och så slår han sig ner i ett kloster för att be. Det finns alltså två påvar. Det verkar vara en för mycket.

– Benedictus får väl lämna ifrån sig mitra och kräkla och sina guldbroderade kläder till Franciskus. Eftersom jag inte är katolik har jag inte tänkt så mycket på det.

– Skoja inte, sa Ellen strängt. Tänk på att det finns över en miljard katoliker ute i världen.

Med mina nystrukna skjortor i en stor vit plastpåse gick jag tillbaka till affären. Jag gillar stora påsar. De är behändiga när jag plockar ihop tidningarna till pappersinsamlingen. Hur länge det nu skulle det behövas. Fick man tro allt man läste så skulle snart papperstidningarna vara borta, ersatta med nätet. De lönade sig inte längre. Annonsintäkterna sjönk och unga människor hade ett annat konsumtionsmönster när det gällde nyheter. Läste hellre i sina mobiler och andra tekniska monster som man kunde göra allting med. Från att läsa böcker till att skicka bilder till andra sidan världen med.

Jag hade för länge sen gett upp hoppet om att kunna fatta tekniken bakom. Hur klarade vi oss förr, i en värld för inte så länge sen när det bara fanns brevpost och vanliga telefoner? På mormors och farfars tid. Men det gick ju då också och jag undrar om vi är lyckligare nu, jäktade och stressade, alltid uppkopplade. Det räcker med att ta tunnelbanan från Gamla stan upp till Francine på Karlaplan. Där får man veta mycket av alla mobilister. Skandaler som ännu inte har hunnit bli skandaler. Skilsmässor, egna och andras, bostadsrättsköp, friställningar och chefer som borde få sparken.

Variationerna i det mänskliga kommunikationsbehovet verkar oändliga. Behovet av att förmedla information lika stort. För att inte tala om alla sociala nätverk. Begreppet integritet verkar ha försvunnit ut i cyberrymden.

Men man fick väl ta det onda med det goda. Nu kunde nästan alla kommunicera med nästan alla nästan överallt i världen. De ekonomiska barriärerna var i stort sett borta. Nu klarade en satellit uppe i världsrymden vad som förr hade krävt ett astronomiskt dyrt telenät över exempelvis den afrikanska kontinenten. Till och med jag hade lärt mig skypa med Francine då hon var utomlands på sina tjänsteresor.

– Jag kan hälsa från Ellen, sa jag till Cléo som strök sig mot mina ben när jag kom tillbaka. Men jag hade inga illusioner om tillgivenhet. Förmodligen kände hon doften från sockerkakan. Hundar och katter har ju ett fantastiskt luktsinne.

Eftermiddagen blev lugn, för lugn, men det var ju sommar och semester. Världsligare nöjen lockade väl mer än ronder i mörka antikbodar. Jag kunde till och med unna mig lyxen av en minisiesta i den nersuttna fåtöljen inne på kontoret. Öppna fönster ut mot gården, den gröna kastanjens resta sommartält, vindens stilla gång i bladverket som prasslande vände sina bladsidor. Sparvflockens kivande inne i lövkronan. En duvas milda kuttrande. Solen föll ner på den trånga gårdens kullriga, grå stensättning, spred en behaglig värme och jag somnade.

En skatas maniska, metalliska kraxande väckte mig. Jag såg på klockan. Nästan fyra. Jag reste mig ur stolen och knäppte på tv:n, precis lagom till nyheterna. Så satte jag på kaffekokaren och mätte upp rågade mått av det mörkbruna kaffet från Kenya. Enligt etiketten var det kravmärkt så man kunde ju hoppas att kaffeplockarna fick en rättvis del av intäkterna, men jag hade inga illusioner. Man kunde också läsa att det var djupt och fylligt och hade en livfull karaktär. Och det lät ju betryggande.

Det hade inte hänt särskilt mycket ute i världen om man fick tro uppläsaren i min tjock-tv. Den hade fått flytta ner från våningen när jag fick en stor platt variant i julklapp av Francine.

Just när jag började hälla upp det heta vattnet i melittafiltret kom informationen om en explosion i Nacka, den vi hört på

Ellens radio. Och det hade varit en kraftig smäll. Fönsterrutor i grannskapet hade blåsts ut, en bil hade börjat brinna, men ingen människa hade fått allvarligare skador.

Explosionen hade skett i en stor lagerbyggnad och mordbrand eller attentat kunde inte uteslutas. Så kom en bild upp, ett foto av en man. Det var ägaren, som över en telefonlinje talade om terrorristdåd. Rickard Bergman såg på mig genom rutan.

Kapitel XI

Det här blir bara mer och mer komplicerat, tänkte jag när jag stängde av tv:n. Ovanpå allt annat som hänt sen jag mötte Rickard Bergman första gången hade någon sprängt hans lagerlokaler i luften. Om det nu inte var en olyckshändelse förstås. En brand som nått explosiva gastuber.

Lokalerna kunde knappast ha använts för hans teaterverksamhet, om han nu inte förvarade kulisser och dekorer där. Snarare var det väl utrymmen för hans affärer med mineraler. Jag tänkte på vad han berättat ute i den gula villan. Jag visste inte mycket om jordartsmineraler, men de var kanske explosiva? I så fall måste det ha varit stora kvantiteter för att åstadkomma den sortens explosion jag just sett. Det var ytterligare ett skäl för mig att hålla mig borta från Rickard. Jag ville inte bli mer inblandad i hans egendomliga affärer än jag redan var. Och var det som jag misstänkte, att han kunde stå under uppsikt av amerikanska myndigheter, så skulle väl den här explosionen trigga deras neurotiska känslor efter 11 september. Var mr Bergman ovanpå allt annat terrorist? Hade han förvarat explosiva ämnen på sitt lager för en attack på Amerikas intressen? Det var frågor som hårdföra CIA-agenter kunde ställa sig.

Jag log åt mina fantasier. Så illa var det säkert inte. Rickard var en hederlig affärsman i musik- och teaterbranschen som hamnat lite snett med skattemyndigheterna, men vem hade inte gjort det? Och han hade tydligen affärsverksamhet också på andra områden. Mineraler. Det var ju ett legitimt affärsområde som han inte var ensam om. Så jag fick inte bygga en hönsgård av ett par kringflygande fjädrar. Och jag skulle verkligen inte lägga mig i. ”Det man inte ger sig in i behöver man inte ta sig ur”, som Francine brukade säga, liksom ”obedd till går otackad från”. Hon har naturligtvis rätt. Men dålig karaktär i kombination med min kroniska nyfikenhet gjorde att jag knappade in Calle Asplunds nummer på min mobil

– Det small i morse, sa jag när han svarade. I Nacka. En rejäl smäll.

– Jag såg det på tv. Hurså?

– Vet du vad som låg bakom?

– Ingen aning. Som du möjligen känner till så sysslar jag med mord, inte med explosioner, och det är väl ingenting som brukar intressera dig?

– Nu kanske det gör det, för jag känner den som äger lokalerna där det small.

– Verkligen? Folk med lager i Nacka brukar väl inte ingå bland dina närmaste. Det är väl lite mer förfinade typer som samlar Haupt, dricker te och bakar scones. Calle skrattade.

– Säg inte det. Jag umgås ju med dig till och från. Men hör du nånting som kan vara intressant så vet du var jag finns. En blind höna kan också hitta ett korn. Och jag känner till en hel del om den där lagerkillen. Bland annat har jag köpt en grekisk hjälm åt honom. För över två miljoner. I Miami.

Och jag knäppte av. Ville inte bli inblandad i någon lång harang där jag måste förklara allt för Calle som ändå inte skulle förstå.

En som däremot förstod var Francine. Hon var ansvarig för vissa terroristfrågor på Säpo och jag hade ju berättat för henne om Rickards strategiskt viktiga jordartsmetaller. Men hon hade inte känt till kopplingen mellan Rickard och explosionen ute i Nacka, att det var hans lagerlokaler som sprängts.

– Jag gör en notering, sa hon, men det verkar alldeles för långsökt. Dessutom checkade jag honom i våra register förra gången du frågade och han finns inte där.

– Okej, då har jag i alla fall gjort mitt. Dragit mitt strå till stacken.

– Problemet är bara att det inte verkar finnas nån stack. Så jag tycker du ska låta den där mannen vara ifred och syssla med dina antikviteter istället. Det mår både du och din affär bättre av. Och du?

– Ja?

– Hoppas bara att er fina hjälm inte låg på nån hylla på lagret. Hon skrattade. Hej. Och hon lade på.

Francine har rätt, tänkte jag, som så många gånger förr. Som vanligt hade väl min livliga fantasi dragit iväg med mig och fått mig att se spöken mitt på ljusa dagen. Fast hände det någonting så hade jag i alla fall hört av mig.

Jag skulle just gå ner till affären när telefonen ringde.

– Hi, Johan. It's Judy.

Judy vem? tänkte jag. Känner jag någon Judy? Så kom jag på det. Judy Chardonnier, Ted Bergers assistent i Miami. Hon som såg ut som en korsning mellan fäbodstinta och Arla-flicka, hon som hade doktorerat i Cambridge och var specialist på medeltida vapen.

– Jag är i Stockholm nu och jag lovade att ringa.

– Great, sa jag. Vad trevligt att du hörde av dig. Är du här för mr Bergmans skull?

– Det kan man säga. För hans pistolers skull. Hon skrattade. Jag bor på hotell Diplomat, Strandvägen heter gatan, man ser vattnet från mitt fönster. Och båtarna.

– Då måste vi träffas. Är du ledig för en drink i kväll?

– Ja, jag har en middag med mr Bergman, men det är inte förrän åtta. And I would love to see your shop.

Vi bestämde att hon skulle komma hem till Köpmantorget vid sextiden, hon fick adressen och portkoden. Och vi kunde titta in i min affär innan hon gick till sin middag med Rickard Bergman.

Trevligt, tänkte jag. Judy Chardonnier var intelligent och kunnig och kanske visste hon mer om Rickard, hade information som kunde komplettera min bild av honom. Fast hon skulle nog inte bli imponerad av min antikaffär. Det var ju ett helt annat utbud än vad hon var van vid hos Ted Berger. Inga tyska riddarrustningar från medeltiden, inga franska svärd eller engelska flintlåsgevär. Gustavianska pinnstolar och svenskt tenn var säkert inte några höjdare i hennes värld. Men hon fick ta mig som jag var.

Jag ringde Francine igen och berättade om Judy, föreslog att hon skulle komma med på vår drink. Men Francine ursäktade sig, hon hade ett sammanträde som skulle dra ut på tiden.

– Lycka till med din amerikanska flickvän. Enjoy, som dom säger där borta.

– Jag ska göra mitt bästa och jag ringer sen i kväll.

Det blev en tursam dag. Jag blev av med två gamla inventarier, två hyllvärmare som sett bäst före-datum för länge sedan. Den ena var en blå och vit Mariebergsterrin som oförklarligt nog blivit stående i över ett år. Perfekt form, inga sprickor eller nagg, signerad och daterad.

Den andra var en silverbägare, gustaviansk, trettio centimeter hög. Men den skämdes av alltför mycket text, en inskription till en högtidsdag, och silver hade ju sjunkit på marknaden, både prismässigt och när det gällde intresset. Men det är ju så i min värld, nästan som på aktiemarknaden. Fast rörelserna är långsammare. En period är tenn inne för att sedan hamna på hyllan. Vissa år är Marieberg och Rörstrand efterfrågade för att sedan svalna. Och jag hade märkt ett intressant trendbrott som förstärkts under senare år, särskilt hos yngre kunder. Nu var art déco och femtiotal inne, det som för inte så länge sedan skapade containerfynd när det rensades ut.

Tunga barockskåp, bukiga rokokobyråer och skrymmande gustavianska sekretärer hade svalnat. De krävde utrymme och dominerade i små våningar och smaken förändrades. Tidsandan. Det enkla, det rena, det avskalade i art décon lockade mer än ålderstyngda formspråk med rötter i gångna sekel. Ytterst kanske en bit föräldrauppror. Och jag hade tagit konsekvenserna, var alltid på jakt efter den typen av föremål och mitt intresse hade spätts på av kontakten med den magnifika arkitekturen i South Beach.

Kvart i sex pinglade min tibetanska kamelklocka ovanför dörren ute i affären. Jag var inne på kontoret, lade ner en liten silverbricka i en plastkasse från Sabis och skulle just gå upp i våningen för att vänta in Judy. Hennes drink skulle serveras ståndsmässigt och jag hade kommit på att brickorna ute i köket var av plast. Inte för att det egentligen spelade någon roll vad glasen stod på, men hade man så hade man och hon var ju estet och konsthistoriker som kunde uppskatta ett välgjort rokokoarbete.

Eric stod vid glasdisken i affären när jag kom ut.

– Välkommen, unge man, sa jag, men du kommer lite olägligt.

– Verkligen? Jag kan inte se några kunder här. Ingen rusning direkt. Men det är det väl sällan. Han log sitt maliciösa leende.

– Jag får besök om en liten stund. Uppe i våningen. En tjej från USA. Jättesnygg.

– Ser man på. Det tar sig och när det brinner i gamla stubbar får man se upp. Har hon kommit för att köpa eller sälja? Jag visste inte att du har kvällsmottagning. Men det kanske inte gäller antikviteter?

– Det gör det faktiskt. Vi möttes i Miami och hon har kommit för att träffa Rickard Bergman, han gör affärer med hennes företag. Antikviteter. Dom är jätteexklusiva. Medeltida vapen, rustningar och hela det köret. Där ligger vi i lä.

– Tala för dig själv, men jag tittade faktiskt in för att berätta att jag just talat med Bergman på telefon. Vi pratade ju om honom häromdan. Han ringde om en soffgrupp han köpt av mig och som skulle stoppas om.

– Och?

– Han var upprörd. Nån hade satt eld på hans lokaler ute i Nacka. Brandkår och polis jobbade med det.

– Jag såg det på tv och jag hoppas han hade försäkrat.

– Det sa han ingenting om, men mycket hade förstörts. Det var mest kulisser och annat som tar stort utrymme som kostymförråd.

– Inte mineraler?

– Mineraler? Varför skulle han ha mineraler?

– Han handlade visst med det.

– Det nämnde han inte. Fast dom lär väl inte brinna normalt? Jag skulle föreställa mig att dom smälter vid eldsvådor. Nej, det värsta var tydligen att han förberedde en del stora uppsättningar där han skulle använda dekor och kulisser. Dyrbara kostymer. Det var några långkörare av typ ”My fair lady”. Nu skulle det ta tid och kosta skjortan att rekonstruera alltihop.

– Tufft. Tråkigt för honom. Men nu måste jag faktiskt gå. Jag vill inte låta henne vänta.

– Lycka till, sa Eric. Du har väl bjudit Francine också? Och leendet var tillbaka.

Uppe i våningen gav jag Cléo hennes middag, en halv burk kattmat, baserad på fisk. Och det gick hem. Tog fram min silverbricka, satte några skålar i blekgrön jade med snacks och ett par vinglas på den. Så tog jag ut flaskan med Stoneleigh ur kylskåpet och bar in brickan i vardagsrummet, satte ner den på glasbordet. Solen hade gått i moln och balkongens solstolar lockade inte.

Sex på slaget ringde dörrklockan.

– Välkommen, sa jag. Judy log, lika fräsch som jag mindes henne.

– Vilket fantastiskt hus. Och vilka underbara kvarter. Det har vi inte i South Beach.

– Ni har så mycket annat. Arkitekturen, till exempel. Gick resan bra?

– Perfekt och vi kom i tid, det är man ju inte bortskämd med. Jag tog en sömntablett i går kväll innan vi flög så jag mår ganska okej. Det är ju alltid jobbigare att flyga österut.

– Jag vet. Dom gånger jag kommer till USA håller jag mig vaken så länge jag kan. Det är ju sex timmars tidsskillnad. Men stig på.

Vi gick in i våningen. Judy såg sig om.

– Du har god smak. Hon log. Och gamla vackra saker. Jag älskar den här sortens antikviteter. 1700-talet är så elegant. Det Ted säljer är ju museiobjekt, man känner sig inte hemma bland dom.

– Det kan du ha rätt i, men enstaka föremål i en hemmiljö kan ju vara väldigt effektfulla.

– Du menar att du skulle ha en romersk torso här nånstans? I vit marmor.

– Varför inte? Men du måste titta på utsikten. Den är spektakulär.

Vi gick ut på balkongen. Judy stannade upp vid räcket.

Ett vitt kryssningsfartyg på ingång vände sin höga hotellsida mot kajen nere vid Fåfängan. En snabb motorbåt ritade skumstreck med sina svallvågor på vattnet och jag undrade om han höll hastighetsbegränsningen. Af Chapmans vita rigg höjde sig mot Skeppsholmens grönska och en Waxholmsbåt svängde ut från Grand Hôtel, skickade en svart rökplym som en hälsning till oss. En vit mås seglade ljudlöst förbi så nära att vi nästan kunde ha tagit den med handen. Och jag berättade i korta drag något om Stockholms historia och arkitektur.

– Underbart, sa Judy. Jag gratulerar dig verkligen. Här finns allt: tradition, historia, kultur. Jag är avundsjuk.

– Du har så mycket annat hos er, för att inte tala om Teds affär. Gick det bra på mässan?

– Ja. Ekonomin sätter ju sina spår, men vi sålde en hel del faktiskt. Japanerna är roade av rustningar, amerikanerna också. Och där finns det pengar. Det är mera inbromsning bland européerna, dom har ju sin egen ekonomiska kris. Och det är en blessing in disguise, för det kommer ut en del fina objekt på marknaden.

– Hade grekerna behållit sina skulpturer från antiken hade dom kunnat klara sina skulder.

– Precis. Men Rickard hjälpte ju till. Kom hjälmen fram ordentligt?

– Inga problem. Vill du ha ett glas vin?

– Gärna.

Vi gick tillbaka in i vardagsrummet, satte oss i de båda fåtöljerna vid öppna spisen.

– Du har alltså kommit för att titta på hans pistoler? Och jag hällde upp i hennes glas.

– Ja, värdera dom. Han vill sälja och ha en riktig värdering. Vi har ett stort nätverk, vet var säljare och köpare finns när det gäller exklusiva objekt. Och jag kan ju en del om den där epoken. Det par han har är högklassigt, schatullet är intakt och alla tillbehör för laddning och annat finns med. Det är sällsynt att allt är så orört. Pistolerna är också signerade.

– Vet du nånting om proveniensen?

– Den är fantastisk. Det finns inga konkreta bevis, men vi tror att dom har beställts av Napoleon som gåva till en av hans allierade i arabvärlden. Det finns en hel del som tyder på det, bland annat ett ingraverat namn. Napoleon invaderade ju Egypten i slutet av 1700-talet. Och det gör pistolerna extra intressanta, inte minst för en fransk köpare eller nån samlare av napoleoniana.

– Då förstår jag att Rickard behöver all expertis han kan få. Särskilt det där du sa om nätverk. Ni vet tydligen vilka som finns på marknaden för den här sortens objekt.

– Precis. Judy log. Det är vårt forte. Kunskap är makt. Fast det var inte enbart därför jag kom. För pistolerna alltså. Hon tystnade, såg allvarligt på mig.

Jag slog upp mer av det blekgula vinet från Nya Zeeland, väntade på hennes fortsättning.

– Jag kom för att träffa dig.

– Mig? Nu förstår jag inte riktigt.

– Missförstå mig rätt. Judy log. Det var faktiskt Ted som bad mig.

– Varför? Sa han det?

– Han vet att du känner Rickard Bergman och känner honom väl. Annars hade han knappast bett dig åka till Miami för att köpa hjälmen. Och han undrar om du vet nånting om hans bakgrund? Teds företag är ju gammalt och etablerat, grundat av hans farfar i London faktiskt, på 1800-talet. Och Ted är alltid väldigt noga med att allt är korrekt. I hans bransch står man ju och faller med sitt rykte, sitt varumärke. Särskilt när man säljer objekt av den typ som han specialiserar sig på. Det är ju fråga om miljonbelopp för varje föremål i många fall.

– Han vill alltså veta om jag känner till nånting speciellt om Rickard? Om han har några skelett i garderoben?

– Just det. Särskilt nu om han vill att vi ska förmedla en försäljning av hans pistoler.

– Kom det inte lite plötsligt, hans intresse för Rickard? Ni har ju haft honom som kund tidigare, eller hur?

– Jo, det har vi. Men bara nån dag efter du hade rest så fick vi besök. Två män från FBI eller om det var CIA, dom talade ju mest med Ted. Och dom ville veta allt vi kände till om mr Bergman. Jag tror inte att han är kriminellt belastad, men det var obehagligt. Och Ted vill som sagt veta mer.

– Jag känner faktiskt inte Rickard närmare, har bara träffat honom några gånger. Men jag vet att han hade trassel med dom amerikanska skattemyndigheterna, IRS, och inte kunde resa in i USA. Du kanske missuppfattade? Det var kanske dom som kom och ställde frågor? Förkortning som förkortning. Jag försökte skämta.

– Den dan du inte kan skilja mellan IRS och FBI är du illa ute. Hon log.

– Bortsett från skatterna alltså så är han såvitt jag vet helt okej. Han är en framstående producent och agent, en av dom större i branschen, och om FBI och andra slår i sina filer hittar dom honom säkert på den seriösa sidan. Jag vet att han gör mycket affärer med USA, med dom stora agenturerna. Och om er skattelagstiftning är lika snårig som vår så är det kanske inte så konstigt om han har fyllt i fel blanketter nån gång.

Men jag berättade inte om hans jordartsmineraler, jag ville inte sprida ogrundade misstankar. Ville inte bli inblandad. Om Rickard sysslade med illegal handel av strategiska varor så hade han säkert funnits i Säpos register. Och där hade ju Francine inte hittat någonting. Den amerikanska administrationen fick väl gå tjänstevägen och vända sig till svenska myndigheter om dom misstänkte nånting.

– Jag förstår. Men det kanske kan intressera dig att dom frågade om dig också. Dom kände till att du köpte hjälmen.

Kapitel XII

Först förstod jag inte vad Judy menade. Varför hade dom frågat om mig? Skulle jag vara inblandad i Rickards skatteproblem? Sedan mindes jag mina egna farhågor, som nu alltså verkade besannas.

– Om man tänker efter är det väl inte så konstigt att dom är intresserade av dig. Och dom har ju tillgång till all världens teknik. Rickards telefon och datorer har dom naturligtvis full koll på.

– Du menar att dom visste att jag kom till Miami för att köpa hjälmen åt honom?

– Precis. Och eftersom det rörde sig om så mycket pengar blev dom naturligtvis intresserade. Sen visste dom väl heller inte vad som kunde ligga bakom. Var det ett led i nån penningtvätt? Svarta pengar? Du köper ett dyrbart objekt som du sen kan sälja med vinst och pengarna kommer ur din normala affärsverksamhet.

– Det finns en till komplikation, sa jag medan jag tänkte att det kanske trots allt var lika bra att ta bladet från munnen. Bergman handlar med mineraler, strategiska produkter som har betydelse för försvarsindustrin och där både Kina, Ryssland och USA finns bland intressenterna. Dom används bland annat i missiler, alltså interkontinentala kärnvapenbärare. Prata om storpolitik! Och nu har ju Nordkorea hotat med en kärnvapenattack mot USA.

– Då förstår jag om CIA är inblandade. Hot mot Amerikas självständighet ligger ju på deras bord. Och som sagt så har dom enorma resurser och kan agera utan att besväras alltför mycket av lagar och förordningar. Dom går på Ignatius Loyolas linje.

– Nu hänger jag inte riktigt med?

– Det vet du väl. Jesuitprästen som sa att ”ändamålen helgar medlen”. Det finns en senare variant. ”Right or wrong, my country.” Judy log, men det gjorde inte jag.

– Då hade jag rätt i alla fall.

– Hurdå?

– Jag fick för mig att nån följde efter mig, skuggade mig i South Beach. En kille med vit panamahatt. Men jag trodde att jag inbillade mig, för vem skulle ha nåt intresse av att skugga mig? Nu förstår jag bättre.

– Kasta inte yxan i sjön. Det behöver inte vara så komplicerat som du tror. IRS jagar Rickard för nån skatteskuld och dom får veta att han ska göra en stor transaktion i Miami. Då kollar dom upp oss, vill veta vad han köpte och priset. Det är ju logiskt ur deras synpunkt. Det behöver inte betyda att dom jagar strategiska mineraler och att du ses som nån sorts internationell terrorist.

– Jag hoppas du har rätt, sa jag, men jag känner mig inte övertygad.

– Sen finns det en annan komplikation som gjorde Ted arg. Han brukar vara lugnet självt men den här gången blev det ett snäpp för mycket.

– Hurdå?

– Det har ingenting med dig att göra, men ett par dar efter det att du köpt hjälmen kom Vladimir Sytenko in. En av dom där ryska oligarkerna du vet, han som var med om att stjäla kronjuvelerna ur tsarkronan, eller snarare Lenins och Stalins kronor. Jag tror att han kapade åt sig delar av den sibiriska diamantindustrin eller om det var olja vid Kaspiska havet i den stora konkursen vid Sovjetunionens fall. Och nu lär han vara inblandad i korruptionsskandalerna i Sotji, Putins prestigeprojekt.

– Sotji?

– Vinter-OS 2014. Det dyraste nånsin. Kostnaderna lär bli över 300 miljarder.

– Och i den syltburken trängs många fingrar?

– Precis. Och Sytenkos lär vara bland dom längsta. Och det kan behövas för han är storsamlare, investerar i konst och antikviteter. Gärna med krigisk anknytning, rustningar och annat. Han vill säkert leva upp till nån sorts machoideal. Judy log. Det är väl för att bräcka sina kompisar som köper fotbollslag istället. Och nu ville han ha den grekiska hjälmen. Han hade sett den på nätet.

– Verkligen?

– Han var rasande för att han hade upptäckt för sent att den var ute på marknaden, och han försökte övertala Ted att köpa tillbaka hjälmen från Bergman. Men Ted kunde naturligtvis ingenting göra utan hänvisade honom bara till Bergman. Fast han var ju arg på sig själv förstås. Han tyckte att han borde ha uppmärksammat Sytenko på hjälmen. Då hade priset kunnat bli ett annat.

Då gled dörren till mitt sovrum upp och Cléo rann ut genom dörrspringan. Jag hade stängt in henne för att hon inte skulle störa samtalet med Judy. Cléo har ju en förmåga att lägga beslag på intresset, kräver total uppmärksamhet, särskilt när det kommer gäster. Då är hon i sitt esse.

Normalt ligger hon kvar på kudden i min säng när jag stänger in henne, men nu hade det väl blivit lite långtråkigt och hon har lärt sig att öppna dörrar. Hoppar upp mot dörrhandtaget och böjer ner det med sin tyngd.

Lojt gick hon fram till våra fåtöljer, satte sig på golvet och betraktade Judy med huvudet på sned. Så bestämde hon sig och hoppade upp, lade sig i hennes knä och började spinna.

– Grattis, du är godkänd.

– Oh så söt, sa Judy förtjust. Så vacker! Det är väl en siames?

– Just det. Cléo de Merode och hon har finare stamtavla än jag. Ibland undrar jag om det är jag som har katt eller hon som har en människa. Frågar du henne är det ingen tvekan.

Judy skrattade.

– Jag älskar djur och jag har en labrador hemma. Svart. Labradorer är härliga, riktiga familjehundar.

– Har du familj?

– Hade. Vi är skilda nu. Det funkade inte. Nej, nu måste jag gå, tyvärr. Rickard väntar på Grand Hôtel. Han sa att dom har den bästa maten i Stockholm. Men det var trevligt att se dig igen, Johan. Nu hinner jag ju inte titta in i din affär, men jag har några dagar på mig i Stockholm. Om jag får ditt nummer kan jag ringa.

– Visst. Jag tog fram plånboken och drog ut ett visitkort med alla uppgifter hon kunde behöva.

– Har du lust kanske du kan känna honom lite på pulsen, sa jag. Det där med mineralhandel verkar intressant.

– Jag är inte säker på att han vill gå in på det, men om jag hör nånting så ska jag berätta.

– Vill du ha en taxi?

– Gärna.

Jag tryckte upp hissen åt henne och sa adjö ute i vestibulen med Cléo på axeln. Judy strök henne över huvudet och gav mig en kyss på kinden, lätt och sval som en fläkt av sommarvinden. Jag väntade medan hisskorgen långsamt och knarrande tog sig ner till bottenvåningen.

– Vacker, sa jag till Cléo när vi gick tillbaka in i våningen.

Vacker och intelligent. Med lite tur kanske hon kan få fram nånting när hon äter middag med Rickard. Det var verkligen trevligt att träffa henne igen.

Lika trevligt var förstås inte det hon berättat om besöket i Teds affär. Att möjligheten fanns att min telefon var avlyssnad och min dator övervakad. Hade jag dragits in i någonting långt utom min kontroll? Fanns jag på CIA:s lista över potentiella terrorister? Hur skulle jag ta mig ur det här?

Då kom jag på det. Jonas Berg. Jag skulle träffa Jonas och berätta hela historien för honom. Han hade ju nära kontakter med amerikanska myndigheter i sin egenskap av UD:s samordnare när det gällde internationell terrorism och terroristbekämpning.* Om inte annat skulle han förhoppningsvis kunna övertyga CIA att hans kusin Johan Kristian Homan var en hederlig och oförvitlig antikhandlare från Köpmangatan i Gamla stan, en man som garanterat inte kunde skilja thulium från promethium och heller inte hade någon aning om hur de användes.

Sagt och gjort. Jag ringde Jonas, turligt nog var han hemma, jag tackade för senast och bjöd på lunch nästa dag, på Operabaren. Han kunde och tyckte det skulle bli trevligt.

– Är det nån särskild anledning? Fyller du år?

– Nej, i så fall borde du ha bjudit mig. Jag ville bara prata i största allmänhet. Om terrorism.

– Om terrorism? Skojar du?

– Tyvärr inte. Välkommen halv ett då. Och jag lade på. Hade kommit att tänka på att jag kanske var avlyssnad. Allvarliga män med svarta hörlurar satt kanske i något bergrum någonstans och lyssnade av vårt samtal.

Jag ringde också till Francine. Det tillhör vår kvällsritual de dagar då vi inte ses att ringa och säga god natt. Jag berättade om Judys besök men sa ingenting om CIA-agenternas intresse för

*Mårtenson: *Mord i blått.*

Rickard Bergman, inte heller att jag fanns med på deras lista. Min telefon kunde ju vara avlyssnad och samtal med en av cheferna för Säpo ville jag inte bjuda på.

Den natten hade jag svårt att sova. Att somna in är inte så svårt, men jag vaknar ibland efter några timmar och har svårt att somna om. Jagas av alla små svarta demoner som kommer framkrypande ur unkna och bortglömda källarhål. Gamla oförrätter, saker jag sagt eller gjort som jag ångrar. Halvt bortglömda, förträngda episoder sen många år tillbaka kan plötsligt väckas till liv och jaga undan sömnen. Som den gången i gymnasiet när jag vunnit första pris i skolans litterära tävling och rektorn öppnade kuvertet med pristagaren inför en fullsatt aula, men man hade glömt att lägga in lappen med mitt namn.

Men den här natten var det inte uteblivna triumfer eller andra oförrätter som spökade. Nu var det mer handgripliga fenomen. Jag hade vaknat ur en dröm där jag jagats av mannen i vit panamahatt med svart band genom Gamla stans gränder för att släpas in i en svart limousin av hårdföra CIA-agenter som anklagade mig för att ha sprängt Vita huset i luften med promethium. Bredvid stod Rickard och skrattade, pekade på mig och ropade: ”Det var han som gjorde det. Jag har bara köpt en hjälm.” Efter den pärsen var det svårt att somna om.

Jag gick upp, ut i köket, tog ett glas kall lättmjölk ur kylskåpet och sen en rund vit Stilnoct för att kunna somna om. Men det gick trögt. Jag låg länge och vred och vände på mig medan gryningsljuset började sila in i springorna vid rullgardinen. Höll jag på att bli indragen i någonting som jag skulle få svårt att klara mig ur? Och varför drömde jag mardrömmar om Rickard?

Kvart över tolv nästa dag kom jag till Operabaren. Den är en av mina favoriter bland Stockholms krogar. Den genuina, genomförda jugendinteriören har inte ändrats under årens lopp, en av de få restauranger som inte utsatts för okänsliga inredares beskäftiga ambitioner. Grands veranda, Operakällarens stora matsal och Operabaren är väl nästan de enda som klarat sig helskinnade undan renoveringsraseriet, kanske Ulla Winbladh och Stallmästargården också och ett par till undantagna. Men få har en så inbodd och insutten atmosfär och trevnad som Operabaren. De gröna skinnmöblerna, avbalkningarna i massiv mahogny runt sofforna. Den heltäckande mattans varma färger i ursprungligt jugendmönster. Taket, lamporna. Att komma till Operabaren är som att komma hem, åtminstone för mig. Matsedeln kan man alltid lita på och jag uppskattar särskilt inslagen av svensk husmanskost. ”Mat för män”, som jag brukar säga till Francine för att pigga upp henne.

Jag satte mig i en av de mörkgröna sofforna och bläddrade upp menyn som den påpasslige servitören hade placerat på det vita marmorbordet framför mig. Där fanns som vanligt mycket som frestade.

Fisk eller kött var huvudfrågan. Lax fanns förstås. Rimmad lax med stuvad potatis var ju alltid gott, och jag lät ögat gå mellan raderna. Hjälmaregös var heller inte något dåligt alternativ. Sen fanns det inlagd strömming och biff à la Lindström liksom kalvytterfilet och råbiff, bland mycket annat, men jag fastnade för småländskt isterband med stuvad potatis och rödbetor. Fast i ärlighetens namn frestades jag svårt av räksalladen. Den brukade komma i maffiga portioner. Megastora. Räkor tillhör mina passioner liksom alla skaldjur. Men jag kände för någonting bastant, potent, hade bara ätit en lätt frukost och inte något mellanmål och i väntan på Jonas tog jag ett högt glas mellanöl.

– Nu var jag väl punktlig.

Jag såg upp. På andra sidan bordet stod Jonas. Han log och satte sig bredvid mig i soffan.

– Välkommen. Roligt att du kunde slita dig från skrivbordet.

– Vad gör man inte för en lunch på Operabaren? Och för att få träffa dig.

– Ta vad du vill, sa jag och sköt över menyn till honom. Det finns mycket att välja på. Själv har jag zoomat in mig på isterbandet. Rejäl husmanskost passar mig som har enkla vanor.

– Precis. Du som åker till Shakespeares grav och till Miami lever ju spartanskt.

– På tal om det så tack än en gång för ditt party sist. Det var trevligt att träffa dina kompisar.

– Har herrarna bestämt sig?

– Isterband för mig och en mellanöl till. Och du? Jag såg frågande på Jonas.

– Jag tror jag går på laxen. Rimmad lax kan man inte förstöra och potatisstuvningen brukar vara god här. Och jag tar samma som Johan, en stor mellanöl.

När servitören noterat våra beställningar såg Johan fundersamt på mig.

– Du ville tala om terrorism?

– Ja, och om en grekisk hjälm som är över tvåtusen år gammal.

– Nu förstår jag ännu mindre.

– Du är fortfarande samordnare på UD, har jag förstått? När det gäller terrorism, alltså.

Jonas nickade bekräftande.

– Ja, jag ser till att all information som vi får i dom frågorna delas med andra myndigheter som är berörda. Från regeringskansliet och försvarsstaben till Tullverket och Säpo. Sen är jag UD:s representant i dom gemensamma diskussioner och möten vi har och är svensk delegat i en del internationella sammanhang, bland annat FN. För att göra en lång historia kort.

– Då är du rätt person. Och jag berättade min historia för

honom. Utelämnade ingenting. Började med bröllopet i Stratford-upon-Avon och slutade med Judys besök hemma hos mig dagen innan.

Jonas lyssnade, sköt då och då in en fråga och jag fortsatte min monolog genom isterband och lax och hade kommit fram till slutet när kaffet serverades.

– Det var en djävla historia, sammanfattade han. Ryska oligarker, grekiska antikviteter, strategiska mineraler, en musikproducent med tveksam moral och CIA som grädde på moset. Bättre kan det knappast bli.

– Det kan man lugnt säga.

– Och hur kommer jag in i bilden?

– Jag ville hålla dig informerad om det skulle hända nånting. Om amerikanerna tror att jag är involverad i nånting skumt. Jag tror inte det behöver gå så långt, men man kan aldrig veta. Och jag vet inte vad Bergman håller på med. Hans lagerlokaler brann ju häromdan.

– Jag såg det i tidningarna och på tv. Men det var visst mest teaterkulisser och annat som förstördes. Han är tydligen stor inom den branschen.

– Jag kan inte begära att du ska kasta dig in i den här härvan, men jag föreslår att du kollar honom i dina register. Francine har honom inte i Säpos nät men just det här med dom strategiska råvarorna, dom där jordartsmineralerna, gör väl att han borde figurera i nåt sammanhang?

– Intressant, sa Jonas. Mycket. Jag ska se vad jag kan göra, men vi kan börja med att du skriver upp namnen på dom här mineralerna du talade om. Jag har en kontakt på amerikanska ambassaden. Han står som förstesekreterare, men jag misstänker att han är CIA, deras stationschef i Stockholm. Under tiden har jag ett gott råd till dig. Ett djävligt gott råd.

– Och det skulle vara?

– Håll dig så långt borta från din kompis Bergman som du kan, och var försiktig med vad du säger i telefon eller skickar på din dator. Storebror kanske både ser och hör dig, precis som du misstänker. Man vet aldrig.

– Och här sitter ni.

Först kände jag inte igen den unga tjejen som kommit fram till vårt bord. Så kom jag ihåg, vi hade setts på Jonas party. Eva, Rickard Bergmans styvdotter.

– Det gör vi. Jonas log mot henne. Har du råd att gå hit på din magra lön?

– Jag har abonnemang här när jag inte äter på Grand.

– Slå dig ner, sa jag. Vill du ha kaffe?

– Tack. Jag ska just gå. Hade lunch med en kompis på justitie, vi har en baby ihop. Ett ärende alltså, förtydligade hon. Jag har faktiskt en liten grej hemma hos mig ikväll. Några kolleger och kompisar kommer över på en drink. Ni är välkomna. I all enkelhet alltså.

– Det behövs inte nån särskild enkelhet för mig, sa Jonas och skrattade.

– Jag bor på Rörstrandsgatan, lade hon till. Rörstrandsgatan 27 A. Det står Lindström på dörren. Nästan granne med Lenin när han var i Stockholm före revolutionen. Portkoden är 1418. Första världskriget.

– Jag fattar långsamt, sa jag.

– Jag förstår det. Det är för att göra det lätt att komma ihåg. Kriget började alltså 1914 och slutade 1918. Blanda inte ihop det med andra världskriget bara. Vi börjar vid sju. Informellt. Mycket. Hej då. Och borta var hon.

Utmärkt, tänkte jag. Nu får jag tillfälle att prata med henne i lugn och ro. Fiska efter information om hennes pappa. ”Ro, ro till fiskeskär, många fiskar får du där.”

Det skulle åtminstone vara värt ett försök.

Kapitel XIII

Klockan var halv åtta på kvällen samma dag jag ätit lunch med Jonas och jag stod i backen ner mot Karlberg. Jag hade förstått av Francine att Rörstrandsgatan var hipp, att det var Vasastans svar på Söder, SoFo, förkortningen som stod för ”South of Folkungagatan.” Ett naivt försök till återkoppling till New Yorks SoHo, konstnärskvarteren där det ”hände” på Manhattan, där det var ”action”. Fast SoFo, där journalister och miljöpartister häckade, kanske hade lite mindre specifik vikt intellektuellt sett än sin namnkunnigare förebild i New York.

Som vanligt, tyvärr, hade Francine annat för sig. Kungaparet hade något stort jippo på Solliden och hon var bjuden som tack för sina insatser på säkerhetssidan under året. Francine var ju chef för personskyddsenheten på Säpo, den som svarade för säkerheten runt kungahus, regering och andra höjdare. Själv stod jag inte på inbjudningslistan eftersom vi inte ens var sambo. Men det var väl priset man fick betala när man levde med en aktiv yrkeskvinna. Socialt sett fanns jag inte i den här typen av sammanhang. ”Vill du bli bjuden så får vi gifta oss”, hade Francine konstaterat. ”Tycker du att det är värt besväret så är det bara att säga till.”

Fast så enkelt var det naturligtvis inte. Att bara säga till. Vi levde i ett modus vivendi, lät tiden gå och det fungerade ju bra, men vi hade en sorts tyst överenskommelse. När det var dags var det dags. När det nu blev. Men Francines biologiska klocka tickade, som hon brukade säga, så vi fick inte hala och dra alltför länge. Hon älskade barn och ville gärna ha egna.

Utanför porten stod en brinnande marschall på var sida och jag behövde inte använda portkoden. Dörren stod halvöppen, upphakad på en krok i väggen. Jag behövde inte läsa på anslagstavlan vid hissen för att se vilken våning Eva Lindström bodde. Det hördes lång väg.

– Välkommen, Johan. Hon log mot mig när jag kom in i våningen. Kul att du kunde komma. Jonas är redan här.

Jag såg mig om. Rummet var stort och ljust, högt i tak och två fönster vette ut mot en grönskande gård med stora träd. Mitt emellan fönstren fanns en öppen balkongdörr och vid sidan av den stod ett långt bord med vinflaskor, plastglas, skålar med chips och nötter bredvid fat med små snittar. Vinboxar fanns också, både rött och vitt och juice för den som föredrog det. En vit soffgrupp inramad av bokhyllan Billy stod längs väggen och där satt ett tiotal gäster, mest yngre tjejer. Över soffan hängde en stor turistaffisch med motiv från Rio de Janeiro och Copacabana. Hade inte Eva tjänstgjort i Brasilien?

Borta vid dörren till tamburen stod Jonas och talade med Eva och ett par äldre män. Jonas vinkade till mig och jag vinkade tillbaka.

Så gick jag fram till bordet med boxarna. Vad skulle jag välja? Rött eller vitt? Men jag fastnade för det vita som dessutom var en av mina boxfavoriter, Fumées blanches, en hygglig Sauvignon Blanc med utpräglad smak. Det var säkert kylt och rött i box blir gärna lite jolmigt, särskilt om det får stå framme länge. Dessutom är det svårt att skilja det ena märket från det andra. De smakar ungefär likadant.

Framme vid bordet stod en man som jag vagt kände igen men inte kunde placera. Så kom jag på det. Trappan till det gula huset på Djurgården. Han som nästan sprungit omkull mig.

– Vi har stött ihop tidigare. Bokstavligen talat stött ihop. Johan Homan.

Undrande såg han på mig.

– Har vi?

– Du kanske inte kommer ihåg det för du hade väldigt bråttom. Det var nära att jag höll på att stryka med i hastigheten. Men jag påminde honom inte om vad han skrikit när han sprang förbi. ”Gubbjävel.”

Han såg på mig, så sken han upp.

– Visst fan. Häromdan. Ja, jag hade visst lite bråttom. Du får ursäkta mig. Henrik heter jag. Henrik Lindström. Jag är alltså brorsa till Eva.

Han var glad och talför, det märktes att det inte var hans första besök bland boxarna där han hade valt rött, någonting från Chile. Henrik var lika mörk som Eva var ljus, om man inte vetat det hade man inte trott att de var syskon. Ett öppet ansikte, ett öppet leende. Glasögonen hade mörka kraftiga bågar som ville han ge ett beslutsamt, manligt intryck. Han kunde väl vara lite äldre än Eva. Trettio kanske och ganska lång, längre än jag. Kraftigt byggd. Såg ut som om han kunde vara i IT-branschen, up and coming och gick säkert på gym med PT, personlig tränare.

– Jag känner faktiskt din pappa, sa jag.

– Jaså? Styvfar, menar du. Min pappa är död. Nu hade det vänliga ansiktsuttrycket förändrats, misstroget såg han på mig.

– Jag är alltså antikhandlare och har hjälpt till med ett inköp. I Miami.

– Den där djävla hjälmen?

– Så kan man ju också uttrycka det. Men han är ju samlare och ser det som en investering.

– I helvete heller. Han ska förgylla sitt ego, smeta kultur på sin sjaskiga bakgrund. Han charmade trosorna av mamma och hade nästlat sig in hos pappa, tog i praktiken över firman när pappa blev sjuk. Och mig manövrerade han ut. Jag fick en bit av kakan, men det var inte den med marsipanrosen på. Och nu hade jag fått option på en lysande grej, rättigheten för Skandinavien till en av dom stora succéerna i London, en långkörare. Men han vägrade att ställa upp. Trodde inte på mina idéer och istället satte han pengar på nån gammal djävla bronspotta från Grekland. Våra pengar, alltså. Mammas och mina.

Det var alltså min hjälm som låg bakom uttrycket ”gubbjävel”. Och jag förstod honom. Henrik hade gjort ett fynd som han stolt visat upp, optionen på en blivande succé om den hanterades rätt. Men det krävdes pengar, pengar som istället hade använts på någonting helt annat. Var det Rickards filosofi, att hålla tillbaka sonen till hans frus avlidne man, han som skapat företaget Rickard tagit över? Skulle han själv vara ensam herre på täppan? Det måste vara oerhört frustrerande för Henrik.

– Och jag är inte den ende som har råkat illa ut, fortsatte Henrik sedan han fyllt på sitt glas med en ny dos av det röda vinet. En gammal kompis till min styvfar som är i samma bransch hade lagt upp ett jätteprogram med turné i Sverige, Norge, Finland och Danmark med ”Teaterbåten”. En gammal dammig grej som blev väckt till liv igen på Broadway. När dom skulle sätta igång så gick Rickard in och förklarade att han hade rättigheterna och stämde den här killen. Han fick lägga ner alla planer och åkte på ett stort skadestånd.

– Fick han inte skylla sig själv då?

– Han hade handlat i god tro och han hade velat göra en deal. Min styvfar skulle få procent på intäkterna och det var generöst tilltaget. Jag rådde honom att acceptera, men icke. Han ville få bort en konkurrent från marknaden. Det väckte mycket ont blod och jag tror att den här andra killen skulle slå ihjäl Rickard om han bara kom åt. Han blev nästan ruinerad och har inte kommit tillbaka än. Och det finns andra exempel.

Jag tänkte på vad Eric Gustafson sagt om Rickard Bergman. Att han var mycket flexibel när det gällde etik och moral. Hälsade man på honom skulle man räkna fingrarna efteråt. Och många hade tydligen fått fingrarna i kläm när det gällde arvoden och gager. Rättigheter också, och enligt vad Anastasia berättade vid bröllopet var Rickard ”an evil man”. Han hade tydligen lurat henne på en upphovsrätt som sen gav mycket pengar.

Då kom Eva fram till oss med ett tomt glas, fyllde det med vitt vin.

– Ni ser ut att ha trevligt?

– Verkligen, vi har just träffats. Visserligen har vi stött ihop en gång, men det var som hastigast. Jag blinkade mot Henrik som log tillbaka. Jag ser att du har en affisch från Rio. Du har tjänstgjort i Brasilien?

– På ett vikariat för ett par år sen. Ambassaden ligger ju i Brasilia men jag flög ner till Rio så ofta jag kunde. Världens vackraste stad. Brottsligheten är hög men dom jobbar på det. OS ska ju hållas där. Och stränderna är underbara. Vi kallade honom Limhamnsjesus.

– Vem då? Hennes bror såg på henne.

– Jesus är gjord av cement från Limhamn. Visste du inte det? Statyn alltså. Den där jättestatyn på en bergstopp som håller armarna över Rio.

– Det hade jag ingen aning om, sa jag. Men är det inte lite vanvördigt att kalla honom Limhamnsjesus? Han kom ju från Nazareth, om jag minns rätt.

– Vi brukar skoja med Rickard om honom. Det är den enda skulptur han inte kan köpa för det finns inte plats. Eva log.

– Jag har just köpt en åt honom. I Miami. Inte en staty direkt, men en grekisk hjälm, flera tusen år gammal.

Jag grep tillfället i flykten, ville komma in på ämnet Rickard

Bergman och bättre källor än familjen kunde jag inte få. Och det var hon som tagit upp det, jag hade inte trängt mig på.

– Gjorde du? Varför köpte han den inte själv?

– Det vet du väl, sa Henrik. Han får inte komma in i USA. Skattefusk.

– Jag hörde talas om det, men jag trodde att det var uppklarat, sa Eva.

– Det vet jag ingenting om. Han bad mig i alla fall och jag åkte dit. Och sen åkte jag hem igen. Lätt som en plätt.

– Den kostade bara ett par miljoner, sa Henrik. Och inte i nyskick, lade han ironiskt till. Den är bättre begagnad, om man nu kan säga det om en grej som är tvåtusen år gammal. Det är roligt för oss att våra pengar går till nånting nyttigt. Vi kan åtminstone glädja oss åt att mamma blev skitsur. Så nu tvingar hon honom att sälja några gamla pistoler för att kompensera.

Jag vet, tänkte jag. Det är därför Judy Chardonnier hade kommit till Stockholm. Och funkade inte det kunde han ju alltid sälja hjälmen till den ryska oligarken. Där fattades det tydligen inte pengar.

– Får man vara med eller är det ett privat slagsmål? Jonas hade kommit fram till oss.

– Ser det ut som slagsmål? Förvånat såg Eva på honom.

– Inte alls, men jag tänkte bara på irländaren, han som gick förbi en pub där några killar slogs. Jag menar bara att jag inte ville tränga mig på.

– På mina parties får alla vara med och slåss. Det är själva affärsidén. Eva skrattade. Känner du min bror Henrik, förresten?

– Vi har träffats, sa Jonas. Hemma hos mig en gång. En luciaglögg.

– Jag minns att det var trevligt, sköt Henrik in. Och du hade spetsat glöggen. Alla blev jätteglada.

– Det var meningen. Vodka höjer stämningen.

– Nej, nu måste jag gå, sa Eva. Det ringer på dörren. Folk kommer hela tiden.

– Och jag behöver frisk luft. Henrik gick bort till balkongen, sköt upp den halvöppna dörren och gick ut. Jonas och jag stod ensamma kvar.

– Jag har kollat på det du sa på lunchen. Jonas såg på mig, slog sen upp av rödvinet, lyfte upp boxen och läste texten. Argentinarna är duktiga. Malbec står sig alltid.

– Menar du Rickard Bergman?

– Nej, Vladimir Sytenko. Oligarken. Och det blev bingo.

– Hurdå?

– Om du letar fula fiskar i Ryssland eller rättare sagt fula oligarker så kom du rätt. Han är en av dom största roffarna som fanns i den innersta kretsen runt Jeltsin och det lönade sig. Och han står nära Putin. Dom var kolleger i KGB. Jag vet inte hur många miljarder han är god för. Men det intressantaste i det här sammanhanget är att han har stora intressen inom mineralindustrin, precis som Rickard Bergman.

– Men dom spelar väl inte i samma liga?

– Nej, men det är väl inte osannolikt att dom haft kontakt och gjort affärer tillsammans. Sytenko kanske behöver en kanal ut i väst för sina produkter. Han är fullkomligt hänsynslös, gör vad som helst när det gäller sina intressen. Och han kommer tydligen alltid undan.

– Hurdå?

– Enligt mina källor har han misstänkts för både det ena och det andra, men skitjobbet låter han andra göra. Själv har han alltid alibi och korruptionen är ju utbredd både inom polisen och inom domstolarna. Så Rickard får kanske låsa in sin hjälm ordentligt.

– Intressant, men då tycker jag Rickard ska sälja sin hjälm till den här skurken. Pengar lär ju inte fattas. Förresten har jag med mig namnen på dom här metallerna du frågade om. Du skulle ju kontakta nån på amerikanska ambassaden. CIA:s stationschef. För jag gissade att du skulle komma på Evas party.

Jag tog fram det hopvikta papperet ur innerfickan, gav det till Jonas. Han vecklade upp det.

– Thulium och promethium, läste han. Det verkar vara science fiction.

– Det är det väl också. Förresten, jag kom att tänka på en sak.

– Vadå?

– Du vet ju att hans lagerlokaler brann häromdan. Polisen utesluter inte mordbrand.

– Du menar…

– Sytenko? Mordbrand finns väl i alla fall som affärsidé i hans business.

– Skulle han gå så långt för att komma över en gammal hjälm? Tänk om den också hade brunnit inne? Jonas log.

– Kanske inte hjälmen, men dom konkurrerade ju tydligen med samma varor. Strategiskt viktiga mineraler. Slår du ut en konkurrent och hans lager förstörs så blir du ensam herre på täppan. Och priserna stiger. Två flugor i en smäll.

– Det verkar långsökt. Skulle en stor musikproducent med en världsvid agentur samtidigt handla med strategiska mineraler?

– Varför inte? Det enda jag vet är att jag träffat honom på ett bröllop och köpt hans hjälm. Och det ångrar jag, men nu får jag leva med konsekvenserna.

– Oroa dig inte. Det fixar sig nog.

– Tack för dom orden. Det värmde, sa jag lite ironiskt, log mot honom och vi drack ur våra glas. Men jag ska be Calle Asplund ställa en konstapel utanför min dörr. Det skulle kännas tryggt.

– Du måste hälsa på Maria. Eva kom fram till oss tillsammans med en kvinna i svart. Svart blus, svarta långbyxor, svart hår och en tunn guldlänk med en liten diamant om halsen. Så kunde Victor Rydbergs Singoalla ha sett ut när hon blev femtio, tänkte jag.

Diskret makeup och det mörka håret var uppsatt i en knut med ett stort guldspänne.

Jag tänkte på vad Francine berättat för mig en gång. När hon tog ett glas pressad apelsin vid disken inne på Gallerian mitt emot NK sa den unga killen som serverade: ”Du måste ha varit djävligt snygg när du var ung.” Själv skrattade hon åt det. Men det hade hon råd till, hon som liknade Julia Roberts och var yngre än jag.

– Johan känner alltså Rickard, sa Eva förklarande. Och Maria är Rickards sekreterare och högra hand sen många år.

– Jag är antikhandlare och har gjort affärer med honom.

– Jag förstår det. Hon log ett varmt leende. Du ser varken ut som sångare eller skådespelare.

– Jag vet inte riktigt hur jag ska tolka det och jag känner inte Rickard närmare.

– Det är du som köpte hjälmen åt honom. Eller hur?

– Precis.

– En investering, säger Rickard om sina antikviteter. Och det kan han ju ha rätt i, fast det finns kanske andra placeringar som åtminstone ger ränta.

– Maria tycker att Rickard lägger för mycket pengar på sina samlingar, och det är hon inte ensam om, sa Eva.

– Jag brukar säga det till honom. Maria log. Men han bryr sig inte. Gör som han vill. Går alltid sina egna vägar. Men jag är rädd för att det finns ett pris att betala. Och nu log hon inte längre. Det finns alltid ett pris att betala.

Kapitel XIV

Nästa morgon ringde Judy Chardonnier.

– Väckte jag dig? Jag ville bara berätta om hur det gick igår med Rickard Bergman.

– Hoppas det funkade?

– Det kan man väl säga. I stort sett. Vi åt alltså middag på Grand. Fantastiska lokaler och vi hade utsikt mot slottet. Sen åkte vi ut till hans villa och han tog fram etuiet med pistolerna.

– Var dom okej?

– Mer än okej. Underbara, helt enkelt. Och inga problem med äkthet eller proveniens. Jag har gett honom information om två köpare, åtminstone starka intressenter. Den ena är en stiftelse som driver ett Napoleonmuseum i Paris och den andra en privatperson. En fransk greve med vinslott i Bordeaux som är passionerat intresserad av Napoleon och den epoken i fransk historia. Han påstår dessutom att han på nåt sätt är släkt med Napoleon.

– Fick du nån uppfattning om värdet?

– När det gäller den här sortens exklusiva objekt är värdet det en köpare är beredd att betala. Men jag kan tänka mig att det ligger nånstans i närheten av vad han fick ge för den grekiska hjälmen.

– Inte illa.

– Verkligen inte.

– Sa du nånting om Sytenko? Att han varit besviken för att han inte fick hjälmen?

– Bergman tog upp det själv. Han sa att Sytenko hade varit i kontakt med honom. Dom har tydligen nån sorts business ihop. Och han hade varit otrevlig, nästan hotat Bergman. Han skulle få ångra sig om inte Sytenko fick köpa hjälmen.

– Hur reagerade han på det?

– Han verkade ta det med en klackspark. Menade att Sytenko var känd för att brusa upp och tro att allt kunde fås för pengar. Nu tänkte han ligga lågt ett tag och vänta ut Sytenko. För om priset blev rätt kunde han tänka sig att sälja.

– Så du hade en intressant kväll?

– Om! Judy skrattade. Och jag fick se en del av hans samlingar, fantastiska objekt och där ligger många miljoner begravda. Då fanns ändå godbitarna nere i Schweiz.

– Plantor som ska växa till sig och ge avkastning när tiden är mogen?

– Precis. Och han berättade att samlingen skulle skänkas till ett museum som skulle öppna en särskild avdelning med hans namn.

– Vad säger hans familj då? Hans fru och hennes barn?

– Dom gillar det inte, tydligen. Det har dom gjort väldigt klart, men han bryr sig inte. Menar att om samlingen ärvdes så skulle pengarna snart vara borta. Och han vill lämna nånting efter sig.

– Ett monument?

– Det kanske man kan säga. Han hade druckit en del och blev sentimental. Berättade om sin barndom. Hans mamma hade varit ogift och fått försörja sig på städning och annat. Han hade det besvärligt i skolan, blev mobbad för sin bakgrund och hade tidigt bestämt sig för en sak: att bli rik. Mamman hade satsat det lilla hon hade på honom och han hade fått ett stipendium till nån handelshögskola och lyckats ta sig fram i en tuff bransch.

– Och gift upp sig. Det underlättade väl.

– Troligen. Men till slut blev det lite otrevligt, så jag tog en taxi hem.

– Hurdå otrevligt?

– Han började kladda på mig och ville dra in mig i sovrummet. Hans fru var bortrest. Då fick jag nog. Men jag ska skicka en saftig faktura för ”konsultationer”.

– Det hoppas jag. Kommer du ner till min affär, förresten? Vi talade ju om det igår och jag lovar att inte försöka nån sovrumsvariant.

Judy skrattade.

– Det hoppas jag verkligen! Och det var därför jag ringde så tidigt. Jag måste flyga tillbaka nu på förmiddagen. Ted ringde i går kväll och vi har en stor grej på gång. Så jag får ha din affär till godo när jag kommer hit nästa gång. Men det var trevligt att träffa dig, Johan, och jag hoppas att vi ses igen.

– Absolut. Jag kommer snart tillbaka och köper en ny hjälm.

– Välkommen. Bye, bye.

– Snipp, snapp, snut, och så var sagan slut, sa jag till Cléo som hoppat upp i min säng. Det brukade min mamma säga när hon läste sagor för mig. Fast det här var ju ingen saga. Nu flög Judy bort ur min tillvaro, lika snabbt som hon kommit, och vi skulle väl aldrig ses igen. En frisk fläkt i min vardagslunk på Köpmangatan. Och det hon berättat om Rickard Bergman var intressant. Särskilt det där om att Sytenko hotat honom.

När jag kommit ner till affären ringde Francine.

– Andra gången idag som en vacker kvinna ringer till mig. Och klockan är inte tio än.

– Verkligen? Då får jag gratulera. Och rösten hade en frostig underton.

– Det var Judy, tjejen jag berättade om. Hon med den grekiska hjälmen.

– Vill hon ha tillbaka den?

– Inte alls. Och jag berättade vad Judy sagt om kvällen med Rickard Bergman.

– Intressant. Det bekräftar sambandet mellan Bergman och Sytenko. Och det var därför jag ringde.

– Har du hittat nånting på honom?

– Ja och nej, snarare på Vladimir Sytenko. Dom har tydligen affärer ihop, precis som du antydde. Krigsmateriel av nåt slag. Och igår hade vi en dragning i NTC där han kom upp.

– Förlåt min okunskap, men vad är det?

– Det är en förkortning som står för Nationellt centrum för terrorhotbedömning. Där sitter jag med och vi analyserar terroristhot mot Sverige och vi ska svara för att alla berörda kommer med i bilden. Din kusin Jonas Berg sitter med där från UD, han är ju deras samordnare. Sen är det folk från MUST, den militära underrättelsetjänsten, och Försvarets Radioanstalt, FRA. Vi ligger under Samverkansrådet mot terrorism där fjorton myndigheter är representerade.

– Och då kom alltså Vladimir Sytenko upp på bordet?

– Ja, inte som nåt huvudnummer, men han nämndes, liksom hans kontakter med Rickard Bergman. Det visade sig att MUST haft ögonen på honom efter tips från deras kolleger i Washington, Pentagon och CIA.

– Det gällde hans mineraler?

– Precis. Det är ju viktiga brickor i det storpolitiska spelet. Dom kan alltså ingå i missilsystem och Sytenko gör affärer bland annat med Iran. Det finns inga konkreta bevis om att materialet ingår, men det räcker med att säga att dom har utvecklat missiler som kan nå Israel och dom anses hålla på med att ta fram kärnvapen. Då kan du lägga ihop två och två.

– Kina lär också vara intresserat. För att inte tala om galningen i Pyongyang.

– Just det. Och det gör ju inte livet enklare. Så du har skaffat dig trevliga kompisar på äldre dar. Francine skrattade.

– Så länge jag håller mig till dig, Calle Asplund och Eric Gustafson är jag på den säkra sidan, men Sytenko är väl mer tveksam. Man jag kan tala om för dig att jag inte ens har sett honom och hörde talas om honom för bara några dar sen. Så jag kan knappast vara involverad i några internationella konflikter.

– Nej, men du anses stå nära Rickard Bergman. Jag förklarade på mötet att det var strikt affärsmässiga relationer, att du hade gjort vissa inköp för hans räkning, och att det föll inom ramen för din verksamhet som antikhandlare. Jonas backade upp mig.

– Och det trodde dom på?

– Det gjorde dom, men vad amerikanarna tror är ju en annan sak. Men jag ska hålla ett öga på utvecklingen. Nu måste jag kila. Nya möten, nya sammanträden. Jag älskar mitt jobb! Francine skrattade. Puss och kram.

– Vänta, stäng inte av. Det är en sak jag måste lägga till. Så berättade jag om Judy och hennes telefonsamtal. Om hur Sytenko hade hotat Bergman och att det rörde sig om den grekiska hjälmen. Inte om strategiska mineraler och metaller.

– Intressant. Jag ska ta upp det på vårt nästa möte. Men allvarligt, jag måste rusa. Puss och kram en gång till.

– Puss och kram själv, sa jag och knäppte av min mobil.

Det här börjar bra, som gumman sa när blixten slog ner i utedasset där hon satt. Den sortens folkliga gamla uttryck kommer inte sällan för mig, och jag undrar varför. Från min uppväxt i en lantlig avkrok? Men nu kände jag det nästan likadant som gumman på utedasset. Skillnaden var bara att det inte var en enda blixt. Det var flera. Frågan var bara hur det skulle sluta.

Fast jag kom på att jag kanske hade varit lite för frispråkig, om det nu var så att min telefon avlyssnades. Jag fick tänka mig för i fortsättningen.

Telefonen höll sig lugn hela förmiddagen. Bara ett par samtal. Ett från en förhoppningsfull försäljare som ville sälja en mulltoa. Jag tackade för erbjudandet men förklarade att jag redan hade utedass på gården. Det andra samtalet var från en lika förhoppningsfull mäklare av något slag, som inbjöd mig till en "träff" för att diskutera mina placeringar. När jag frågade om det fanns kanelbullar och kaffe på mötet och svaret blev nej drog jag mig ur.

Jag vet att man ska vara snäll mot telefonsäljare som i många fall säkert är extraknäckande studenter som läser högt ur säljmanualer och jag försöker tacka nej på ett vänligt sätt, men jag visste aldrig om dom förstod att jag skämtade med mina bullar och utedass.

Min lunch blev enkel, jag kände inte för att gå ut och sätta mig någonstans. Jag öppnade en burk makrill i tomatsås, kokade två ägg, bruna, på den lilla elplattan på diskbänken i kontoret. Tog fram ett fiberrikt rågbröd i två halvor, lade ett salladsblad följt av makrill emellan. Till det ett glas lättmjölk. Inte någon kulinarisk höjdare direkt, men jag fick i mig proteiner och lagom mycket kalorier. Lättmjölk var hälsosamt och den feta fisken nyttig med en massa omega-3.

Cléo blev glad för konservburken med det som var kvar av makrillen plus en skvätt mjölk. Siameskatter får inte bli tjocka och för dem är det lättare att banta än för mig. De äter vad de får, punkt slut. Jag äter mer än jag får. Det är den stora skillnaden. Men dagens lunch var verkligen inte särskilt kaloririk, 161 kalorier per hundra gram om jag fick tro innehållsdeklarationen. Bäst före-datum för makrillen låg över fem år framåt i tiden och det kändes ju betryggande.

Jag slog mig ner med min bricka vid skrivbordet, satte en servett i skjortans halslinning för att inte spilla på min mörkblå lammullströja som jag fått av Francine. Så slog jag upp dagens tidning framför mig. Jag hade inte hunnit läsa den till frukost som jag brukade. Mina telefonsamtal hade distraherat.

Cléo hade lämnat sin renslickade konservburk och hoppat upp på skrivbordet. Inte för att hålla mig sällskap utan för att lystet bevaka min tallrik.

Det verkade inte ha hänt särskilt mycket i världen, mer än sorgliga rapporter från de oupphörliga krig som alltid verkade pågå i något oroligt hörn. Jag fick i alla fall veta att Botkyrka kommun beslutat om en skidtunnel. Den skulle bli nästan tre kilometer lång och delvis ligga nedgrävd med stora fönster ut mot naturen.

Utmärkt att den som älskar den svenska vintern med is, kyla, mörker, snö och kallblåst kan förlänga den under sommaren också. Man kan frusta sig fram i ett långt skidspår under jorden medan sommarsolen lyser högt ovanför. Det är roligt att man får någonting för sina skattepengar. Om jag bott i Botkyrka hade jag röstat för en sommartunnel under vintern där man kunde jogga eller promenera bland palmer och gröna växter i lagom värme och dämpat solarieljus.

När jag vände sida kunde jag åtminstone glädja mig åt att jag åt makrill och inte kött. Män åt kött för att hävda sin auktoritet över djur, kvinnor och barn. Det kallades för ”carnofallogocentrism”, jag ägnade mig åt symbolisk kannibalism. Och köttätandet hängde ihop med könsmaktsordningen.

Äntligen förstod jag varför jag någon gång tyckte om en välhängd entrecôte från Östermalmshallen med ett kraftigt, djuprött Côtes-du-Rhônevin. Det var alltså inte för att det var gott, det var för att manifestera min makt över Francine. Fast det skulle jag aldrig våga berätta för henne. Att läsa dagstidningar var verkligen bildande. Man lärde sig mycket om fenomen som man annars aldrig haft en aning om. Som exempelvis carnofallogocentrism.

När jag ställt undan glas och tallrik från min lunch ringde jag Jonas Berg. Jag ville berätta vad Judy sagt om sitt besök hos Rickard Bergman. Men jag skulle ligga lågt med det Francine berättat. De satt ju i samma kommitté och det fanns säkert någon sorts tystnadsplikt där. Att man inte skulle dela med sig av information till utomstående.

Jonas lyssnade, sköt då och då in en fråga.

– Jag känner ju till det där med Sytenko men var inte riktigt klar över vilken roll Bergman spelade. Vi tog faktiskt upp det i går på ett samordningsmöte. Men att han hotat Bergman är nytt för mig. Har han polisanmält det?

– Ingen aning, men det tror jag vore det sista han skulle göra. Hans affärer med Sytenko är ju inte direkt lämpade för dagsljus.

– Det kan du ha rätt i. Vi får hålla kontakt. Nu måste jag bryta. Jag är på väg in i ett möte. Vi hörs.

Kapitel XV

Tidigt nästa morgon väcktes jag av telefonen på nattygsbordet.

– Opp och hoppa, Johan. Morgonstund har guld i mun.

Först kände jag inte igen rösten, men sedan klarnade det. Rickard Bergman. Men varför så tidigt och vad ville han?

– Jag sitter på tåget till Göteborg. Det tar ungefär lika lång tid som att flyga om man räknar in Arlanda och Landvetter och väntsalar. Dessutom är det lugnt och skönt och jag sitter i en kupé där man inte får använda mobiler. Det är ju en välsignelse, eller hur?

Jag höll med.

– Business, businesslunch med Stora Teatern. Jag vill sätta upp en produktion där om två år. Det gäller att ha framförhållning.

– Det låter intressant, sa jag, fortfarande lika ovetande om varför han ringde.

– Jo, det där med morgonstund och guld, fortsatte han. Det är inte bara tomt snack. Jag är faktiskt skyldig dig pengar, eller hade du glömt bort det? Hans låga skratt kom i luren.

– Jag har faktiskt ett vagt minne av det, skämtade jag tillbaka. Min provision.

– Ditt arvode, menar du. Femtio papp, eller hur?

– Det stämmer.

– Och nu vill jag reglera den här affären så att alla blir nöjda och glada.

– Det låter bra.

– Jag är tillbaka senare i kväll, så om du kan komma ut till mig på Djurgården kan du hämta guldet där.

– Är det inte mer praktiskt om du för över pengarna på mitt konto?

– I och för sig, men jag har mina skäl.

Ville han inte lämna några spår efter sig? tänkte jag. Kontanter ur hand i hand är inte lika lätt att spåra som banköverföringar, och man slipper eventuella frågor. Själv hade jag inte några problem med hans förslag, fast det var ju lite opraktiskt. Jag hade hellre gått bankvägen. Men det var han som betalade och jag var glad att jag skulle få pengarna till slut.

– Ska vi säga att du kommer över vid tiotiden, om det inte är för sent för dig? Då är jag tillbaka.

– Jag ska försöka hålla mig vaken.

– Utmärkt! Då säger vi det. Så kan vi ta ett hyggligt rödvin och lite ost om det passar. Jag har en extralagrad Grevé som är fantastisk, nötig och härlig, och en Saint- Émilion från rätt år. Boxviner är bannlysta i mitt hus. För det här ska firas.

– Det gör det. Passar fint, alltså.

– Gratulera mig, sa jag till Cléo när jag gick ut i köket för att göra frukost. Jag har blivit rik. Lite rik i alla fall. Ett tag åtminstone.

Men skulle jag behöva skatta för pengarna? De skulle inte synas någonstans och de kunde kanske betecknas som en gåva? Då var det väl inte skattepliktigt?

Inte för att jag är nån sorts skattesmitare, men lever man i ett land med världens nästan högsta skatter kunde man åtminstone diskutera frågan. Jag kanske skulle ta upp det med Francine? Eller med Eric Gustafson? Fast jag visste att jag skulle få två diametralt olika svar. Och jag log för mig själv när jag satte på vattenkokaren och måttade upp det doftande kaffet i melittafiltret.

Cléo hade hoppat upp på köksbordet, såg på mig med sina violblå ögon. Men hon verkade inte imponerad av min nyvunna rikedom. Fick hon strömming, Whiskas och en bit leverpastej och några räkor då och då, för att inte tala om Ellens hembakade kardemummakaka, var alla hennes materiella behov tillfredsställda. Pengar var fullkomligt ointressanta för henne och det kunde hon vara glad för.

Rickard var alltså på väg till Göteborg och Stora Teatern för sin show om två år. Musikal, teater eller någonting annat? Jag fick fråga honom när vi sågs. En man med många talanger och intressen, inte enbart strategiska mineraler och grekiska hjälmar utan kultur i olika former också. Sen var det väl inte osannolikt att han också hade andra verksamheter, och då passade det väl bra att bo i Schweiz, ett av världens mest välmående och välorganiserade nationer med en konstruktiv inställning till entreprenörer. Man hade nästan inga egna naturtillgångar utöver invånarnas flit, ordningssinne och arbetsmoral. Och det hade lyft upp landet till en tätposition i alla välfärdsligor trots att det var uppdelat i ett stort antal kantoner med olika språk och skilda religioner. Ett EU i miniatyr, fast man, ironiskt nog, stod utanför och inte ville ansluta sig.

Jag tänkte på statistiken för en del år sedan då Schweiz och Sverige delade tätposition när det gällde nationalprodukt och annat. Sedan hade vi halkat ner till 17:e plats medan Schweiz låg kvar som etta. Såg man på skattesitsen däremot hade Sverige intagit förstaplatsen och Schweiz låg på en betryggande 17:e plats i tabellen. Fanns det något samband? tänkte jag cyniskt och delade den stora grapefrukten med ett snitt av min vassa kökskniv.

För att fira min nyvunna rikedom bjöd jag mig själv på lunch på Stadsmissionens café i Grillska huset vid Stortorget. I all sin enkelhet är det ett av mina stamställen i Stockholm. Självservering och kom man på fel tid kunde det vara svårt att få sittplats men det vägdes upp av deras räksmörgåsar. Ett stort stycke bröd med ett berg av rosa räkor, majonnäs och ägghalvor. Till det svart kaffe i en stor, vit mugg. Det gick utanpå mycket av det "finare" krogar kunde erbjuda.

Dessutom hade det gamla 1700-talshuset atmosfär med sina tjocka murar och stentrappor. Grillska huset, efter köpmannen Claes Grill som bott där under många år. En av Sveriges rikaste män och delägare i Ostindiska Kompaniet som handlade med Kina. I Göteborg såldes lasten på auktion med enorma vinster. För att undgå nyfikna fiskalers lystna blickar brändes räkenskaperna efter avslutade auktioner. De angick ju inte några utomstående!

Och utsikten där jag satt var inte att förakta. Jag såg ut över Stortorgets stensättning och de medeltida husfasaderna. Det är Stockholms hjärta, Sveriges hjärta faktiskt. Det var här det började, det var den stad Birger Jarl anlade på 1200-talet och där hade mycket av svensk historia utspelats. Stockholms blodbad var ett av de mer spektakulära inslagen, där ett åttiotal män ur Sveriges ledande skikt avrättades av Kristian Tyrann sedan han intagit Stockholm 1520. Från burspråket till rådhuset som stått där Börshuset nu ligger hade lagar och förordningar ropats ut och vid den stora pumpen som fortfarande står kvar hade Gamla stans pigor samlats genom seklen för att skvallra och hämta vatten.

Efter lunchen gick jag ner till snabbköpet vid tunnelbanestationen Gamla stan. Jag behövde filmjölk, ägg, lättmjölk, rågbröd och en del annat av livets nödtorft, Whiskas till Cléo inte att förglömma. Till min glädje hade man fått in "riktiga" grapefrukter. Inte de där som är små som apelsiner. Och inte den tjockhudade varianten. Den som är stor och bullig utanpå och har ett så tjockt skal att det knappt ryms något fruktkött inuti. Nu hade man en sort som var precis lagom.

I kassan köpte jag en kvällstidning. Löpsedeln hade triggat mig. ”Känd musikproducent stäms för kontraktsbrott.” Och tidningens första sida hade en bild. Ett suddigt foto av Rickard Bergman.

När jag kommit tillbaka till kontoret och plockat in mina förvärv i det lilla kylskåpet satte jag mig i min fåtölj och slog upp tidningen.

Man hade gjort stort nummer av nyheten. Första sidan, mittuppslag och ytterligare en sida plus en kommentar på kultursidan. Och som vanligt öste man på ordentligt, sparade inte på krutet. Kontentan av det hela enligt tidningen var att Rickard blåst en konkurrent på kontraktet på uppsättningen av en musikal om en filmstjärnas liv som just hade filmats. Den förfördelade parten hävdade att han hade ett tidigare kontrakt som Rickard Bergman på olika skumma vägar hade fått annullerat bakom ryggen på honom. Varken orden ”mutor” eller ”korruption” förekom i texten, men det stod klart om man läste mellan raderna att Rickard hade spelat ett fult spel. Han förnekade naturligtvis och framhöll att det var ett påhopp av en konkurrent som drevs av avundsjuka och hämndlystnad. ”Att lyckas i Sverige är fult i vissa kretsar. Det har jag fått erfara i många år. Det här är inte det första påhoppet. Mina advokater får ta hand om det.”

Jag tänkte på vad Eric sagt om honom. Att det var många som fått fingrarna i kläm. Och på vad Anastasia sagt om Rickard. ”An evil man.”

Nu fick man naturligtvis ta vad som stod i kvällstidningarna med en stor nypa salt, men det var uppenbart att Rickard var i blåsväder. Inte bara Vladimir Sytenko, CIA och IRS, massmedia var också på bettet. Var det början till ett drev jag såg eller skulle det rinna ut i sanden när nya och bättre skandaler knackade på redaktionsdörrarna?

Fast intressantast för mig var inte beskyllningarna och motbeskyllningarna. Det var istället det som stod om Rickard, om hans bakgrund och hans karriär. Där hade man grävt ordentligt. Och det hade tydligen funnits mycket att bita i.

Av en stor faktaruta framgick att han gått igenom Handels med skrala betyg, att han tidigare jobbat som reseledare på en resebyrå. Att han hade ett förflutet som bilförsäljare i en mellansvensk småstad. Och att han efter olika kringelikrokar hamnat på ILA, det ledande företaget i branschen, som assistent till chefen, Ivar Lindström. Där hade han avancerat och efter grundarens död tagit över rodret på familjeföretaget. Lite elakt antyddes det att hans äktenskap med Lindströms änka inte direkt hade försvårat hans upphöjelse.

Men hans stig hade varit törnbeströdd. Tidningen redovisade olika kontroverser Rickard haft med sångare, författare och andra som varit inkopplade på hans projekt. Kontraktsbrott, löften som brutits, olika slags motsättningar. Små bildrutor på artister och andra som känt sig illa behandlade. Fast det verkade som om han oskadd kommit ner på fötterna i all turbulens. Antingen hade han varit oskyldig eller också haft skickliga advokater. Kanske en kombination av båda, tänkte jag.

Och man fick ju inte glömma att kvällstidningarnas koncept byggde på en solid triangel: blod, sex och dårar. Hade man fått tag på en saftig karamell gällde det att suga ut det som gick. ”Right or wrong, my country,” var ett gammal chauvinistiskt uttryck som fortfarande verkade prägla militära kretsar. I mediavärlden kunde det väl översättas med ”sant eller inte, mitt lösnummer”.

Ivar Lindström var alltså Henriks och Evas pappa och Rickard hade tagit över som chef. Det hade kanske inte varit så roligt för Henrik, tänkte jag, och det låg säkert bakom hans negativa inställning till Rickard som han ju visat på Evas party. Men Rickard hade tydligen varit skicklig. Ivar Lindström Agency, ILA, var ju ett av de största företagen i branschen, om inte det största. Och jag hade förstått att man var framgångsrik också utomlands.

Kvart i tio på kvällen tog jag en taxi ut till Djurgården. Med viss möda letade chauffören fram Rickards adress på sin GPS och jag guidade honom den sista, slingriga biten. Jag hade ju varit där förut.

Lustigt nog kände föraren igen mig. Ett par gånger hade han varit inne i min affär och bland annat köpt några kopparstick av Homann, med två n, Johann Baptist, den berömde kartografen från Nürnberg och som på avlägset håll var en gammal släkting. En gren av familjen hade utvandrat till Sverige på 1700-talet. Ett av kopparsticken föreställde Karl XII:s belägring av Fredrikshald i Norge och skyttegraven där han sköts fanns med på kartan. Chauffören berättade också att han inte var proffschaufför. Det var ett extraknäck när han läste juridik på universitetet.

– Ambitiöst, sa jag när jag betalade. Mindre studieskuld och mer arbetslivserfarenhet. En bra kombination. Välkommen till min affär igen. Det finns flera kopparstick. Annat också. Jag har just fått in några intressanta etsningar av Piranesi ur ”Vedute di Roma”.

– Dom lär jag inte ha råd med.

– Säg inte det. Vi kan lägga upp en avbetalningsplan. Hej så länge.

Det skadar aldrig att lägga ett kort, tänkte jag när jag gick grusgången upp mot den stora villan. Jag måste ju leva också, omsätta mitt lager, inte bara jaga grekiska hjälmar.

Sommarskymningen var tung av jasmindoft. Gruset knastrade under mina skor, stämningen påminde om vid prostgården hemma i Viby, sena sommarkvällar i parken runt det gamla huset.

Fönstren lyste varmt välkomnande mot mig. Rickard hade tydligen hunnit hem. Ett tag hade jag varit orolig för att tåget kunde ha varit försenat och att jag skulle bli stående ute i det smygande kvällsmörkret.

Han öppnade vid min ringsignal.

– Välkommen! Stig på. Jag kom just hem. Ost och rödvin väntar om du har lust.

– Gärna. Det är en kombination jag aldrig tackar nej till.

Vi gick in Rickards arbetsrum, hans bibliotek. På ett bord framme vid fönstret stod en ostbricka, några vita assietter med knivar. En uppskuren baguette i en korg och två glas. I mitten tronade en rödvinsflaska.

– Saint-Émilion, sa Rickard när vi satte oss. Han öppnade flaskan med en blank korkskruv.

– Det är mitt favoritdistrikt och finns till och med på Unescos världsarvslista. Precis som Drottningholm. Jätteintressant område och väldigt vackert med små vingårdar och slott och ett gammalt kloster. En pittoresk idyll inte långt från Bordeaux. Där började romarna göra vin för nästan tvåtusen år sen och munkarna följde efter. Du ska få en Château de Pressac .”Endast det bästa är gott nog” fast då borde det ha varit en Cheval Blanc, nummer ett i Saint-Èmilion. Sen har du Château Pétrus, i Pomerol, som gränsar till Saint-Émilion. Världens bästa och dyraste vin. Och ett av dom minsta vinslotten.

– Det är annat än mina boxviner.

– Jag har varit där en gång och jag blev förvånad över jordmånen, fortsatte Rickard. Snäckskal, grus och stenar. Ägaren sa att det var med vin som med människor. Vinet måste lida, det bästa resultatet kommer efter möda och kamp. Han sa också nånting annat intressant. Att ett fint vin kommer till i ett samspel mellan vinstockar, jord, sol och människans händer.

Rickard log och slog upp av det mörkröda vinet. På ostbrickan fanns chèvre, gorgonzola och en hårdost som såg ut som parmesan.

– Skål. Rickard höjde sitt glas. Louise är i Köpenhamn så vi får klara oss själva. Skål för oss och tack för hjälpen. Du har läst kvällstidningarna förstås?

Jag kunde inte neka.

– Då vet du vilken skurk jag är. Rickard skrattade. Nej, man får stå ut med en hel del i den här branschen. Mycket skit, men det bjuder jag på. Och jag tänker på vad Shakespeare skrev. ”Du må vara så kysk som is, så ren som snö, du skall ändå icke undgå förtal.”

– Det hade han rätt i. Och på hans tid fanns ändå inte kvällstidningarna.

– Precis. Och dom tar ju aldrig in några dementier. Det är inte lika roligt och man får aldrig rätt mot en murvel. ”Kolla inte en bra story” sa dom ju förr. Ta Georg Bengtsson till exempel. Det stod om honom, eller hur?

Jag nickade bekräftande. Han var en av dem som angripit Rickard i artikeln.

– Det var för en hel del år sen och jag skulle sätta upp en ny version av ”Kungen och jag”. Den här storyn om kungen av Siam och den unga tjejen som kom dit som guvernant för hans barn, du känner till den? Den skulle upp på Storan i Göteborg, på Cirkus i Stockholm och i Köpenhamn. Och Georg Bengtsson skulle spela kungen och var jättestor på den tiden, megastor. Men så började han med amfetamin och annan skit så jag måste såga honom. Och det blev ett jäkla liv. Han stämde mig för kontraktsbrott, men det hade han inte mycket för. Fast amfetaminet stod det naturligtvis ingenting om i artikeln. Han hatar mig fortfarande och påstår att jag är skyldig honom pengar. Skadestånd! Rickard skrattade. Ta en bit ost förresten.

– Dom ser fina ut. Jag tror jag börjar med chèvren.

– Dom är härliga. Hötorgshallen. Jag älskar att handla där. Man är som en unge i en godisaffär. Och ute på torget har dom jättefina grönsaker.

– Jag vet. Jag går dit ibland.

Då ringde telefonen. Rickard svarade. Satt tyst och lyssnade.

– Dra åt helvete, sa han sedan och slängde på luren.

– Har det hänt nåt?

– Det gamla vanliga, suckade han. Nån tokfan som ska stämma mig. En kille som påstod att jag hade lovat honom en roll som gått till nån annan. Nu skulle han komma och spöa upp mig. Men han var full så det var bara snack. Så där ser min vardag ut. Han log ironiskt.

– Var det nån av dina artister?

– Ingen av dom större. Jag är ju agent för en hel del, fast inte lika många som förr. Problemet är att när dom inte är efterfrågade så är det mitt fel. Jag har inte bokat dom, inte legat på. Dom kan inte erkänna för sig själva att dom inte räcker till i konkurrensen. Då är det enklare att skylla på mig. Menar att jag inte skött mitt jobb. Likadant med rättigheter. Där slåss vi på marknaden om godbitarna och en del blir utan. Då beskylls jag för ojusta affärsmetoder och hotas med stämning. Men man måste inse att jobbar man i en bransch som omsätter fem miljarder om året enbart i Sverige så får man inte bara vänner. Skål för dom. Och för August Blanche.

– August Blanche?

– Det vet du väl? Rickard skrattade. Det var ju han som skrev i ”Ett resande teatersällskap” att fan ska vara teaterdirektör. Och det hade han djävligt rätt i.

– Jag måste erkänna att jag inte riktigt vet vad du sysslar med.

– Teater och musik. Rickard log. Musik i alla former. Konserter, musikaler, soloföreställningar. Sen är jag som sagt agent också. Musik är ju en enorm industri. Som nån skrev är det en av våra viktigaste kulturuttryck. Fast jag har bara behållit gamla vänner och stora namn. Popsnörena får leka på andra gårdar. Det kräver för mycket tid och ger för lite pengar. Dom är alldeles för många. Sprakar som tomtebloss ett tag och slocknar sen.

– Så det är inte du som arrangerar Melodifestivalen?

Rickard skrattade.

– Bevare mig väl. Jag har inte ens tänkt tanken. Det är ju mer festival än musik och med så mycket bakgrundsjippon att man varken hör melodierna eller texterna.

– Vad gör du mer konkret? Jag vet ingenting om din bransch.

– Hur många dagar har du på dig? Rickard skrattade.

– Vad händer till exempel om jag kommer till dig med manus till en teaterpjäs och ber dig förlägga den?

– Om du är en någorlunda erkänd författare, manuset är bra och ämnet ligger rätt så kontaktar jag olika teatrar för att höra om dom är intresserade. Nappar nån så får du, säg, 200 000 för upphovsrätten och då tar jag tolv procents provision inom Sverige, tjugo procent utanför. Då ingår normalt att teatern har rätt att spela fyrtio föreställningar. Teatrarna har ju en planeringstid på mellan ett och tre år så det är lång framförhållning. Dom vill gärna först ha klart vem som ska regissera och vilka skådespelare som ska medverka.

– Är det svårt att placera dina pjäser?

– Svårt och svårt, det beror på produkten. Stockholm är en av världens teatertätaste städer så det finns många möjligheter. Själv gillar jag Stadsteatern. Dom är ju väldigt framme och deltar i det offentliga samtalet med sina pjäser medan privatteatrarna satsar mera på komedier och Dramaten ofta kör med gammal skåpmat. Vissa teatrar kan ju också få dramatikerstöd. Sen har du hela köret med filmrättigheter och annat som är alldeles för komplicerat för dig. Musikaler ska vi inte tala om, med alla regler för libretto, musik, koreografi och fan vet allt. Ofta betalar du en klumpsumma för rättigheter plus en löpande royalty. Om producenten också skrev musiken får han betalt för varje föreställning med en viss procentsats. Vi talar miljoner för större produktioner. Så håll dig till dina antikviteter. Det är lugnare. Rickard skrattade. Du dricker dåligt med vin. Skål på dig.

– Jag har förstått att du har mycket internationella kontakter, sa jag när jag satt ner mitt vinglas på bordet.

– Om! Det är ju verkligen en internationell business. Engelsmän är trevligast att ha att göra med och jag är ofta i London. Amerikanarna är svårast. Det är alltid så mycket detaljer och konstigheter och lassvis med advokater. Där är upphovsrättsavtalen en juridisk djungel. Du måste nästan vara Fantomen för att klara dig.

– Och artisterna? Du är ju agent för en del av dom också.

– Det stämmer. Men där finns inga generella regler, inte för mina klienter i vilket fall. Där gör vi kontrakt på individuell basis. Dom är ju stjärnor bevars, konstnärer, och mycket medvetna om sin betydelse.

Jag ställde mina frågor till Rickard om hans verksamhetsområde, inte för att jag var speciellt intresserad av inkomstförhållandena för pjäsförfattare, utan mera för att få en djupare uppfattning om honom som person, som människa. Jag kände ju honom inte närmare, men mina kontakter med Henrik och Eva hade gjort mig nyfiken. Vad fanns bakom den bullriga ytan? Vad drev honom och hur kom det sig att han var en sofistikerad samlare av antika dyrbarheter? Jag har märkt att om man vill veta någonting mer djupgående om en människa ska man be honom eller henne att berätta om sig själv, om sin yrkesverksamhet till exempel. Då brukar mycket annat också komma upp till ytan.

– Intressant, sa jag. Nu vet jag vad du har för dig på dagarna. Men jag vet inte vad som driver dig som samlare. Du kunde väl inte bara vakna en vacker dag och säga att nu ska jag börja samla romerska statyer och grekiska hjälmar?

Rickard såg på mig, eftertänksamt, drack av sitt vin.

– Jag var intresserad av antiken och historia redan som barn. Flydde väl från vardagen. Läste allt om det, gick på museer och drömde om att jag nån gång själv skulle kunna äga nånting av det jag såg. Det ena gav det andra och jag började i liten skala, kunde sen bli mer exklusiv när inkomsterna växte. Jag sysslar inte enbart med musik och teater, som du vet. Mineraler och metaller också. Och jag är väl ett skolexempel på klassresenären. Mindervärdeskomplex och kompensationsbehov. Rickard skrattade.

Fattig barndom, små förhållanden, fortsatte han. Jag slet och jobbade mig sakta upp. Hade tur och hamnade hos Ivar och fick fart på affärerna. Fick ta över när han gick bort. Och jag har alltid haft ett behov av att hävda mig. Visa alla djävlar som såg ner på mig att jag kan och är nånting. Det är väl därför jag ska göra vissa donationer till museet jag berättade om. Ett äreminne över En Stor Man, och han log ett ironiskt leende. Bekräftelsebehov. En skön själs bekännelse. Men det är så det är. Jag är inte dummare än att jag förstår vad som driver mig. Men ytterst är det väl en kärlek till vackra föremål, objekt med liv och kultur. Levande historia. Och du får inte glömma att det är en placering som bara stiger.

– Jag vet. Och det vet Sytenko också.

– Just det. Och den djäveln försökte ju komma över min hjälm. Men om du ursäktar så har jag en del att göra och jag väntar besök. Det var trevligt att se dig och du ska få ditt arvode.

Rickard reste sig, hakade av en tavla från väggen, en Stellan Mörner ur Halmstadsgruppen efter vad jag kunde se, öppnade ett kassaskåp som fanns inmurat i väggen och tog fram ett tjockt kuvert. Därinne skymtade jag den grekiska hjälmen bakom en svartblank pistol.

– Här finns femtiotusen laxar i tusenlappar. Slit dom med hälsan och spänn dom bara inte på sprit och dåliga fruntimmer. Skrattet var tillbaka.

– Du får ursäkta om du får dom i handen. Men av olika skäl vill jag inte blanda in mina konton.

– Jag ser att du har min hjälm i tryggt förvar. Och att du är beväpnad så att du kan skydda den mot tjuvar.

Rickard skrattade.

– Det ser mer dramatiskt ut än vad det är. Men bor man lite avskilt och har huset fullt av exklusiva godbitar så får man vara beredd på det värsta. Tack och lov har jag aldrig behövt använda den och här finns tillräckligt mycket larm för att skrämma bort dom flesta. Men man kan ju aldrig veta.

Nästa morgon gick jag till min bank och satte in pengarna och inga frågor ställdes. Man var van vid att jag då och då satte in större belopp. Jag ville inte ha femtiotusen i sedlar liggande i våningen och jag har inte något kassaskåp annat än nere i affären. Det är så gammalt och klumpigt att det säkert går att borra upp på nolltid.

På eftermiddagen ringde Calle Asplund.

– Om jag kommer ihåg rätt så kände du Rickard Bergman, producenten. Han från Stratford-upon-Avon och Miami.

– Ja, hurså?

– Han har hittats död i sin villa på Djurgården. Mördad nån gång i går kväll eller i natt. Städerskan hittade honom vid lunchtid, frun lär vara utomlands. Rånmord. Kassaskåpet var öppnat och tömt. Om du kan titta in till mig på kontoret i morgon förmiddag så blir jag glad. Inget förhör förstås, men eftersom du kände honom och ni hade affärer ihop så vore det intressant att höra vad du har att säga om honom och hans aktiviteter.

Kapitel XVI

– Med eller utan?

Frågande såg Calle Asplund på mig där han satt på andra sidan det stora skrivbordet.

– Behöver du fråga det efter alla år? Kaffet från din automat brukar vara sånt att jag föredrar om man häller i mjölk. Ju mer desto bättre.

Calle skrattade.

– Tacksammare gäster har man haft. Ett ögonblick bara. Och han lyfte en telefonlur och beställde två kaffe och en mazarin.

– Då var det klart. Vi sätter oss i soffan, föreslår jag. Det blir lite mer avspänt då.

När vi satt oss i den långa, blå soffan vid väggen kom hans sekreterare in med en liten bricka. Två muggar med polisens emblem och ett litet fat med några små kex och en gul mazarin täckt av en tunn glasyr.

– Du vet att mazariner bara är till för gäster, sa hon strängt. Men dom där två fiberkexen är till dig. Inte till Homan. Hon blinkade åt mig. Man måste hålla efter honom, fortsatte hon. Jag har order från hans fru.

– Tack, Ingrid, sa Calle. Johan här kommer nog att se till att han får sin del av kakan.

När hon gått såg han allvarligt på mig.

– Rickard Bergman är alltså död, sa han. Rånmord. Skjuten

i huvudet, vi trodde först att det var självmord, men nåt vapen fanns inte. Fast vi går inte ut med det, av utredningstekniska skäl.

– Du sa det i går. Och jag var faktiskt där kvällen innan.

– Jag vet.

– Hur kan du veta det?

– Tack vare Karl XII, Calle log. Vi gjorde en rutinkontroll med taxibolagen och vi fick napp. En av killarna är tydligen kund hos dig. Han kände i alla fall igen dig och sa att han hade köpt ett kopparstick med Karl XII i din affär. En karta.

– Var det därför du ville att jag skulle komma?

– Precis.

– Så jag är alltså misstänkt?

– Som du förstår vill vi gärna veta vad du gjorde ute i villan. Om du såg eller märkte nånting speciellt. Jag har känt dig alldeles för länge för att tro att du går omkring och mördar folk. Här får du en bit av mazarinen. Se det som en muta.

Calle tog sin sked och delade mazarinen i två halvor, lade den ena på mitt fat.

– Den är faktiskt min, protesterade jag. Det sa ju Ingrid. Jag är din gäst.

– Mitt blodsocker har gått ner och då blir jag vresig och sur. Och det vill du väl inte? Alltså. Om vi skulle börja med att du berättar vad du var med om den där kvällen. Varför du var i hans villa över huvud taget.

– Jag berättade ju att jag har varit i Stratford-upon-Avon. På ett bröllop, och där träffade jag Rickard Bergman. Det ena ledde till det andra och han gav mig ett uppdrag. Att köpa en grekisk hjälm på en antikmässa i Miami. Jag sa ju det förut. Och den kostade över två miljoner.

– Det var som fan.

– Se det som en investering. Nyligen såldes ärkehertig Josephs berömda diamant på 76 karat för 127 miljoner. Och varje gång den sålts har den blivit dyrare.

Calle betraktade mig eftertänksamt där han satt.

– Det är nåt fel på vår civilisation. Om du hamnar på en öde ö, vad har du mest glädje av då: din diamant eller en ask tändstickor? Att ha en liten slipad mineralbit i fickan eller att kunna göra upp eld och rädda livet? Våra värderingar har skenat bortom sans och förnuft. Köpte du hjälmen?

– Det gjorde jag.

Så berättade jag hela historien. Utelämnade ingenting. Tog med metaller och mineraler, CIA och IRS och rundade av med Vladimir Sytenko och hans försök att komma över hjälmen. Fast jag tog inte med mina femtio tusen kronor. Det angick ju inte Calle och hade inte någon koppling till mordet. Men jag berättade om pistolen som legat i kassaskåpet. Hade mördaren använt den? I så fall var väl mordet inte planerat?

Calle satt tyst, lyssnade. Åt upp sin mazarinhalva och tog de båda fiberkexen.

– Av alla djävla rövarhistorier du har kommit dragande med så tar den här priset. Grattis! Jag undrar bara hur det kommer sig att du blir inblandad i den här sortens bisarrerier. Och som grädde på moset är du kanske den siste som såg Bergman innan han mördades. Du fanns alltså på brottsplatsen. Grattis en gång till. Och nu måste vi gå efter boken. Du ska förhöras i laga ordning och sen kommer du att kallas som vittne.

– Är jag misstänkt, menar du?

– För ordningens skull måste vi dokumentera din berättelse och för att spara tid både för oss och dig tror jag att vi kan fixa det med en gång.

Calle reste sig ur soffan, gick tillbaka till skrivbordet och gav några korta order på en av telefonerna.

Han stod med ryggen mot mig när han talade. Kände han

sig obekväm? Och jag tänkte på att han inte besvarat min fråga angående om jag var misstänkt.

En halvtimme senare satt jag i ett rum en trappa ned och talade med en av Calles kolleger. Mitt emellan oss fanns en bandspelare och jag upprepade vad jag just berättat en trappa upp.

I hissen ner efteråt ringde jag Francine på mobilen och föreslog att vi skulle äta lunch. Jag hade någonting viktigt att berätta.

– Har du ställt till det för dig nu igen? Hon lät orolig.

– Det kan man säga. Det kan man lugnt säga.

– Kan du inte komma hem? Jag sitter hemma i dag och jobbar på min rapport från Bryssel.

– Bra. Där finns inga nyfikna öron. Bara dina.

Efter en avstickare till affären tog jag tunnelbanan från Gamla stan upp till Karlaplan och Francine. Hon bor ju på Lützengatan, alldeles om hörnet till T-banan, så det gick snabbt.

– Ägg och sill. Fil och müsli med blåbär och valnötter på. Det är vad jag kan bjuda på. Är det okej? Francine log mot mig när hon öppnade dörren.

– Får jag se menyn först innan jag bestämmer mig? Jag hade tänkt mig nånting mer substantiellt än ägg och sill.

– Duger det inte så får det vara. Och du får äta i köket. Kom in.

Jag kysste henne och hon blev allvarlig.

– Jag är orolig för dig, sa hon när jag ute vid hennes köksbord berättat vad jag varit med om. Som om det inte räckte med Bergman och hans mystiska affärer med den där oligarken. Nu är du misstänkt för mord också.

– Inte alls. Men dom måste naturligtvis höra mig. Jag var ju där på kvällen, alldeles innan han mördades.

– Har du nån uppfattning om vem det kan vara? Mördaren?

– Ingen aning, men Sytenko, ryssen, är ett väl bra tips? Han ville åt hjälmen, kassaskåpet var tömt på värdesaker och han lär ju vara helt hänsynslös.

Francine skakade på huvudet.

– Han är säkert alldeles för smart för det. Han sitter på en guldgruva hemma i Moskva och allt går hans väg. Att riskera livstid för en gammal grekisk hjälm gör han inte.

– Det är den ende jag kan tänka på så här rätt upp och ner, och han hade ju kunnat skicka dit en torped. Men eftersom Calle säger att det var rånmord så kan det ju ha varit just det. En tjuv bryter sig in, Bergman tar fram en pistol ur kassaskåpet. Dom slåss, pistolen går av och Bergman träffas. Så tömmer tjuven kassaskåpet och drar. Hur låter det? Det stod ju öppet när jag var där.

– Hur kom det sig?

Jag tvekade, ville inte dra upp mitt arvode, de femtio tusenlapparna i kuvertet jag fick. Livet var komplicerat nog ändå och tids nog skulle jag göra det.

– Han höll kanske på med sina affärer när mördaren kom? sa jag.

– Det kan ju finnas andra motiv också, när man tänker efter.

– Vad skulle det vara?

– Hans affärer med dom där mineralerna du talade om. Strategiska råvaror för vapenproduktion, sa Francine. Och jag tänker på Iran. Sytenko gör tydligen affärer med mullorna i Teheran och Bergman var också inne i den sortens business. Du kan ha aldrig så många kärnvapen men om du inte har vapenbärare, alltså missiler, har du inte så stor glädje av dom. Och på den kanten lär dom ju ha som arbetshypotes att radera Israel från kartan.

– Du menar att nån vill stoppa Iran från att få tillgång till dom där grejerna? Det låter ju inte omöjligt.

– Det är bara en gissning, fortsatte hon. Även om du mördar både Sytenko och Bergman så lär inte mineralerna försvinna från marknaden. Men letar vi motiv så kan den här strategiska aspekten finnas med i bilden. Och CIA har ju många strängar på sin lyra, om man får tro vad man läser. Kan man fixa statskupper, störta regeringar och starta revolutioner så kan man säkert ta hand om problem som Bergman också. Vi får väl vänta och se vad mordutredningen kommer fram till. Sen finns det en annan aspekt. Hämnd.

– Jag vet inte om du läste om Bergman i tidningarna häromdan? Det var inte särskilt smickrande för honom. Han pekades ut som ohederlig, falsk och allmänt opålitlig när det gällde sina affärer i teater- och musikbranschen. Det fanns tydligen dom som hatade honom.

– Du menar att nån avdankad skådis i lösmustasch och slängkappa skulle ta livet av Bergman för att han inte fått dom roller han ville ha? Francine skrattade.

– Inte direkt kanske, men om du tyckte att han förstört din karriär? Stoppat dig. Då kunde det ha legat och malt genom åren. Och dom stulna pengarna i kassaskåpet, om det nu fanns några, kunde han se som skadestånd. Sen finns barnen också.

– Fadermord?

– Styvfadermord i så fall. Nej, jag tänker på Henrik, Bergmans styvson alltså. Jag har träffat honom ett par gånger och han är mycket kritisk mot Bergman. En uppkomling som har solochvårat hans mamma och tagit över firman efter pappans död. Och hans syster Eva verkade heller inte ha älskat sin styvfar, för att uttrycka det milt. Sen vet jag inte hur hans fru kommer in i bilden, men hon lär visst vara i Köpenhamn så hon har alibi.

– Motiv saknas verkligen inte. Men vi får vänta och se. Sanningen kanske är enkel. Ett inbrott som gått snett, som du sa.

Vi verkar ha svårt att acceptera enkla sanningar. Kennedys död och mordet på Palme skapade ju oändliga konspirationsteorier. Men jag är orolig för dig.

Francine hade slagit armarna om mig. Kysste mig.

– Det får inte hända dig nånting. Det skulle jag aldrig klara.

– Jag vet och jag älskar dig. Jag kysste henne tillbaka. Var inte orolig. Jag har ingenting att vara rädd för. Och jag har inga som helst motiv.

– Det kan hända, men du är intressant för polisen. Du fanns på mordplatsen strax före mordet, glöm inte det. För Calle Asplund och hans kompisar är alla skyldiga tills dom har bevisat motsatsen.

– I så fall har jag inga problem.

– Jag hoppas det. Jag hoppas verkligen det. Francine såg allvarligt på mig.

Kapitel XVII

Myndigt såg Gustav Vasa ner på mig från sin höga tron. Likt en insekt, innesluten i historiens bärnsten, satt han där i sitt mausoleum, skapat av Carl Milles. Kungen som befriade Sverige från danskarna, gick över till protestantismen för att kunna konfiskera katolska kyrkans ofantliga rikedomar och som gjorde landet till arvrike för sina söner.

Tala om entreprenörer, tänkte jag.

Jag hade gått till Nordiska museet, till öppningen av den stora antikmässan. Lokalen var perfekt. Högt i tak som en katedral och den stora salen lång som en fotbollsplan. Hela byggnaden var magnifik, påminde om ett renässansslott, men började byggas i slutet av 1800-talet. Egentligen skulle museet bestå av två byggnader, tänkte jag där jag stod under vasakungens vakande ögon. Dels dagens slottsliknande och dels en motsvarande byggnad mitt emot, på andra sidan Djurgårdsvägen. Hela anläggningen var avsedd som en manifestation av den nordiska samhörigheten där det som nu var museum skulle lämpa sig för stora manifestationer, samlingar och banketter, medan den andra byggnaden, som aldrig uppfördes, skulle inrymma museet. Sverige och Norge var ju ett land vid slutet av 1800-talet, Sverige och Finland hade varit ett rike i sexhundra år och Danmark var också en del av den nordiska gemenskapen, liksom Island. Nationalromantiska tankar och idéer låg i tiden, med museets och Skansens skapare Artur Hazelius som förgrundsfigur. Det svenska kulturarvet skulle samlas och bevaras innan det blev försent.

Mässan var ambitiös med många utställare i två parallella led genom den stora salen. Jag gick långsamt förbi de olika avdelningarna, stannade upp här och där för närmare besiktning av intressanta objekt. Jag var ju där för eventuella inköp. Mitt lager hade börjat glesna och jag behövde nya föremål som fräschade upp och förhoppningsvis ökade omsättningen.

Ett av problemen i min bransch är ju att få tag på ”rätt” föremål. Antikrundan och andra fenomen har medfört att folk i allmänhet slår vakt om sina skatter och i den mån man säljer är man mycket medveten om prisnivåer men har inte sällan överdrivna förväntningar. Allt fler verkar vara på jakt efter ”det stora fyndet” och nätauktionerna har drivit upp priserna. Och man glömmer gärna att en antikhandlare måste ha en viss avans på sina objekt för att det ska gå runt med hyror, försäkringar och annat. Jag har därför som en del av mina kolleger börjat satsa på morgondagens antikviteter, femtiotalet och framåt. Art déco är ju redan intecknat på marknaden. Det är en av de viktigaste epokerna också i svensk konsthistoria och vi låg i framkant när det gällde design under en period då Sverige skördade lagrar på Parisutställningen 1925, inte minst genom glaskonst och möbler. Ironiskt nog blev svensk design under perioden mer uppskattad utomlands och levde ett undanskymt liv i Sverige tills publiken och antikhandlarna ”återupptäckte” epoken. Efterfrågan steg, liksom priserna, och tillskotten av kopior och förfalskningar som kom ut på marknaden mångfaldigades.

Men det gjorde ju inte behovet av ”gamla” objekt mindre. Fast vill man ha någonting med klass får man betala. Fynd är sällsynta och lätt räknade. Det är åtminstone min erfarenhet. Och att hitta en Rubenstavla eller ett bord av Haupt på en bondauktion tillhör vandringslegendernas värld.

På mässan visades ett hyggligt sortiment från flera av Sveriges ledande antikhandlare. Konst, silver, smycken, möbler, speglar och porslin. Mattor. Det gick naturligtvis inte upp mot mässan i Miami. Inga grekiska hjälmar eller medeltida riddarrustningar fanns. Men det saknades inte godbitar.

Jag stannade upp inför en poudreuse, ett toalettbord. Smäckert, elegant, sofistikerat. Så var det också gjort av den svenska möbelkonstens främste, Georg Haupt, internationellt känd och erkänd. Hans främsta verk hade många gånger beställts av kungligheter och hamnat på kungliga slott. I handskrivet bläck bekräftades att möbeln var av mästarens hand. ”Fait par Georg Haupt Ébéniste du Roi à Stockholm.”

I Kurt Ribbhagens monter tronade en storstilad norsk champagnekylare från början av 1900-talet. Den vägde nästan femton kilo och var utformad som vikingaskeppet Ormen med Olav Tryggvason i fören, han som kristnade Norge.

Jag borde köpa den och ställa ut den i ett av skyltfönstren, om inte annat så för att bräcka Eric Gustafson.

I en annan monter fanns några av svensk glaskonsts höjdpunkter, skålar av Simon Gate där dekorens eleganta och sofistikerade kvinnokroppar svävade mot osynliga himlavalv. Fast priserna översteg mitt checkkontos möjligheter, trots tillskottet från Rickard Bergman.

Borde jag ha berättat om det för Calle Asplund? Men det angick ju knappast honom. Det var en privat affär mellan Rickard och mig. Arvodet för ett väl utfört konsultuppdrag som låg helt i linje med min verksamhet som antikhandlare. Det var onödigt att blanda in det i en mordhistoria som förmodligen gällde strategiska mineraler eller kanske var en hämndaktion från någon föroråttad skådespelare eller konkurrent bland de andra producenterna och agenterna.

Jag stod framför ett av Martins kolorerade kopparstick från 1700-talet, det som föreställer Gustav III:s överfart från Drottningholm. Med slottet i bakgrunden ros kungens slup mot stranden där en kaross med sex förspända hästar väntar medan beriden eskort gör sig beredd att följa det kungliga ekipaget mot Stockholm.

Jag vände mig om för att gå vidare. Jonas Berg stod plötsligt där och log mot mig.

– Var skulle sleven vara om inte i grytan? Har du hittat nånting köpvärt?

– Det har jag väl och det är ett trevligt utbud, men 38 000 för det här kopparsticket har jag inte, fast det är mycket dekorativt och historiskt intressant. Och du själv? Jag trodde du skulle sitta på UD och vända papper. Har du tid att gå på antikmässor?

– Jag är min egen chef och ofta blir det sena kvällar. Men oroa dig inte. Du får valuta för dina skattepengar. Det här är egentligen min lunchtid fast jag har inte fått nån. Inte än i alla fall.

– Jag undrade just vart du hade tagit vägen? Jag såg dig på håll när jag kom in.

Eva Lindström kom fram till oss med den röda mässkatalogen i handen.

– Och du är också här, Johan? Fast det är ju naturligt. Du är antikhandlare. Det är väl tjänstefel om du inte går hit, hon skrattade.

– Tack för senast, sa jag. Det var en trevlig kväll.

– Roligt att du kunde komma. Jag är också intresserade av antikviteter, fast här ligger prisribban på lite för hög nivå för mig. Jag kommer just från en mottagning på spanska ambassaden som ligger alldeles i närheten så jag passade på att titta in.

Jag är alltså på protokollet och när UD ska vara representerat på nationaldagsmottagningar och annat så skickar dom också nån från protokollet. Vi har ju mycket av den dagliga kontakten med diplomatiska kåren. Och protokollchefen är på tjänsteresa, så nu var det min tur. Men jag har hittat nånting intressant. Kom så ska jag visa.

– Jag måste bara få beklaga sorgen, sa jag. Din pappa har ju, ja, har ju gått bort. Jag beklagar verkligen.

– Det var snällt av dig, men han var inte min pappa. Och han inte bara dog, han blev mördad. Jag förstår nästan varför.

– Mördad? Menar du verkligen att Rickard Bergman mördades? Det har jag inte sett nånstans.

– Polisen ligger tydligen lågt med det. Han sköts ute i sin villa. Men det lär väl inte dröja förrän murvlarna kalasar på kadavret. "Känd direktör brutalt mördad. Mystiskt mord i lyxvilla på Djurgården."

Eva log ett ironiskt leende och jag tänkte på att hon kallat Rickard för "kadavret". Där fanns tydligen inga varmare känslor, fast det hade jag ju redan förstått. Hennes bror Henrik fanns väl heller inte bland de närmast sörjande.

– "Sorgeliga saker hända än i våra dar minsann", som det står i skillingtrycket om Elvira Madigan. Eller minns jag fel? Men livet måste gå vidare. Och nu måste ni följa med mig och titta på vad jag just har hittat.

Eva verkar ta mordet på Rickard med en klackspark, tänkte jag när vi följde efter henne i trängseln mellan montrarna.

– Här är det.

Hon stannade upp inför en monter med ett litet salongsbord, ett pelarbord i ljus björk och med fyra fötter. Sen-empire, Karl-Johan.

– Är det inte läckert? sa Eva entusiastiskt. Och en fantastisk proveniens. Det har tillhört både Oscar I, Karl XV och Oscar II.

– Köp det inte, varnade Jonas. Det kommer att spöka hemma hos dig i så fall. Tre kungar vill ha tillbaka sitt bord.

Eva skrattade.

– Jag vet precis var jag ska ställa det, men inte om jag har råd. Det beror på. Men jag ska ta en macka här i serveringen och fundera. Hos spanjorerna fanns det bara lite snittar kvar när jag kom. Sen går jag tillbaka och börjar pruta.

– Jag ska inte lägga mig i dina inköp, sa jag. Men en sak har jag lärt mig genom åren. Att om det säger klick, kärlek på stubben, då ska man inte tveka. Och dom köp jag ångrar i livet är dom jag inte gjorde. Det kan faktiskt hända att jag vaknar mitt i natten och tänker på den där grejen, objektet som jag inte köpte.

– Gäller det kvinnor också, eller bara möbler? Jonas log. Men allt är bäst som sker, är ett annat gammalt visdomsord.

– Sluta, sa Eva. Nu är det föda som gäller. Kom så går vi.

Vi hade tur. Ett hörnbord för fyra höll just på att evakueras och vi ställde oss i vänteläge som en skock rovdjur. I trängseln gällde den gamla regeln om den starkaste överlevaren. Djungelns lag också bland serveringsborden.

Kaffe och smörgåsar blev beställningen när vi satt oss. Goda smörgåsar. Stora och matiga. Ost och skinka med gul, stark dijonsenap. Leverpastej och små gröna cornichoner, buffelost med röda tomatskivor.

– Det var verkligen tragiskt, sa Jonas efter en stund. Mordet på Rickard. Fruktansvärt egentligen. Att bli avrättad i sitt eget hem.

– Rånmord, sa Eva allvarligt. Han sköts i huvudet och kassaskåpsdörren stod öppen. Inga pengar fanns kvar, ingenting annat av värde heller. Antingen ett ”vanligt” rånmord eller också nånting annat.

– Vad skulle alternativet vara? frågade jag. Om det nu inte var rånmord.

– Hämnd. Det är väl ett av dom starkaste motiven i mänskliga relationer. Och kanske skadestånd. Nån vill hämnas på Rickard och tyckte sig ha rätt till skadestånd. Tog vad som fanns.

– Vi får väl vänta och se vad polisen kommer fram till, sa Jonas.

– Vi får väl göra det. Eva började skära en kant av sin smörgås, den med buffelost och röda tomatskivor.

Jag såg på henne. Hon gav verkligen ingen bild av en sörjande dotter, eller snarare styvdotter. Med god aptit avverkade hon den stora smörgåsen och pratade med Jonas om någon kollega på UD som jag inte kände. De raljerade över honom och hans egocentriska ambitioner att synas, kallade honom "the prince of peace", fredsfursten, för hans ambitioner att profilera sig i media som den som skulle rädda världen från sig själv.

Men jag kunde inte följa med i deras konversation. Intrigerna på UD intresserade mig inte. Jag tänkte på någonting helt annat. På den grekiska hjälmen. Hade den legat i Rickards kassaskåp när mördaren slog till? Var det därför han kommit?

– Nej, nu måste jag gå tillbaka till "mitt" bord, sa Eva. Jag ska fråga om man kan köpa på avbetalning.

– Det var verkligen intressant att höra om mordet på Bergman, sa Jonas när Eva gått. Tragiskt naturligtvis, skrämmande men ändå intressant. Jag tänker på vad han var inblandad i. Och inte bara din gamla hjälm.

– Du menar dom strategiska mineralerna? Jag tänkte på det också som motiv, om det nu inte är ett "vanligt" inbrott där nån tagit i för hårt. Sytenko kan teoretiskt sett vara inblandad.

– Inte bara teoretiskt. Det ligger nära till hands. Jag hade en arbetslunch häromdan med min amerikanske CIA-kontakt på ambassaden. Vi talade om Bergman och han känner naturligtvis till kopplingen till Sytenko. Och han har observerats nu i

Stockholm. Har alltså funnits här när mordet begicks. Dom är ju effektiva, håller koll på sina objekt.

– Dom har naturligtvis världens resurser. Jag läste för ett tag sen att deras högste chef hade avgått. Han hade lett dom amerikanska trupperna både i Irak och i Afghanistan innan han tog över CIA, men han föll på en otrohetsaffär.

– Glöm inte att Amerika grundades av puritaner. Jonas log. Teapartyrörelsen och Daughters of the American Revolution är inte att leka med. Men när man tänker på CIA:s ”meritlista” genom åren så kan man ju tycka att det funnits betydligt angelägnare skäl för höga chefer att avgå.

– När det gäller Rickard Bergman får vi inte dra för snabba slutsatser, sa jag. Vi får väl som sagt avvakta och se vad polisen kan komma fram till. Jag ska höra mig för med Calle Asplund. Och om CIA finns med i bilden känner säkert Francine till det. Men hon är som en mussla när det gäller känslig information.

– Det är ju Säpos grundbult. Som du vet har dom ju flyttat sina lokaler och konsekvent nog heter området ”Ingenting”. Kan man bli mer hemlig och anonym än att ha det som adress? Möjligen ”ingenstans”. Jonas skrattade.

Kapitel XVIII

När jag kom tillbaka från Nordiska Museet och antikmässan blinkade min telefonsvarare rött inne på kontoret. Francine hade ringt och Calle Asplund.

Jag tog Calle först. Det gällde säkert Rickard Bergman.

– Bra att du ringde tillbaka, kom Calles röst. Det är en sak jag måste fråga dig om.

– Du är välkommen. Och du vet redan att jag var ute i Bergmans villa på mordkvällen.

– Ja, tack vare en antikintresserad taxichaufför. Calle tystnade.

Jag förstod piken fastän den var inlindad. Jag hade ju inte berättat det självmant.

– Nu har det dykt upp en annan sak som är intressant. Som du vet så undersöker vi rutinmässigt alla som har nån koppling till ett mord. Det innebär inte nödvändigtvis att vederbörande är misstänkt. Det var alltså inte självmord i det här fallet.

– Jag förstår. Och nu har ni tittat på mig? Jag kan påminna dig om att jag redan blivit förhörd.

– Mina killar är grundliga och erfarna. Dom har också gått igenom dina bankkonton som både visar att du inte står på nåt större plus och att du sätter in femtiotusen dagen efter mordet. Bergmans kassaskåp var tömt och dom frågar sig naturligtvis om det kan finnas nåt samband.

– Naturligtvis, ekade jag. Antikhandlare med dålig ekonomi mördar Bergman och plundrar hans kassaskåp för att sen så fort som möjligt sätta in pengarna på banken.

– Det var du som sa det. Men du måste förstå att går man efter handboken så är det ytligt sett åtminstone ett ganska klart fall. En person finns bevisligen på en mordplats ungefär vid tiden för mordet, pengar stjäls och pengar sätts in nästa dag.

– Då borde det väl också stå i handboken att en något så när smart mördare knappast lämnar så tydliga bankspår efter sig?

– Det är en riktig synpunkt, men det förutsätter ju att mördaren handlar helt rationellt och inte i nån sorts panik.

– Då ska jag förklara hur det ligger till. Som jag berättade förra gången vi sågs träffade jag Bergman på ett bröllop i England. Han var ju storsamlare av exklusiva antikviteter, det ena ledde till det andra och jag fick i uppdrag att flyga till Miami för att köpa in den här grekiska hjälmen. För det skulle jag få ett arvode på femtiotusen.

– Det sa du ingenting om tidigare. Arvodet alltså. Dessutom låter det lite häftigt betalt för att köpa en gammal hjälm.

– Den här sortens uppdrag ingår i mitt jobb så jag tyckte inte det angick nån annan. Och det tog en vecka i runda slängar för mig att vara borta från affären, dessutom i en annan världsdel. Så jag tyckte det var okej. Och du vet ju varför han inte kunde åka själv. Skatteproblem.

– Du sa det sist.

– På kvällen ringde han och bad mig komma ut till villan. Jag gjorde det och fick pengarna. Han tog fram dom ur kassaskåpet. Det var väl därför dörren stod öppen när mördaren kom. Kanske han letade efter hjälmen?

– Jag förstår, fast det gör jag faktiskt inte. Varför skulle en affärsman som Bergman inte bara sätta in pengarna på ditt konto?

– Jag vet inte, men jag tror att det hade att göra med IRS, dom amerikanska skattemyndigheterna. Han hade för sig att han stod under övervakning. Och inte bara av IRS, av CIA också.

– Varför det?

– Han var inte bara teater- och musikproducent. Han gjorde ju affärer med strategiska mineraler och metaller också.

– Det låter komplicerat. Du får berätta ännu mer om det.

– Vad innebär det? Ska du anhålla mig?

Skrattet kom tillbaka.

– Inte om du inte gärna vill. Men skämt åsido så måste du komma hit för ett förhör igen så att vi har allt i ordning. Och det vore bra om du kunde visa upp nån sorts avtal som rörde dina pengar. Så jag vill att du kommer över nu i eftermiddag. Förhörsledaren kontaktar dig. Sen får vi se.

”Sen får vi se”, tänkte jag när vårt samtal var slut. ”Sen får vi se.” Det var ett hotfullt budskap och jag lät inte lura mig av hans attityd. För jag insåg att jag rent objektivt satt illa till. Även om Calle och jag var goda vänner måste fallet ha sin gång och han kunde inte ta någon hänsyn till våra personliga relationer. Frågan var väl om han inte i slutänden kunde betraktas som jävig och lämnade över handläggningen av fallet. Det gjorde ju inte det hela muntrare i så fall. Dessutom hade han väl överskridit sina befogenheter redan. För jag antog att chefen för mordkommissionen inte kunde visa sina kort och ha den här typen av informella samtal med en misstänkt mördare. Om jag nu var det förstås? Om han verkligen misstänkte mig? Men jag förstod att mina femtiotusen inte varit till någon hjälp, tvärtom. Jag borde ha berättat om det tidigare. Nu var det verkligen dags att ringa Francine.

Hon var jäktad när jag ringde, på språng mellan två sammanträden, men tog sig tid när jag kort berättade om mitt samtal med Calle.

Först var hon tyst, så tyst att jag trodde linjen brutits.

– Du menar alltså att du inte sagt nånting tidigare om pengarna?

– Ja, och jag insåg inte att jag behövde göra det. Det var ju en privat deal mellan Bergman och mig. Fast nu framstår det ju i ett annat ljus.

– Dagens understatement! Det är det verkligen. I strålkastarljus. Glöm inte att jag har varit polismästare i Visby och om jag hade fått ett sånt här mordfall på halsen hade jag inte tvekat att sy in mördaren. Han hade motiv, var på plats, satte in pengar dagen efter mordet och kassaskåpet var tomt. Ett plus ett blir två i alla polisiära räkneövningar.

– Men inte alltid. När jag gick i skolan fick vi lära oss räkna med x. Det får du göra nu också. X är mördaren.

– Min älskade vän, jag tror dig, jag vet att du inte är nån mördare. Frågan är bara vad polisen tycker och tror. För mordutredningen är du bara ett namn och kanske det intressantaste namnet hittills. Calle kan inte gå in och hjälpa dig. Du får klara dig helt själv.

– Måste jag inte skaffa en advokat? Fast det kanske dom tar som bevis för att jag verkligen är skyldig? Att jag behöver juridisk hjälp för att klara mig.

– Vi får avvakta och se. Nu kommer du alltså att kallas till förhör och då klarnar det väl hur landet ligger. Nu måste jag kila. Vi ses ikväll. Hej. Och du.

– Ja?

– Lycka till.

Det behöver jag verkligen, tänkte jag missmodigt där jag satt. Lycka, mycket lycka. Då ringde telefonen.

– Kommissarie Vernersson. Jag har förstått att min chef, kommissarie Asplund, har talat med dig.

– Ja, han ringde.

– Precis. Då vet du att vi gärna vill tala med dig igen. Jag har det operativa ansvaret för utredningen. Du hörs upplysningsvis och är alltså inte delgiven nån misstanke.

– Man får vara tacksam för det lilla.

Han skrattade.

– Just det. Oss skulle det passa om en timme. Går det för dig?

– Egentligen inte, men jag vill ha det här avklarat så fort som möjligt. Det är faktiskt inte särskilt trevligt att vara misstänkt för mord.

– Misstänkt? Nu kom det skärpa i rösten. Vem har sagt att du är misstänkt?

– Inte direkt. Men jag förstår vad ni tänker. Och förresten har jag suttit i förhör redan. Räcker inte det?

– Det har framkommit nya omständigheter, sa han allvarligt. Det är en del fakta vi behöver hjälp med att klara ut.

Mina femtiotusen, tänkte jag. Det måste vara hans nya "fakta". Och det fanns inte något skriftligt avtal mellan Rickard Bergman och mig. Jag hade litat på honom och han på mig. Han undvek tydligen att kompromettera sig skriftligt eller föra över pengar via sina konton, låg lågt. Det var därför jag fått mitt arvode kontant. Fast det gjorde mig naturligtvis inte mindre misstänkt i polisens ögon. Jag hade gått från villan med en påse pengar, en villa där man senare funnit en död man och ett tomt kassaskåp.

– Okej, sa jag dystert. Jag kommer.

– Välkommen. Vi ses. Och samtalet var avslutat.

Var det inte så sagans spindel sa till flugan? tänkte jag. "Välkommen till mitt bo." Skulle mordkommissionen spinna sitt nät runt mig så att jag inte kunde ta mig loss?

Förhöret gick som jag föreställt mig. Man tragglade sig genom fråga efter fråga. Varför fanns det ingen dokumentation av mina femtiotusen? Var den sortens arvode normalt i min bransch? Hur gick mina affärer? Hur såg min ekonomi ut? Varför hade Rickard lämnat över pengarna direkt istället för att använda mitt konto? Varför kom jag till villan så sent? Hade jag sett eller hört någonting som verkade misstänkt? Kände jag till någon som hade motiv att mörda Rickard? Och så hade det fortsatt. I över en timme.

Mycket av det som tagits upp vid mitt förra förhör kom tillbaka, men man fokuserade på de nya uppgifterna om arvodet. När jag berättade om Vladimir Sytenko och deras affärer ihop med mineralerna liksom om CIA som möjlig misstänkt verkade de öppet skeptiska. Fast jag gjorde så gott jag kunde. Berättade igen i detalj vad som hänt. Från Stratford-upon-Avon till den gula villan på Djurgården.

Men det märktes tydligt. De blev inte övertygade.

Kapitel XIX

När jag kom hem från Francine på kvällen efter förhöret ringde telefonen just som jag stod med nyckeln i dörren. Typiskt, tänkte jag. Med mobilen i vänster hand och den högra om nyckeln och med axeln till hjälp fick jag upp den tunga dörren och gick in i våningen. Turligt nog hade jag inte låst gallergrinden. Med ena benet parerade jag Cléos försök att smita ut i trapphallen.

– Jeremy here. Jeremy Wells. How are you?

– Hello, Jeremy. Tusen tack för senast, sa jag på min bästa skolengelska. Jag har ju redan skrivit men det är värt att upprepas. Ett fantastiskt bröllop i en fantastisk miljö. Man kände Shakespeares närvaro.

– Spökade han i ditt hotellrum? Huset fanns redan på hans tid. Och tack för att du kom. Hoppas affärerna går bra.

– Det är okej. Och du själv?

– Jag ska inte klaga. Men det var inte därför jag ringde. Jag hörde att Rickard Bergman är död. Mördad. Det är ju fruktansvärt.

– Det är det minsta man kan säga.

– Han var ju en av mina bättre kunder under många år och jag hade mycket att göra med honom. Han var ofta i London och varje gång kom han till min affär och vi åt lunch eller middag.

– Och ni gjorde business?

– Precis. Jag har ju tillgång till en exklusiv krets av brittiska samlare, franska också, och har ingångar till olika slott och herrgårdar. Där finns fantastiska objekt och en och annan behöver dryga ut kassan när skatter och räntor ska betalas. Då förmedlar jag lite diskret deras grejer till marknaden. Och du vet vårt budord i branschen: diskretion hederssak. Man behöver varken besvära myndigheterna eller media. Och det har Rickard haft glädje av. Jag också. Men nu undrar jag om du vet när begravningen är. Jag tycker att jag är skyldig honom att komma. Det känns så i alla fall.

– Jag tror inte att man har bestämt datum än. Det var ju så nyligen han... ja, han mördades. Och rättsmedicinarna ska väl göra sitt först.

– Du menar obducenterna?

– Jag kan inte rutinerna vid dödsfall av det här slaget, det är ju ett mord, men jag kan föreställa mig att det sker en grundlig undersökning när det gäller kulan från vapnet, ingångsvinklar och mycket annat som jag inte känner till. Hur som helst så har inte nåt datum för begravningen satts än. Inte som jag känner till i alla fall. Men jag lovar att ringa så fort jag vet.

– Great. Och tack på förhand.

– Hoppas vi kan ses i Stockholm. Inte bara på begravningen.

– Naturligtvis. Jag kommer förbi, så får jag se om du har några fler Tang-hästar. Den jag köpte av dig, polospelaren, har redan gått till en samlare i USA. Och jag gjorde faktiskt inte nån förlust på affären. Tvärtom. Han skrattade.

– Du är välkommen. Jag har en bågskytt till häst från Hanperioden också, kring Kristi födelse. Jag tror du såg den sist. Dom tidiga hästarna är ju lite klumpigare och robustare, inte lika eleganta, men den är prisvärd i sitt slag. Och jag ska bjuda på middag. Kommer Anastasia med?

– Jag tror inte det. Hon är busy med sin agentur. Jag ser fram mot din middag. Vi hörs.

– Vi gör det. Och hälsa Anastasia.

Synd att hon inte kommer, tänkte jag. Jag hade gärna velat prata med henne om Rickard. För jag undrade fortfarande över att hon hade kallat honom en ”evil man”. Vad hade han gjort för att bli kallad ond?

Det skulle bli trevligt att se Jeremy Wells igen. För mig var han en engelsman när de är som bäst. En prototyp, nästan stigen ur någon lättsam komedi. Lång och gänglig, nära till skratt och med ett öppet sätt. ”Uppfällt visir.” Dessutom var han humoristisk. Hugh Grant och Hugh Bonneville från Downton Abbey i en och samma person, med ett stänk av Woodhouse och, uppvuxen i ett idylliskt Midsomer med klängrosade korsvirkeshus och blyinfattade fönster.

Drog jag som så ofta för snabba slutsatser? Var Jeremy under den polerade ytan egentligen en kallblodig mördare som tagit sig till Stockholm för att mörda Rickard och stjäla hans grekiska hjälm? Var han trots sitt aristokratiska yttre egentligen uppvuxen i någon förortsslum med en ensamstående mamma som levde på socialbidrag? Fast det gick inte ihop med hans accent förstås. Han talade ”the Queen's English” med det rätta internatskolestuket. Och det var ju fortfarande en avgörande klassmarkör i England.

Jag skrattade högt åt mina tankar. Jag måste tagga ner mina fantasier, inte sväva ut och låta dem löpa amok. Förvånat lyfte Cléo på huvudet från sin kudde, såg på mig med stora ögon innan hon gick tillbaka till sin slummer. Hon var van vid sin excentriske husse.

Fast jag undrade om det enbart var av personliga skäl han skulle komma till Rickards begravning. Hade affärsintressena tagit över och skulle han som en gam cirkla över dödsboet för att se om han kunde köpa loss några objekt åt sina klienter? Och han kände ju Louise, Rickards fru. Jag hade träffat henne på bröllopet. Skulle han erbjuda henne att diskret förmedla hela samlingen ut på den internationella marknaden? Det kunde ju vara ett klipp för henne också. ”Diskretion hederssak.” Eftersom säkert en hel del fanns i Schweiz skulle man inte behöva blanda in några myndigheter i Sverige. Och Louise kanske inte hade samma idéer som Rickard om att lämna samlingarna till ett museum. Det måste finnas många miljoner nerplöjda i hans kollektion.

Men det fanns ju ingen anledning att kasta en skugga över Jeremys motiv. Kunde han förena nytta med nöje så var det väl honom väl unt. Och jag skulle hålla ögonen öppna för familjesidorna i morgontidningarna. Det måste väl komma en dödsannons så småningom.

Nästa morgon gick jag till affären med Cléo på axeln. När jag skulle låsa upp dörren hörde jag Erics röst bakom mig.

– Morgonstund har guld i mun. Jag ser att du är ute och vallar ditt husdjur. Tur för dig att det inte är en hund för då hade du fått gå ut oftare. Och tidigare. Och måste ha med dig en svart plastpåse om det skulle hända nånting.

– Det är därför jag har katt. Har du inte förstått det? Cléo ”händer” det inte nånting, förresten. Hon är alldeles för fin för att det skulle hända på gatan. Har du fått din morgonfika än?

Det drog ett moln över Erics ansikte och det var meningen. I våra småtråkningar hade jag funnit att ordet ”fika” träffade en öm tå hos honom. Jag vet inte varför, men som den superestet han är avskydde han den beteckningen för en kaffepaus. Dessutom höll han sig till te, Earl Grey, med egenhändigt bakade scones.

– Tänk att jag har det, morgonkaffe eller rättare sagt mitt morgonte. Och vart var du i går eftermiddag förresten? Jag knackade på, men du var inte inne.

Där fick han till det, tänkte jag. Betalt kvitterat. För lika lite som Eric gillade ”fika” så tyckte jag om när man sade ”vart” istället för ”var”. Egentligen skulle man kunna komponera ihop våra fobier i två meningar: ”Vart är du?” ”Jag har gått för att ta en fika.” Antingen var vi knäppa eller också stockkonservativa. Jag vet inte vilket som skulle vara värst.

– Var det nåt särskilt du ville?

– Inte egentligen, bara berätta om Rickard Bergman. Men det vet du väl redan? Att han är död, menar jag.

– Om jag vet! Jag var faktiskt där samma kväll han dog. Men kom med in. Vi kan inte stå här och prata mord ute på gatan.

– Menar du verkligen det? Eric satte sig i min sorgligt osålda gustavianska soffa.

– Ja, jag var där för att hämta mitt arvode. Jag köpte ju den där grekiska hjälmen jag berättade om, den från Miami.

Eric satt tyst, såg tankfullt på mig.

– Det var som fan, sa han sedan. Men det är som jag alltid brukar säga. Du har en egendomlig förmåga att trassla in dig i all möjlig skit som du inte har med att göra. Nu är du naturligtvis misstänkt för mord.

– Varför skulle jag vara det? Det var ju ett jobb som alla andra. Har du aldrig fått ett uppdrag av nån kund att ropa in en grej eller förmedla ett köp eller en försäljning? Och jag gissar att du i så fall inte gjorde det gratis.

– Jo, men aldrig hemma hos nån som just ska mördas så det är väl inte så svårt att räkna ut att du ligger risigt till. Du var tydligen där just innan han mördades och du fick med dig en bunt pengar. Har du berättat det för polisen? Gör inte det, för i så fall tror dom att det är rånmord. Eric log sitt maliciösa leende.

– Tack för din omtanke. Jag har talat med dom eller snarare det är dom som har pratat med mig. Men jag är varken anhållen eller misstänkt. Du ska bli den första som får veta i så fall.

Jag slirade lite på sanningen, men jag kände Eric. Han läcker som ett såll och jag ville inte bli höjdpunkten på hans nästa tekonseljer med hans "klienter", det galleri av gamla och halvgamla damer av båda könen som han brukade underhålla i rummet innanför sin affär.

– Men du blir säkert inte den enda misstänkte, sa han uppmuntrande. Det lär finnas mängder med potentiella mördare, åtminstone många som skulle klappa i händerna istället för att gråta på Bergmans begravning.

– Tänker du på nån särskild?

– Inte på rak arm, men bara häromdan stod det ju om Rickard Bergman i nån kvällstidning. Där fanns det en lång lista på trampade tår och klämda fingrar. Den läser nog polisen med förstoringsglas. Och det måste vara förfärligt för Louise, hans fru. Som jag berättade för dig så känner jag henne från universitetet. Vi läste ju konstvetenskap samtidigt.

– I Uppsala?

– Nej, Stockholm. Säg nu inte det du tänkte säga. Eric höll avvärjande upp sina händer.

– Vad skulle det vara?

– Nånting i stil med att "jag trodde att du läste på ett riktigt universitet, inte en uppiffad högskola". Du brukar klämma till med det när vi pratar konstvetenskap. Och jag förstår varför. Jag tog en fil. kand. och är akademiker. Du är fortfarande fil. stud. Ingen tåga, ingen uthållighet. Eric lät belåten.

– I Gluntarna sjungs det ju att " Uppsala är bäst" så det måste vara sant. Jag kan inte hjälpa att mitt universitet grundades 1477.

– Skryt lagom, det var faktiskt inte du som var grundaren. Men det måste vara fruktansvärt för Louise. Två äkta män döda i samma hus.

– Hennes första man också? Men han blev väl inte mördad?

Eric log. Hans leende kom tillbaka och jag visste att han skulle säga någonting syrligt.

– Det kan man aldrig så noga veta. Han var i alla fall ganska förfärlig. Alkoholiserad och tyrannisk och värre blev det när hans företag gick sämre. Han hängde inte med sin tid. Ibland satt Louise inne hos mig och grät. Jag tror att han slog henne också, men det ville hon inte berätta. Inga ord efter mig, men han hittades därute i villan. Han hade ramlat nerför en trappa på andra våningen och brutit nacken.

– Insinuerar du att Louise hade nånting med det att göra?

– Inte alls, Eric slog ifrån sig. Men kanske nån annan, om det inte var så enkelt som att han var full och halkade, ramlade utför trappan som tydligen var ganska brant, och slog ihjäl sig.

– Ovanpå det så ligger Rickard skjuten i samma hus. Vilket trauma för henne. Jag gissar att hon säljer huset och flyttar därifrån.

– Det tror jag också, sa Eric. Konstigt bara att hon inte gjorde det första gången, i så fall. Men barnen var ju små då och fattade väl inte riktigt vad som hänt. Och hon ville kanske inte flytta dom från deras invanda miljö. Villan ligger ju vackert med en stor tomt och trädgård. Olyckliga sammanträffanden, men polisen tittade nog på trappfallet, så det var säkert en olycka.

– Det har du väl rätt i, och hon kan ju inte haft nåt motiv att mörda Rickard.

Eric såg på mig.

– Säg inte det, sa han långsamt. Säg inte det.

– Vad menar du?

– Rickard kom ju till dukat bord ganska snart efter hennes förste mans död. Han hade ju arbetat på företaget ett tag men sen gifte han sig med Louise och fick fritt fram.

– Hurdå?

– Göra vilka affärer han ville, utvidga verksamheten. Och till hans försvar måste man säga att han lyckades, över förväntan. Inte bara med musik och teater. Med annat också. Louise är en rik änka.

– Och?

– Det fanns en hake. Rickard var en ganska hal figur, en uppkomling på så sätt att han intrigerat sig fram i företaget och till slut hamnade på toppen. I början kanske det fanns kärlek med i spelet, men med tiden började han titta över staketet, på grönare trädgårdar. Och jag hörde bara häromdan att han haft en affär med sin sekreterare, men att han dumpat henne sen hon gjort sin plikt. Trots att det var hon som hjälpt fram honom i företaget. Och jag har också hört att hon trodde att hon skulle få efterträda Louise när Rickard satt säker i sadeln. Så kan det gå när inte haspen är på. Och du som gillar Shakespeare, skrev han inte nån gång att det inte finns nån större vrede än en försmådd kvinnas?

– Jag har faktiskt träffat henne. På ett party hos Eva Lindström. Maria nånting, Jag kommer inte ihåg efternamnet. Och hon verkade inte tillhöra Rickards fan club.

Jag tänkte på kvällen hos Eva. ”Maria är Rickards sekreterare och högra hand sen många år”, hade Eva sagt när hon presenterade henne.

Maria var stilig, i och för sig inte någon ungdom längre, men vem är det? Klädd i svart med en sensuell utstrålning. Och jag kom ihåg det hon sagt om Rickard. ”Han gör som han vill, bryr sig inte. Går alltid sina egna vägar. Och jag är rädd för att det finns ett pris att betala.”

Hade hennes ominösa profetia besannats? Hade Rickard fått betala priset för sina handlingar?

Kapitel XX

Veckan som kom var händelselös, åtminstone om man jämförde med den senaste tidens turbulens. Jag hörde ingenting från Calle Asplund, men jag hade inga illusioner. Hans team jobbade sig sakta men säkert genom möjliga misstänkta. Letade spår och bevis, knackade dörr och sökte motiv. Det skulle säkert ta sin tid. För jag hade ju berättat för Calle och hans förhörsledare om allt vad jag upplevt i detalj, också om vilka jag trodde kunde ha motiv, från Sytenko och styvsonen Henrik till CIA och listan över förorättade personer i artikeln om Rickard Bergman. Jag nämnde också telefonsamtalet han fått när jag var ute i villan. Ett aggressivt samtal där han hotats. Sen måste de naturligtvis ta de rutinmässiga bitarna; inbrottstjuvar som överraskats, ett planerat rånmord eller andra varianter inom den kriminella yrkesverksamheten där allt var möjligt och the sky was the limit. För Rickard Bergman måste ha varit attraktiv ur kriminellas synpunkt. Han levde i ett stort hus som låg insynsskyddat en bit från närmaste granne. Och det låg vid vattnet. Snabbt in och lika snabbt iväg i en racerbåt. Sen var man bokstavligen talat som uppslukad av de mörka vattenspeglarna som nådde ända till Finland och Baltikum.

Inbrottet för några år sedan i Rosendals slott på Djurgården, inte långt från Bergmans villa, var ett bra eller snarare dåligt exempel, liksom tavelstölderna på Nationalmuseet där man också använt en snabb motorbåt för att komma därifrån. Det var väl också sannolikt att Bergman periodvis levde ensam när hans fru bodde i Schweiz. Sittande fågel med andra ord. Sittande fågel med silversked i munnen. Eller kanske i det här fallet en grekisk hjälm. Dessutom fanns det ju andra pärlor i hans samlingar, objekt som var efterfrågade på den internationella marknaden. Ett beställningsjobb kunde inte uteslutas.

Francine hade naturligtvis blivit orolig när jag talade med henne, men hon trodde på mig och det räckte en bit men inte ända fram. För jag såg realistiskt på min situation. Jag hade varit på plats och jag hade motiv. Min ekonomi. Där hade de femtio tusen varit en välbehövlig injektion. Jag kunde dessutom ha tagit med mig hjälmen eller något annat ur Bergmans samlingar. Jag var ju antikhandlare och insåg vilka objekt som var godbitarna och hade dessutom tillgång till marknaden. Kunde diskret avyttra dem. Och vem visste vad som funnits i hans kassaskåp?

För den polismakt som var angelägen om att snygga upp statistiken och komma fram till häktning var mitt fall ett dukat bord. Där man kunde ta för sig. Men de måste jobba på det, tänkte jag. Det räckte väl inte med indicier?

I vilket fall kunde jag inte slå mig till ro och vänta på att bli kallad till nya förhör. ”Själv är bäste dräng” var en gammal sanning och nu gällde det att spotta i nävarna och hugga i. Visa min oskuld. Frågan var bara var jag skulle börja?

Då slog det mig. Rickard Bergmans sekreterare, kvinnan i svart som jag träffat på Evas party. Hon som varit hans högra hand och sekreterare i många år och som trott att hon en dag skulle bli hans hustru, om jag fick tro Eric.

Fanns det någon som visste allt om Rickard så var det hon, åtminstone det som hade att göra med hans affär. Hon måste ju ha kommit i kontakt med hans brokiga klientskara, alltifrån skådespelare och sångare till manusförfattare, regissörer och teater- och operachefer. Hon måste känna till med vem Bergman haft kontroverser, vilka som hotat honom och vem som kunde tänkas gå så långt som till mord. Det kanske var att begära för mycket, det är väl mer sällan en mördare annonserar sina avsikter öppet, men hon kunde kanske veta om det fanns någon med okontrollerat humör eller ett drogberoende som gjorde honom eller henne oberäknelig.

Det var naturligtvis polisens sak att undersöka och jag skulle inte lägga mig i deras verksamhet, men det hindrade ju inte att jag gjorde en del ”privatspaning”. Kanske hon skulle vara mer öppen mot mig än mot polisens utredare, känna sig mer bekväm. Och det var särskilt ett område som intresserade mig. Rickard Bergmans sidoverksamheter, hans affärer med strategiska mineraler, liksom hans relationer till Vladimir Sytenko. Dessutom var det ju frågor som var mindre laddade, inte hade att göra med några känslomässiga, personliga relationer. Problemet var bara hur jag kunde närma mig henne. Jag kunde ju inte bara gå fram och fråga om hon visste vem som mördat Bergman. Dessutom hade jag bara hört hennes förnamn, Maria. Men Eva Lindström, Rickards styvdotter, borde veta mer.

Jag gick in på Hitta.se på min dator där jag satt på mitt kontor. Hitta.se är ungefär så långt jag har kommit med finesserna på den, och nu fick jag fram numret till regeringskansliet. Jag bad att få bli kopplad till Eva Lindström. På UD.

– Tack igen för senast. Du har tydligen inte hunnit till Kuba än? Du skulle ju vikariera där.

– Precis. Jag ska ju dit på ett vik. men det har blivit fördröjt ett tag.

– Köpte du bordet?

– Bordet?

– Det på Nordiska Museet. Det som hade tillhört tre kungar.

Eva skrattade.
– Det blev alldeles för dyrt för mig.
– Titta in hos mig istället. Jag har en hel del grejer som jag tror kan intressera dig.
– Gärna. Bara du inte blir för dyr. Jag har inte råd att köpa några grekiska hjälmar.
– Tyvärr har jag inga såna på lager. Det finns annat smått och gott. Men jag ringde faktiskt inte för att fråga om bordet, det gällde nånting annat. Jag träffade Maria hemma hos dig, hon som hade varit Rickards sekreterare. Vet du hennes efternamn?
– Det är klart att jag vet vad hon heter. Hurså?
– Jag skulle gärna vilja tala med henne.
– Verkligen? Svaret kom dröjande och jag förstod henne. Vad hade jag för anledning att prata med Maria?
– Det gäller den grekiska hjälmen jag köpte åt Rickard, tullformaliteter. Det är några papper jag måste cleara. Och du sa ju att Maria var hans högra hand. Där ljög jag, men det var en vit lögn.
– Nyman heter hon, Maria Nyman och hon bor på Långholmen. I en av dom gamla villorna.
– Tur att det inte var i fängelset.
Eva skrattade.
– Det var länge sen det stängdes. Dessutom satt det bara karlar där. Och du, tänk på att hon kanske var mer än Rickards högra hand. Hon har det säkert jobbigt nu.
– Jag hade inte tänkt fråga om hon hade nån relation med Rickard. Jag ska hålla mig till den grekiska hjälmen.
– Bra. Lycka till.

Jag letade mig tillbaka till min vän ”Hitta” och fick upp Marias nummer, både till mobilen och till den fasta telefonen.

Jag började med 08-numret, men fick bara tala med en telefonsvarare. En kort monolog där jag bad henne ringa. Så prövade jag mobilen och hade mer tur.

Först lät hon undrande, men när jag förklarade mitt ärende blev hon mera positiv.

– Jag var ju insatt i det mesta av Rickards affärer, men det rent privata, hans konstköp, var jag inte inblandad i. Jag har en kollega som är mer insatt på den kanten, Peter Hansson. Han kan säkert hjälpa dig. Om du vill kan du ju titta upp på vårt kontor. Västra Trädgårdsgatan 5B alltså. Bakom Viktoria, ungefär. Restaurangen, du vet.

– När passar det dig?

– I morgon förmiddag, om du har tid. Tio? Är det okej?

– Det blir utmärkt. Vi ses.

– Då säger vi det. Jag ska se till att Peter Hansson finns på plats.

Så återgick jag till tidningen jag lagt ifrån mig på skrivbordet. Ingenting nytt, ingenting spännande. Den gamla vanliga lunken, men det fanns en stor artikel om svenska mutor, om mutbrott i och utanför Sverige och om svårigheterna att få de misstänkta fällda. I flera fall gällde det stora bolag med skickliga advokater och man var underbemannad när det gällde kompetent personal på åklagarsidan. Av artikeln framgick också att presenter till lärare kan vara en muta. En elev som vill ge en snäll lärare en present vid skolavslutningen eller till jul kan fällas för bestickning och läraren för tagande av muta.

När det gäller hundralapparna bar rättvisan inte sitt svärd förgäves, men när det var fråga om miljarder till skurkaktiga diktatorer blev det genast svårare.

– Så tokigt det kan bli, sa jag till Cléo, och hon höll med. Åtminstone sa hon inte emot.

Nästa förmiddag satt jag på Maria Nymans kontor på Västra Trädgårdsgatan. Ett stort, ljust och rymligt rum. Inramade affischer med reklam för olika föreställningar från scenens värld. I en rad höga bokhyllor stod tjocka pärmar. En del med röd rygg, andra med blå eller svarta baksidor.

– Jag ser att du undrar, sa Maria när jag kommit in och vi hälsat. Dom röda är manuskript, i dom blå finns skådespelare och andra artister och i dom svarta förvaras kontrakt. Ordning och reda. Slå dig ner. Hon visade med handen mot en liten soffgrupp under de inramade affischerna för ”Spelman på taket” och ”Jesus Christ Superstar”. Kaffe?

– Ja tack.

Inte för att jag ville ha, morgonkaffet var redan avklarat, men jag har märkt att gemenskap över en kopp kaffe, oljan i det svenska sociala maskineriet, brukar bidra till en avslappnad atmosfär, människor talade lättare då. ”Lossade på tungans band”, som det hette förr.

– Och vad kan jag göra för dig?

– Det gäller Rickard. Det var ju hemskt det som hände.

– Det är väl det minsta man kan säga. Jag hörde ironin i rösten.

– Jag gjorde ju affärer med honom.

– Jag vet. Han berättade det. En grekisk hjälm Han var jätteglad. Som ett barn på julafton. Maria log, blev snabbt allvarlig.

– Just det. Jag köpte den i Miami. Och Rickard berättade att han handlade med annat också. Mineraler.

– Han var producent och agent. Teater, musikaler, konserter. Sen hade han sin hobby, sina antikviteter. Men det höll han för sig själv. Berättade nån gång om nåt fynd. Men några mineraler har jag aldrig hört talas om. Jag arbetar enbart med Ivar Lindström Agency. Förresten undrar jag om det angår dig. Ogillande såg hon på mig.

– Det har att göra med hjälmen och mitt arvode, ljög jag och undrade om hon varit uppriktig. Som Rickards sekreterare måste hon väl ha kommit i kontakt med alla hans aktiviteter genom åren. Hur länge har du arbetat för Rickard?

– Tio år. Hurså?

– Jag bara undrade. Har du nån gång hört honom tala om nån som heter Sytenko? En ryss. Vladimir Sytenko.

– Jag har till och med träffat honom. Han kom upp på kontoret några gånger. Påstridig och arrogant. En otrevlig typ. Rickard tyckte inte om honom.

– Var han i samma bransch? Teater och musik?

Jag visste ju svaret men ville höra hennes kommentarer.

Maria skrattade.

– Knappast. Jag tror det rörde sig om antikviteter. Ett gemensamt intresse, fast det kunde man inte tro när man såg honom.

– Han var visst också intresserad av den grekiska hjälmen?

– Det vet jag ingenting om, sa hon kort och tittade på klockan. Du får ursäkta mig, men jag har ett möte nu. En av Rickards artister. Jag är rädd för att det kan bli lite stökigt. Haltar karriären så var det Rickards fel. Att dom själva inte räcker till är nånting dom förtränger.

– Okej, jag ska gå. Bara en fråga till. Mordbranden i lagerbyggnaden. Fick ni nån klarhet i den?

– Nej. Inte än. Polisen utreder men dom verkar luta åt att det var ett inbrott som skulle döljas av branden. Vill du veta mer kan du tala med Peter Hansson. Han är en av mina medarbetare på ekonomisidan. Och för honom kanske Rickards död blev en "blessing in disguise".

– Förlåt, nu hänger jag inte med?

Maria log, men det var inte något vänligt leende.

– Engelsmännen använder ju det uttrycket. "En välsignelse i förklädnad." Eller som det heter bland boxare, han räddades av gonggongen. Och nu tänker jag på Rickards död.

– Verkligen? Hur så?

– Jag vet att Peter satt mycket löst till. Han är vår ekonomiansvarige. Rickard hade börjat titta på en del "konstigheter" i bokföringen, som han sa.

– Menar du att Peter Hansson förskingrade?

– Inga ord efter mig, men jag kan ändå säga att Rickards död kom mycket lägligt för Peter.

Då knackade det på dörren, hon reste sig, gick för att öppna.

– Sorry. Fast jag förstår egentligen inte varför du kom.

– Tack för din tid, i alla fall. Och jag ska tala med Peter Hansson.

Utanför Marias rum fanns en lång korridor med mönstrad heltäckningsmatta i dova blå och röda toner. Telefoner ringde bakom stängda dörrar, samtal, en kraftig nysning. Genom en halvöppen dörr kom skratt och en doft av cigarettrök.

En liberal regim härskade, tänkte jag. På Rickards kontor fick man röka, i motsats till på många andra arbetsplatser där man inte ens kunde snusa.

Namnskyltar med vita bokstäver mot grön botten fanns på dörrarna. Jag stannade upp när jag kom till Peter Hanssons rum, knackade. Ett vresigt "kom in" hördes, jag öppnade.

Framme vid fönstret stod ett stort skrivbord belamrat med papper och pärmar. I mitten av det stod en datorskärm. En vassnäst, blek och tunnhårig man med ovänliga ögon över den mörka glasögonbågen. Han hade inte fallit för det nya tricket, att göra ett kalhygge av den glesnande behåringen för att dölja en avancerande skallighet. Uppfordrande såg han på mig.

– Var det nåt särskilt? Jag är lite upptagen just nu. Han gjorde en gest mot pappren framför sig.

– Jag heter Johan Homan och jag ville ...

Han avbröt mig innan jag talat till punkt.

– Jaså, är det du? Han med hjälmen, eller hur?

– Precis.

– Och du är här för att hämta pengar? Hans leende var obehagligt, nästan hånfullt.

– Dom har jag faktiskt redan fått.

– Verkligen? Jag fixade dom åt Rickard bara häromdan. Femtio papp.

”Pris ske Gud”, tänkte jag. ”En sten föll från mitt bröst” stod det i gamla romaner. Och det gjorde det faktiskt nu. En stor sten. För det var ju precis det som Calle Asplund och hans kolleger hängt upp sina misstankar på. De femtiotusen jag satt in på mitt konto dagen efter mordet.

– Jag sköter ju ekonomin här, sa Peter Hansson förklarande. Också mycket av Rickards privata business. Samlingarna och annat. Han började med dom innan förmögenhetsskatten avskaffades. ”Bättre en marmorkejsare i Zürich än tio miljoner på banken i Stockholm”, brukade han säga.

Det var tydligen inte enbart IRS i USA som Rickard snuvat. Svenska skattmasar hade också blivit blåsta.

– Var du inkopplad på hans affärer med strategiska jordartsmineraler? sköt jag från höften.

Misstänksamt såg han på mig.

– Får jag fråga hur det angår dig?

– Det gäller hans affärspartner, Vladimir Sytenko. Han var också intresserad av den grekiska hjälmen jag köpte åt Rickard. Och enligt polisen fanns den inte i hans kassaskåp efter mordet.

– Hur kan du veta det?

– Jag har mina kontakter, sa jag. Ville inte gå in på min inblandning.

– Du tror alltså att Sytenko kommer ut till villan, skjuter Rickard i huvudet och snor hjälmen?

– Jag tror ingenting, men jag vet att dom hade affärer ihop.

Men jag undrade hur Peter Hansson kände till hur Rickard mördats? Skottet i huvudet. Det hade inte stått i tidningarna eller rapporterats i tv. Polisen hade väl inte gått ut med det av utredningstekniska skäl.

– Det gällde alltså strategiska mineraler, fortsatte jag. Militär teknologi på hög nivå. Det gjorde att också CIA var intresserad av honom. Hur kom det sig förresten att han gjorde affärer av det här slaget? Han var ju oerhört etablerad i sin bransch.

– Rickard sa alltid att man måste ha mer än ett ben att stå på. I musikbranschen går det upp och ner. En påkostad och felsatsad musikal kan bli en ekonomisk råsop om den floppar, så Rickard hade många järn i elden vid sidan av agenturen. Och ingen vet vad som kommer att hända i vår bransch med nedladdningar och kopieringar. Fritt fram för alla att knycka vad andra har skapat och investerat i. När Rickard började fanns knappt mobiltelefoner. Och tänk bara på iPhone och Spotify. Nu kan du lyssna på vilken musik du vill, var som helst och när som helst. Vad blir nästa steg? Men jag varnade honom för affärerna med mineraler.

– Varför det?

– Jag tror inte han förstod att Sytenko utnyttjade honom. Rickard var ju en respektabel affärsman från det neutrala Sverige som jobbade i underhållningsbranschen. Vem skulle misstänka att han sålde krigsmateriel till mullorna?

– Tror du att det kan ha legat bakom branden i hans lager?

– Ingen aning. Jag vet bara att Sytenko är en djävligt ful fisk som plundrade till sig miljarder ur det sovjetiska dödsboet. Om han haft anledning att sätta eld på vårt lager hade han gjort det.

– Skulle han haft nåt skäl att mörda Rickard?

– Absolut inte. Rickard var viktig som bulvan. Gåsen som värper guldägg skär man inte halsen av.

– Känner du till nån annan som kunde haft motiv?

– Många. Tänk bara på alla som kommer hit och bråkar och vill ha pengar, skadestånd för allt tänkbart. Men jag har faktiskt ett tips. Det obehagliga leendet var tillbaka.

– Vem tänker du på?

– Jag kanske är alldeles ute och cyklar men jag hörde nånting intressant häromdan. Nånting mycket intressant.

Han lutade sig fram över skrivbordet, sänkte rösten som för att undvika att någon utomstående skulle höra. De kalla ögonen fixerade mig.

– Och?

– Jag råkade gå förbi Rickards rum och hörde att dom bråkade därinne. Pratade högt, nästan skrek. Jag stannade upp, lyssnade. Då hörde jag Rickard skrika: ”Försök inte hota mig, och jag har aldrig lovat nånting. Nu ska du ut härifrån.” Nånting åt det hållet i alla fall.

– Det var ord och inga visor.

– Eller hur? Och det var dagen före mordet.

– Vem var det han talade med?

– Jag gick, ville inte stå och tjuvlyssna, men efter ett tag mötte jag Maria i korridoren. Rödgråten, på väg ut. Har det hänt nåt? frågade jag, men hon svarade inte, fortsatte bara.

– Var det Maria han skrek åt? Gav han henne sparken?

– En bra gissning, men hon var kanske inte så lätt att sparka.

– Nu förstår jag inte?

– Det var väl inte nån hemlighet att hon hade ihop det med Rickard i många år. Hon hjälpte honom att manipulera sig fram i firman och hon visste nog mer om ”olyckan” än man kan tro.

– Vilken olycka?

– Rickards företrädare både i sängen och i företaget ramlade ju nerför trappan ute i villan och bröt nacken.

Kapitel XXI

Den stod nästa morgon i Svenska Dagbladet. Dödsannonsen. ”Rickard Bergman. Älskad – Saknad. Louise, Henrik, Eva.” Underst stod ett annat namn, Carin. En syster? En duva istället för ett kors. Med hänsyn till Rickards affärer med strategiska mineraler var det väl tveksamt att använda sig av en fredsduva. Och så ett psalmnummer.

I mitt stilla sinne undrade jag hur mycket saknad och älskad han var. Åtminstone hade de båda barnen inte haft några varmare känslor för sin styvfar. Några barnbarn fanns inte med i texten, men Eva var ju inte gift, kanske inte Henrik heller.

Kyrkan de valt var Gustav Adolfskyrkan, den gamla garnisonskyrkan på det som tidigare varit en idyllisk del av Södra Djurgården innan bebyggelsen satt sina tänder i området. Den hade tjänat som kyrka för de många förband som legat stationerade i området, men den funktionen hade nu upphört, liksom de militära enheterna. Snart har vi bara kvar Frälsningsarmén och beridna högvakten mot ryssen och andra hot, tänkte jag vid min frukost.

Tidpunkten för begravningen var också utsatt till om bara några dagar. Jag hade läst någonstans att det brukade vara långa väntetider, men den lilla Gustav Adolfskyrkan kanske inte hade lika många begravningar som Oscars och de andra stora kyrkorna. Antalet sörjande kanske heller inte var särskilt stort, tänkte jag litet cyniskt. Rickard hade ju tydligen skaffat sig många ovänner.

Jag letade fram Jeremys telefonnummer i London, ringde honom och vi kom överens om att äta middag på kvällen före begravningen. Anastasia skulle inte komma, men hon hade ju sina skäl, hade Jeremy sagt.

Så ringde jag Calle Asplund och berättade om mitt besök på Rickards kontor. Och han blev intresserad.

– Grattis! Nu har du alltså alibi för dina femtiotusen. Det gällde verkligen ett arvode för hjälmen.

– Precis. Du kan tala om för dina kolleger att jag varken mördade Rickard eller snodde pengar ur hans kassaskåp.

– Men hjälmen kanske? Calle skrattade. Och det var intressant, det du sa om hans medarbetare. Jag vet inte om vi har hunnit höra dom än, men vi ska naturligtvis lägga in det här i vår sökmotor.

Jag satt bredvid Jeremy i en av de mittersta bänkraderna i kyrkan. Längst fram skymtade jag Louise, den sörjande änkan. Hur djupt sörjde hon egentligen? Var hon medveten om Rickards långvariga affär med Maria Nyman? Att Maria tänkt sig att efterträda henne i den äktenskapliga sängen? Och hur såg hon på Rickards extravaganta köpvanor när det gällde antikviteter?

Bredvid henne barnen Eva och Henrik. Och jag tänkte på vad som hänt ute i den gula villan på Djurgården. Louises förste man hade fallit i trappan, så olyckligt att han bröt nacken. En olyckshändelse, eller hade han fått hjälp? Inte långt efteråt hade Rickard flyttat in. Nu var han också död. Mördad. Fanns det något samband?

Några bänkrader bakom dem satt Maria Nyman och en bit ifrån henne syntes Peter Hanssons huvud. Två motiv på ett silverfat. Maria hade blivit utslängd både från Rickards kontor och ur hans liv. Hon måste ha varit bitter över det dubbla sveket. Och Peter hade verkligen räddats från galgen i sista minuten.

Båda hade alltså motiv för mordet på Rickard, båda hade kastat misstankar mot varandra.

Men för allt jag visste kunde mördaren vara någon helt annan. Satt han eller hon i kyrkan just nu bland de övriga besökarna? En hatfylld artist som tyckte att Rickard förstört hans karriär? Eller var det ett beställningsjobb och mördaren fanns långt bortom Sveriges gränser?

Så intonerade orgeln en dov, molltyngd psalm och jag undrade hur de kyrkliga ceremonierna tett sig om pianot funnits före den sega orgeln. Jag såg ner i det tryckta program som delats ut och sjöng med så gott jag kunde. Det var inte första gången. Min gamla pappa hade ju varit prost i Viby borta i Närke där jag vuxit upp i den gamla prostgården från 1700-talet, röd med vita knutar. Och många gånger i min barndom hade jag gått med pappa till kyrkan, många psalmer hade jag sjungit under de låga valven i den medeltida kyrkan. Jag hade tyckt om musiken, stämningen, men den religiösa dimensionen av pappas predikningar och ceremonierna i kyrkorummet hade aldrig avsatt några djupare spår, något jag ibland beklagade. Att vara religiös, att tro på en gud måste ju vara ett styrkebälte mot det som väntade i livet. Att fullt och fast tro att allt hade en mening och att man styrdes av en fast och vänlig hand. En gud som dessutom kunde ge förlåtelse.

Men när jag såg den våg av våld, mord, ondska och hat som gick genom världen hade jag insett att någon gud av det slag pappa tjänade inte existerade. Inte för mig i alla fall. Tyvärr.

Efter ceremonin i kyrkan väntade en blå buss som skulle ta oss till Ulla Winbladh, den idylliska restaurangen på Djurgården, en av de få byggnader som överlevt sedan den stora Stockholmsutställningen 1897.

Jag satte mig bredvid Jeremy. Han hade kommit dagen innan och jag hade bjudit på middag uppe i min våning, svensk middag som jag kallade det. Sill och färskpotatis, Heineken, kall nubbe till. Bäska droppar eller Löjtens linjeakvavit, brännvinet som varit i Australien och vänt. Båda, om man ville. På det följde stekt strömming med mycket persilja mellan filéhalvorna. Några bitar Västerbotten fick avsluta tillsammans med ett glas rödvin. Konjak och cigarr, kubanska Cohiba, följde på balkongen.

Solen gick ner över Djurgården mitt över Saltsjöns blänk på andra sidan hustaken och livet var faktiskt ganska gott. Inte minst nu, sedan jag fått alibi från Peter Hansson, han som fått fram mitt arvode för utflykten till Miami.

Ganska snart hade samtalet kommit in på Rickard Bergman. Han hade varit kund hos Jeremy, något som båda haft glädje av, enligt honom. Jeremy berättade om hur han exempelvis förmedlat en fransk värja från 1700-talet till Rickard, guldinlagd och mycket exklusiv, av en typ som burits av herrarna vid den franske kungens hov. Men på sista tiden hade Jeremy fått problem och det var en anledning till att han kommit till begravningen.

– Rickard var allätare, sa han. Fast det som intresserade honom mest var ju äldre antikviteter, som du vet. Romerska och grekiska objekt. Han hade öga för annat också, gärna föremål med historisk anknytning som ordnar och medaljer.

– Och det köpte han av dig?

– Tyvärr, höll jag på att säga. Jeremy log. En fantastisk rysk orden för ett tag sen. Och jag har inte fått betalt. Jag tänkte ta upp det med hans familj. Ja, inte direkt efter begravningen, men om ett par dar. Jag kan förstå om dom inte vill fullfölja köpet, men i så fall vill jag ha den tillbaka.

– Det förstår jag. Hur mycket rör det sig om?

– Mycket pengar. Väldigt mycket, åtminstone för mina förhållanden. Över en miljon i svenska kronor.

– Menar du verkligen det? För ett ordenstecken?

– Den ryska marknaden är oerhört stark. Oligarker och andra figurer köper fotbollslag, lyxhus på Rivieran och skickar sina barn till dyra internatskolor i Schweiz. Florida kallas ryska Rivieran och häromdan läste jag om en rysk miljardär som köpt ett "fritidshus" i Miami för femtio miljoner dollar. Då hade det både pool, tennisbana och egen kaj.

– Klimatet får dom på köpet, sa jag. Moskvas vintrar är inte att leka med.

– Det bidrar. Ryssarna investerade över tolv miljarder dollar i fastigheter utomlands enbart förra året. Så pengar finns, var dom nu kommer ifrån. Och dom är oerhört intresserade av det förflutna, av det ryska kulturarvet. Dom köper på sig vad dom kan, ju dyrare desto bättre, för att förgylla sin bakgrund. Lite ironiskt kanske. Man skär halsen av aristokrati och tsar för att sen köpa in deras statusobjekt. Jeremy log.

Han tog fram sin plånbok, vecklade upp ett papper som han gav mig.

– Så här ser den ut. Sankt Andreas I:s orden och det var det tsaristiska Rysslands förnämsta utmärkelse ända till slutet.

Jag såg på bilden. Den ryska dubbelörnen i små diamanter under en diamantbesatt krona. I mitten fanns en frälsargestalt på ett blått kors.

– Den är magnifik, sa jag. Nu förstår jag priset.

– Den instiftades av Peter den Store mot slutet av 1600-talet, han som slog Karl XII vid Poltava och på kraschanen som hör till står "För trohet och lojalitet" på ryska.

– Underbar. Jag lämnade tillbaka pappret med fotot till honom. Jag förstår Rickard. Det är verkligen ett smycke. Louise kunde ha haft den vid galamiddagar. Om vi hade haft såna ordnar i Sverige hade dom nog aldrig kunnat avskaffas.

Vi diskuterade naturligtvis också mordet på Rickard. Jag berättade vad jag visste och Jeremy lyssnade uppmärksamt.

– Jag har faktiskt träffat Vladimir Sytenko. Han har köpt en hel del av mig. Inte en särskilt sympatisk kille. Jag förstår att han doppade sina fingrar i alla sorters syltburkar, inte minst den med krigsmateriel, allt som gav pengar, men jag tror inte han är en mördare. Skulle han vara det så använder han sig säkert av torpeder.

– Han var faktiskt i Stockholm vid tiden för mordet, sa jag.

Bussen hade passerat Djurgårdsbron, körde förbi Nordiska museet där en pompös Karl X i brons tronade på en lika pompös häst. Men ekipaget hade väckt kritik på sin tid. Många ansåg det fel att förhärliga krigarbragder och plundringståg och Hjalmar Söderberg föreslog att kung och häst skulle smältas ned till nödmynt.

Så svängde bussen in mot Ulla Winbladh, passerade en annan bronskung, Karl XV, Sveriges sist resta ryttarstaty. Fast då hade man inte räknat med statyn av kung Erik Läspe och Halte som Södermanlands-Nerikes nation i Uppsala låtit resa när man byggt studentbostäder i Triangeln.

Den tunga stämningen inne i kyrkan var som bortblåst. Man pratade högt, ett och annat skratt hördes. Det var väl naturligt. Efter den mörka högtiden kom man ut i solen igen, tillbaka till livet. En reaktion efter den mentala anspänningen som jag märkt vid de flesta begravningar jag varit på.

Bussen bromsade in, vi steg ut och gick fram mot restaurangen. Då stannade Jeremy upp, såg sig om.

– Han är här, sa han lågt.

– Vem?

– Sytenko. Han var med på begravningen.

Kapitel XXII

– Jag förstår mig inte på tv:s programplanerare. Gör du? Frågande såg hon på mig.

– Det har jag faktiskt inte tänkt på.

– Dom lägger ju alla bra filmer mitt i natten. På kvällstid är det arga snickare, arga kockar, arga bönder och jag vet inte vad. För att inte tala om alla argsinta debattprogram och töntiga ståuppkomiker. Sen, kring midnatt, kommer godbitarna. Vem håller sig vaken då? Rösten var full av indignation och hon spände ögonen i mig. Vad fanns det igår kväll? fortsatte hon anklagande. Jo, jag hittade Leonardo DiCaprio halv ett på natten, Nicole Kidman och Daniel Craig kom halv två och en intressant science fiction tio i två. En massa annat också.

– Skriv till dom och klaga. Det kanske hjälper. Jag log mot Louise Bergman, men hon besvarade inte mitt leende. Och jag undrade över hur Rickards änka kunde sitta och zappa mellan tv-kanalerna kvällen före begravningen. Men hon ville väl ha avkoppling från en hård verklighet, från allt som drabbat henne.

Jag hade inte tänkt sätta mig bredvid Louise vid ett av de runda borden som stod i en separat del av restaurangen, en utbyggd sommarveranda. Men när vi hälsade och jag framfört mitt beklagande tog hon mig i armen och visade var jag skulle sitta. Till höger om henne. Jag hade trott att platserna nära henne var avsedda för de närmast sörjande men hon var ju värdinna så hon fick bestämma. Framför oss stod fyllda champagneglas.

– Första gången vi sågs var ju på Jeremys bröllop, sa jag för att komma ifrån hennes malande om missade tv-program.

– Vi gjorde ju det. Hon log. Ett så fint bröllop och du höll ett så trevligt tal. Och en sån underbar stad. Man riktigt kände 1600-talet omkring sig. Blev innesluten.

– Precis, och det var där jag mötte Rickard.

Jag mindes vad han sagt till henne när hon skämtat om hans antikviteter. Att hon en vacker dag skulle bli en rik änka. Nu var hon det. Och tillräckligt ung för att kunna njuta av det, satt inte på något seniorboende. Attraktiv och i svart, en färg som klär de flesta kvinnor, elegant. Om halsen bar hon ett tvåradigt pärlhalsband. Jag kan inte mycket om smycken, men jag förstod att Rickard fått göra en investering av det större slaget. Om det nu inte var hon själv som gjort det. Jag fick inte bli sexistisk i mitt tänkande. Kvinnor kan, också när det gäller att köpa smycken.

Jag såg på Louise. Stilig, slank, gick hon på gym? Det kortklippta grå håret klädde henne, fick henne att se ungdomlig ut och kontrasterade mot de nästan turkosblå ögonen, som påminde om Cléos. Höga kindknotor. Sensuell mun. Fortfarande kunde jag inte åldersbestämma henne. Fortfarande gångbar på marknaden, mycket. Fast jag borde väl skämmas över mina tankar. Macho, macho. Men ingen kunde ju veta vad jag tänkte, som tur var.

– Det var ju fruktansvärt, det här med Rickard, sa jag. Kanske det var ofint av mig att ta upp mordet, men jag kunde ju inte låtsas som om ingenting hänt. Vi kom direkt från hans begravning. Och jag var intresserad av hennes reaktion. Hittills hade hon inte visat någon större sorgsenhet, mest talat om missade tv-filmer.

– Inte sant? Fruktansvärt! Vad är det för samhälle vi lever i? Jag ångrar att jag reste till Köpenhamn, fast jag kanske också hade blivit mördad om jag varit hemma. Såna där figurer tar väl ingen hänsyn.

– Precis. Och du har ingen aning om vad som kan ligga bakom? Om Rickard hade några fiender?

– Fiender och fiender. Det vill jag inte påstå, men det är klart att han hade ovänner och det fanns dom som avskydde honom. Men det är kanske naturligt i hans bransch. Hård konkurrens, stora pengar och många intressen inblandade. Sen alla divor där talangen inte står på samma nivå som självuppskattningen. Som tycker att Rickard inte gjort tillräckligt för dom. Vi var tvungna att stänga av telefonen ibland på natten för att inte få aggressiva samtal där han blev utskälld. Han fick hotbrev också, anonyma. Men det är en sak att bli trampad på tårna och med rätt eller orätt känna sig missbedömd, en annan att mörda. Sen alla hans affärer vid sidan av. Där har jag faktiskt mina misstankar.

– Verkligen?

Louise log.

– Verkligen. Men jag behåller dom för mig själv, tills vidare åtminstone. Jag ska gräva lite först. Försöka få fram bevis.

– Det är farligt att gräva för djupt. Du kan ramla ner i gropen. Om jag var du skulle jag tala med polisen. En mördare som tror att du vet mer än du borde kanske slår till igen. Och dom där anonyma breven du talade om måste du absolut visa för polisen.

– Jag är rädd att vi slängde dom. Men nu måste du hämta nånting att äta.

Louise reste sig, klingade med en sked mot sitt höga glas.

– Kära vänner, sa hon och såg ut över rummet. Det är en svår dag för mig och alla här. En sorgens dag. Men vi får inte låta det tynga oss. Jag vet att Rickard hade velat att det här skulle bli en ljus lunch eller tidig middag. En lunchbuffet, snarare. Men han älskade livet och älskade er alla. Och jag vet också att han skulle ha velat att det inte blev några tomma champagneflaskor kvar sen vi gått. Jag tror inte jag kan säga mer.

Louise tystnade, tog fram en näsduk ur sin svarta lackväska med förgyllda spännen som bildade ett C D. Christian Dior? Tryckte den vita näsduken mot ögonen innan hon fortsatte: Så låt oss bevara Rickard i ljust minne och tänka med glädje på honom och tacka honom för vad han har betytt för så många. Skål för Rickard.

Hon höjde sitt glas och runt borden lyftes andra glas. Det var väl ett trettiotal gäster efter vad jag kunde se.

– Och det är självservering som råder, fortsatte Louise. ”Man måste arbeta för födan”, brukade Rickard säga.

Hon gjorde en gest med ena handen mot det stora uppdukade bordet som stod vid kortväggen ut mot parken. Där trängdes redan många av gästerna, en brokig skara. De flesta kände jag inte igen, men några. En lätt bedagad operettsångerska som gått sina bästa matcher i Glada Änkan och andra dragplåster stod bredvid en ung tjej som jag inte mindes namnet på men som visst hade vunnit Melodifestivalen för några år sedan. Från näringslivssidorna i mina morgontidningar kände jag igen ett par riskkapitalister. Hade de riskerat pengar i Rickard Bergmans musikaluppsättningar? En kulturpolitiker från Stadshuset fanns också med i den hungriga skaran som grupperade sig framför buffetbordet. De glammade och verkade ganska upprymda, mer personalfest än begravningslunch.

Jag gick fram till bordet. Ett överdåd hade dukats upp. Lax i olika former; rökt, kokt, gravad. Löjrom i en stor bytta. Tunna skivor rökt renkött. Ägghalvor med majonnäs och räkor. Små, trinda prinskorvar. Äggstanning och köttbullar. Olika slags bröd. Runda och avlånga ostar. Mycket annat.

Rött och vitt vin stod vid bordsänden liksom små snapsglas.

I ishinkar fanns flera sorters brännvin och ölflaskor paraderade framför. Rickard hade verkligen slagit på stort efter sin död. Ett gravöl i hans smak.

Jag tog en tallrik och började lägga för mig, startade med lax och löjrom.

– Ös på bara. Det är dödsboet som bjuder. Ta bara av det dyraste.

Henrik hade kommit fram till mig. Log.

– Embarras de richesses, skämtade jag. Rikedomens överdåd.

– Verkligen. Löjrom är min bästa gren. Och nu har jag insett att det verkligen finns en Gud. Halleluja!

Jag såg på honom. Vad menade han? Hade han redan gått en rond med snapsarna?

– Rickard är död. Och det var på tiden. Gud hör faktiskt bön, det var mer än jag trodde. Jag ska lägga i kollekten nästa gång.

Det var också ett begravningstal, tänkte jag och jag mindes när jag mött honom för första gången ute i den gula villan. När han stormat ut genom dörren och skrikit ”gubbjävel”. Och jag kom ihåg hans hätska utfall mot Rickard på Evas party.

– Du vet väl vad dom gamla romarna sa? Tala inte annat än väl om dom döda.

– Det var dom det, sa Henrik. Men Rickard var inte nån romare, fast han påminde kanske lite om Nero. Men han samlade på sig prylar från den tiden. På vår bekostnad.

Så gick han vidare mot bordsänden där vin och snapsar väntade.

Ett vandrande motiv, tänkte jag. Fast en hake fanns. Om han mördat Rickard skulle han knappast visa sin avsky för honom så öppet. Åtminstone skulle jag inte göra det om jag skjutit någon.

Så sänkte jag en sked ner i den stora byttans innanhav av löjrom. Samtidigt kom en annan sked farande och någon knuffade till mig. Förargad vände jag mig om.

– Ursäkta, ursäkta. Det var visst lite trångt i byttan.

En stor och grov man hade trängt sig fram till bordet, nästan knuffat undan mig.

– Jag ber om ursäkt, det var inte meningen att knuffas. Löjrom finns så att det räcker till alla. Han log.

Jag såg på honom. Stor och lång med ett kraftfullt ansikte, en fysionomi som kunde varit hämtad från någon av Rickards kejsarbyster. En kraftig, gråsprängd hårman, hög ansiktsfärg och en stor generös mun. Glada ögon. Han verkade sympatisk trots sitt burdusa framträngande. Och någonstans ifrån tyckte jag att jag kände igen honom. En kund från Köpmangatan?

– Gunnar Blom, presenterade han sig. Kulturarbetare. Han skrattade. Det är ju det man ska kalla sig. Fast jag sjöng i den lättare branschen. Operetter och musikaler. Så länge det varade.

Då kände jag igen honom. När jag var yngre hade jag sett honom på Oscarsteatern i någonting som jag inte längre mindes. Och han hade förekommit i filmer, komedier mest. Fortfarande kunde de dyka upp i tv på sommareftermiddagarnas repriser. ”Regnfilmer” som de kallades förr. Men han hade som så många andra mer eller mindre försvunnit ut i kulisserna. Åtminstone från min horisont.

– Var Rickard Bergman din agent?

– Ja, tyvärr.

– Tyvärr?

– Den jäveln satte stopp för mig. Han gillade inte mig, det var nån grej med en tjej för länge sen och nu får jag mest ströjobb. Jag har ju operautbildning bevars så jag sjunger till och med på begravningar om det kniper. Fast idag sjöng jag inte ens med i psalmerna. Han skrattade.

– Om du inte gillade honom, varför kom du hit då?

– För att vara säker på att han är död. På riktigt alltså, inte skendöd. Så jag hade det riktigt mysigt i kyrkan när prästen hällde tre skovlar mull över kistan. Nu slipper jag se fanskapet mera. Och handen med skeden grävde ett djupt hål i löjrommen.

Hoppsan, tänkte jag. Här dräller det av människor som glä-der sig åt Rickards död. Motiven står som spön i backen.

– Här får du mitt kort, sa han och räckte fram ett visitkort. Jag vet inte vad du jobbar med men om ni har nån företagsfest eller nåt annat jippo och behöver lite underhållning så vet du var jag finns. Ett gigg tackar man inte nej till. Hej så länge. Och han gled bort med sin välfyllda tallrik.

Det ska jag komma ihåg när Cléo och jag ska ha firmafest, tänkte jag. Ellen Andersson skulle få komma med och Eric Gus-tafson. Då kunde vi ha snittar och champagne i affären och så kunde Gunnar Blom sjunga. ”Glada änkan” hade han säkert på repertoaren. Det hade ju passat idag.

Med min tallrik och ett glas vitt vin gick jag tillbaka till min plats. Louise fanns inte där, hon måste väl mingla med gästerna, men på hennes plats hade Eva, Henriks syster, satt sig. Inte hel-ler hon hade varit positiv till Rickard fast hon hade ju haft en lägre profil än sin bror.

– Skönt att det är över, sa hon. Jag avskyr begravningar. Det blir så tungt, jag blir jättedeppig. Men idag är det ett undantag.

– Hurdå?

– Det är ju Rickard som ligger i sin kista. Inte en dag för tidigt. Och stackars mamma som föll för honom. En slirig pigtjusare som kan knepen. Det ska bli intressant att få se bouppteckningen. Han spenderade ju mycket av våra pengar på sina gamla prylar.

– Kalla det investeringar. Jag är säker på att ni kommer att tjäna på hans affärer. Den sortens objekt han samlade på går upp i pris hela tiden. Många är unika.

– Man kan ju alltid hoppas, men han talade om att testamen-tera dom till nåt museum. Det skulle bli ett äreminne över ho-nom och hans gärning. Eva lät ironisk.

Då klingade någon i glaset. Vid bordet bredvid reste sig en man, Peter Hansson. Han harklade sig.

– Kära Louise, började han. Det är en svår dag, en tung dag för oss alla men särskilt för dig och dina barn, Eva och Henrik. Ni har förlorat en älskad make och en omtänksam och kärleksfull styvfar.

Eva knuffade mig i sidan. ”Ha, ha”, viskade hon.

– Rickard Bergman var välkänd och respekterad av kolleger och andra vänner i sin bransch och han har drivit upp ILA till en av dom stora i branschen, också internationellt. Som representant för oss kolleger på företaget kan jag framhålla att Rickard också var en mycket omtyckt och respekterad chef. Hård ibland, men rättvis och alltid med glimten i ögat. Han var en av oss och agenturen var hans ögonsten. Så jag vill också höja ett glas till Rickard Bergmans minne.

Han satte sig. Bullshit, tänkte jag. Om Rickard inte dött hade Peter Hansson varit utan jobb nu och kanske åtalats för förskingring. Mitt emot honom satt Maria Nyman. Hon hade också fått smaka på Rickards hårda nävar, hade hotats med att bli utslängd från företaget och ur hans liv. Och jag undrade vad hon tänkte just nu.

– Det där skulle Rickard ha hört, sa Eva. Han gillade inte Peter och det var ömsesidigt.

– Varför fick han inte sparken då?

– Jag tror att Peter hade nån hållhake på Rickard. Visste för mycket om hans affärer vid sidan av. Det var ju inte enbart musik och teater som gällde. Rickard hade andra järn i elden också. Och nästa vecka blir det intressant.

– Hur då?

– Då kommer hans testamente upp på bordet. Mamma är orolig. Rickard hade ju talat om nån donation av alla dom här gamla prylarna han köpt på sig.

Vid ett bord framme vid ingången satt Vladmir Sytenko. När Jeremy pekat ut honom för mig när vi steg av bussen hade jag blivit förvånad. Han såg inte ut som den stereotype ryske mafioson som jag föreställt mig: stor och lunsig, brutal och grovhuggen. I stället liknade han den gamle engelske skådespelaren Leslie Howard eller kanske en yngre version, Robert Redford. Lång och gänglig, blont hår, smalt ansikte. Skräddarsydd kostym och guldbågade glasögon. Mer lik en professor på väg till en föreläsning i Cambridge eller Oxford än en hårdför gangster som roffat åt sig ur det sjunkande sovjetiska skeppets kassakista. Och nu satt han säker med sina band till Putin, en annan figur som beskrivits som en av världens rikaste män, liksom Fidel Castro. Det lönade sig tydligen att vara kommunist, tänkte jag. Och jag undrade vad han gjorde på Rickards begravning. Men de hade ju varit affärsvänner i den lukrativa handeln med strategiska mineraler. Båda var dessutom samlare. Jag tänkte på vad Rickard berättat om hur Sytenko försökt komma över den grekiska hjälmen. Hade han lyckats? Jag hade sett den i Rickards öppna kassaskåp, men när polisen kom var den borta.

Sytenko reste sig och gick fram till buffébordet. Efter honom följde en undersätsig man, en kroppsbyggare i för trång kostym. Fast det kanske inte var kostymen som var för liten. Det var snarare musklerna som var för stora. Det måste vara Sytenkos bodyguard, tänkte jag och följde efter dem. En livvakt som också kunde vara hans torped. Var det han som kommit till Bergmans villa den där kvällen?

Vladimir Sytenko hade stannat upp framför vinflaskorna och hans livvakt slog upp ett glas rött åt honom. Jag gick fram till Sytenko.

–Jag heter Johan Homan, presenterade jag mig. Det var jag som köpte Rickard Bergmans grekiska hjälm.

Jag tyckte det var lika bra att gå rakt på sak. En man av hans kaliber skulle säkert inte uppskatta några diplomatiska kringelikrokar. Det var pang på rödbetan som gällde och jag ville se hans reaktion när han var oförberedd.

– Jag vet det, sa han och log, men de egendomliga, vattniga ögonen log inte. Kallt betraktade han mig, avvaktande som om han värderade och bedömde det han såg. Tänderna var raka och vita, lite för vita bara. En tandfasad? Och det blonda håret verkade lite artificiellt på nära håll. Var det färgat? Kanske hela han var stylad?

Men hans accent avslöjade honom. Han var inte en engelsk gentleman, han var verkligen ryss, en riktig ryss. Den tjocka, slaviska accenten talade sitt tydliga språk.

Hans livvakt behövde inte upplysa om vem han var eller var han kom ifrån. Han motsvarade helt mina föreställningar om en rysk, hårdför gangster. Ett fyrkantigt uttryckslöst ansikte, buskiga ögonbryn och lågt hårfäste. Grova ansiktsdrag som påminde om stenstoderna på Påskön och stenhård blick i de mörka ögonen som oavbrutet fixerade mig, och han var säkert beväpnad. Var man livvakt åt Vladimir Sytenko var det inte blomsterspråk som gällde. Skjut först och fråga sen verkade vara hans credo. Utanför Ulla Winbladh väntade kanske fler av hans kolleger i en bil, beredda att gripa in.

– Jag försökte övertala Rickard att sälja hjälmen till mig, men han vägrade och då bjöd jag ändå mer än han betalat. Men sånt är livet. Man får inte alltid vad man vill ha, eller hur, mr Homan? Skål. *Nasdrovje*, som vi säger i Moskva.

– Har ni försökt med Louise, hans fru?

– Ja, men hon vet inte var hjälmen finns. Det kanske ni vet, mr Homan?

Jag såg på honom.

– Faktiskt inte. Och jag vet inte heller vad som låg bakom

branden i hans lager för en tid sen. Var det strategiska mineraler som stals och branden anlades för att dölja stölden? Det finns många obesvarade frågor runt mr Bergman, eller hur? Inte bara hjälmen.

Sytenko såg kallt på mig.

– Det finns ett gammal ryskt talesätt som ni borde känna till, mr Homan. Det handlar egentligen om sjömän, men kan gälla om andra också: ”Den som ger sig ut i stormigt väder, han får lätt blöta kläder.” Om han inte drunknar, förstås. Det ligger mycket i dom där folkliga visdomsorden, eller hur?

Sytenko log sitt vita leende, sa något på ryska till livvakten. Så gick han tillbaka till sitt bord.

Kroppsbyggaren följde efter, men stannade upp. Vände sig om och såg på mig, som om han ville inpränta mitt utseende, som om han ville vara säker på att känna igen mig nästa gång vi möttes.

Kapitel XXIII

Efter lunchen gick jag hem längs kajen vid Strandvägen. Och jag tänkte på bilder jag sett från andra världskriget. Då låg det rader av vedlastade skutor här och på kajen reste sig väldiga staplar av stora vedklabbar. Det var före fjärrvärmens tid och man eldade i källarpannor och i kakelugnar. Men flera av de gamla vedskutorna låg kvar, ombyggda till fritidsboende som det verkade.

Det hade varit en intressant lunch i många avseenden. Dels hade jag inte träffat många som verkade sörja Rickard Bergman, tvärtom. Och dels hade jag mött Vladimir Sytenko, den hänsynslöse miljardären som hotat Rickard för att komma över hjälmen som försvunnit ur kassaskåpet. Mig hade han också hotat, fast i mer subtil form. Jag skulle uppenbarligen inte "lägga mig i", var budskapet. Det hade understrukits av blicken jag fått från den sinistre livvakten.

Solen glittrade i Nybroviken, en beskäftig Djurgårdsfärja tuffade fram med vita måsar bakom aktern. Men där skulle de dra en nit. Från färjan slängdes inte ut något köksavfall eller fiskrens.

Jag tänkte på Rickard och på hans mördare. Namn efter namn dök upp.

Gunnar Blom, stjärnan som Rickard släckt, var, teoretiskt åtminstone, en tänkbar kandidat, och på den kanten fanns det många som råkat illa ut om man fick tro artikeln i kvällstidningen. Krossade illusioner, uteblivna karriärer och spruckna drömmar. Rickard hade framstått som boven i dramat. Och enligt honom och hans hustru förekom det också aggressiva telefonsamtal och anonyma hotelsebrev. Men det var en sak, mord någonting helt annat. En klar gräns måste överskridas innan hat övergick till konkret dödande.

Ovanpå alltihop, som rosen på marsipantårtan, fanns hela köret med mineralerna, IRS och CIA. De strategiska, oerhört dyra jordartsmineralerna som kunde användas för kärnvapenbärande missiler. Den storpolitiska dimensionen alltså och där vägde ett människoliv lätt. Där tänkte man storskaligt och agerade därefter. Presidenter mördades, premiärministrar och regeringar avsattes, revolutioner startades; allt i ett ”vällovligt” nationellt intresse.

Här rörde det sig om djupa vatten med stora fiskar, tänkte jag och svängde av vid Nybroplan, passerade det märkliga monumentet som skulle hylla Raoul Wallenbergs verk, men som inte gav några som helst associationer till hans hjältedåd. Åtminstone inte hos mig.

Calle Asplund hade fått en stor bit att gapa över, kanske Jonas Berg också. Jag skulle tala med honom om Sytenko. Och Jonas hade ju kontakt med CIA:s stationschef på ambassaden. Han kanske visste mer om de strategiska mineralerna.

Så stannade jag upp inför Bukowskis stora fönster. Man hade arrangerat kinesiskt porslin i smakfulla grupperingar. Liksom ryssarna nu hämtade hem sina försvunna kulturskatter så gjorde kineserna det också. Mycket hade ju försvunnit från landet under turbulenta århundraden, inte minst genom de olika europeiska handelskompanierna där det svenska Ostindiska var ett, men mycket strömmade nu tillbaka. Och priserna steg.

Jag gick vidare, tänkte på Calle. Jag skulle inte lägga mig i mera. Sytenko och hans gorilla hade ju varnat mig. Men jag skulle i alla fall fråga Jeremy innan han reste vad Anastasia menat när hon kallade Rickard en ”evil man”. Att jag skulle hålla mig borta från honom. Och han skulle titta upp på en drink i kväll.

Jag fortsatte mot Kungsträdgården där Karl XII fortfarande riktade sitt svärd mot Ryssland, men mot Putin den här gången, inte Peter den store. Och jag undrade vad han tänkt om han sett den svenska armén idag. Den kunde väl knappt fylla parken bakom honom om den ställdes upp för parad. Man kunde bara hoppas att den ryska björnen skulle hålla sig i skinnet, men jag hade just läst att det planerades en upprustning på 5000 miljarder. Annars kanske vi hamnade i samma sits som historien om det gamla kustartilleriet som skulle ”uppehålla fienden tills militär hjälp anlände”. Enligt ÖB skulle vi kunna klara oss i en vecka efter 2019. För att underlätta för en eventuell angripares planering hade fem orter angetts där vi kunde tänka oss att göra motstånd, man fick trösta sig med att Gotland skulle försvaras av Hemvärnet.

På kvällen kom Jeremy upp som hastigast. Han hade en affärsmiddag med en klient på Grand och skulle flyga tillbaka till London tidigt nästa morgon.

– Bjuder du eller blir du bjuden? undrade jag när han kom.

Frågande såg han på mig.

– Din businessmiddag. Om han är angelägen om att sälja eller köpa så bjuder han, annars står du för notan.

Jeremy skrattade.

– Var inte så krass. Det är en gammal kund och han har blivit intresserad av ett objekt som jag har i min senaste katalog. Ett ryskt flintlåsgevär faktiskt. 1700. Kommer från Tula söder om Moskva. Dom fabricerade vapen till rustkammaren i Kreml, så det är hög kvalitet.

– Då kan jag bara önska lycka till. Och hoppas att maten blir god. Men det brukar den ju vara på Grand. En drink?

– En vodka martini i så fall om du har. Jag vill inte lukta gin när jag kommer. Du har väl hört historien från reklamvärlden i New York. Chefen säger till en anställd som ska luncha med en viktig kund. ”Jag vill att du tar gin martini så att kunden förstår att du är full och inte dum.” Fast det tänkte dom inte på i ”Mad Men”.

– Coming up.

Jag gick ut i köket och hittade turligt nog en flaska Smirnoff högst upp i skafferiet. Jag dricker sällan vodka martini, tycker den saknar sting, men idag passade det ju. Några isbitar i glasen fick kompensera för att den var ljummen, litet vermouth fick följa med ner liksom en lövtunn bit citronskal.

– Jag hoppas det är okej att den är on the rocks, sa jag och räckte glaset till honom. Jeremy log.

– Så länge det är vodka är det alright. Jag såg att du träffade Sytenko på lunchen. Det gjorde jag också. Mot mig var han mycket älskvärd, visade sig från sin bästa sida, men han är ju en av mina kunder. Man biter inte den hand som föder en och han vill ha tillgång till mina kataloger och objekt.

– Det kan jag tyvärr inte säga om mitt samtal med honom. Han var inte särskilt trevlig och han frågade till och med om jag visste var hjälmen fanns. Insinuerade att jag på nåt sätt var inblandad i mordet på Rickard. Var nästan hotfull. Och han hade med sig en gorilla som jag helst inte vill träffa ensam.

– Han hör verkligen inte till mina favoriter. Men i vår bransch får man ta skeden i vacker hand. Money talks. Han köper dyrt och betalar bra. Varifrån pengarna kommer kan jag inte lägga mig i. Ryktena går och alla ryssar är skurkar i så fall, men jag kan ju inte bevisa nånting. Hans pengar kan mycket väl komma från hederlig affärsverksamhet, eller hur?

– Det har du rätt i. Strategiska mineraler kanske? Jag log. Fast dom omfattas väl av sanktionerna mot Iran? Men svarta pengar tvättas vita. Jag ska inte sätta mig på några höga hästar. Hade Sytenko velat köpa min Tang-häst så hade han fått det. Brecht har formulerat vår inställning. ”Erst das Essen, dann kommt die Moral.”

– Du är cynisk på tyska också? Jeremy skrattade. Först käket, sen moralen.

– På engelska också. ”Survival of the fittest”, som din gamle landsman Darwin skrev. Men det är klart att det finns gränser för vad jag gör i min affär. I vår bransch står vi ju och faller med vårt rykte.

– Så rätt, så rätt. Men du ville ju tala med mig om Anastasia. Jeremy såg på sin klocka. Jag är på väg till min middag.

– När vi sågs på ert bröllop sa hon nånting om Rickard Bergman som jag har undrat över. Nånting om att han var ”an evil man”, och att jag skulle akta mig för honom. Visste hon nåt som jag inte vet, nåt som kan ha samband med mordet?

Jeremy såg allvarligt på mig, smuttade på sin vodka martini.

– Två saker, sa han sedan. Rickard lurade henne på pengar. Det gällde ett kontrakt på en pjäs som hon skulle sätta upp i London. Hon har ju en agentur som du vet. Men Rickard gick emellan, gick bakom ryggen på henne, betalade under bordet och satte upp pjäsen själv. Och det blev succé.

– Då förstår jag.

– Men det var inte det värsta. Rickard försökte våldta henne.

Mållös såg jag på honom.

–Menar du att …

– Precis, avbröt han. Hon lyckades slå sig fri, men det var jäkligt obehagligt. Han bad om ursäkt efteråt. Skickade rosor och ett guldarmband, men som du förstår var inte Anastasia nåt av Rickards största fans.

– Varför var han med på bröllopet i så fall?

– Dels var det länge sen och dels strök hon ett streck över det. Åtminstone på ytan. Hon insåg att Rickard var en av mina bättre kunder och ställde upp för min skull. Men hon ignorerade honom totalt på bröllopet och hans fru undrade säkert, men det kunde han gott ha.

Money talks, tänkte jag och såg på honom. Jag kände ju inte Jeremy närmare, men om Calle Asplund hade försökt våldta Francine hade jag reagerat på ett helt annat sätt än han.

Jag log åt den absurda och bisarra tanken. I så fall hade Calle hårdhänt fått lära sig att Francine hade svart bälte i karate.

Kapitel XXIV

Hedvig Eleonora Stenbock såg på mig från stativet i auktionssalen. Det var egentligen inte för hennes skull jag kommit, men jag kände henne, nästan. Hon hade varit gift med Nicodemus Tessin d.y., den snillrike arkitekten som ritat Stockholms slott och andra monumentala byggnader. Sitt eget miniatyrslott också, Tessinska palatset, en arkitektonisk pärla i sitt slag.

Hedvig Eleonora var också mamma till Carl Gustaf Tessin, min favorit från 1700-talet, en av våra stora politiker och kulturpersonligheter som varit med om att forma Sverige. Förutom att ha inrett Stockholms slott och varit motsvarigheten till statsminister var han också guvernör för Gustav III som kronprins och uppfostrade pojken inför hans höga värv. Mycket annat fanns på hans digra meritlista.

Men det var inte det som intresserade mig mest. Nicodemus d.y. var visserligen en ansedd och duglig person, till och med adlad, men bland de äldre familjerna ansågs han lite som en outsider. Pappan hade ju invandrat ganska nyligen från Stralsund.

Och när Nicodemus d.y. gifte sig med Hedvig Eleonora blev det skandal, en mesallians. Hon tillhörde en av Sveriges äldsta och förnämsta ätter, han var en arkitekt som kommit upp sig. Det sägs vara en av anledningarna till att han byggde sitt palats. Han skulle ”visa” sin högfärdiga omgivning vad han gick för och det gjorde han ju med besked. Stockholms vackraste 1700-talspalats.

Nej, det var inte Hedvig Eleonora som gällde, jag hade kommit till Bukowskis sommarauktion för att möta en helt annan person, en liten pojke faktiskt. Kronprins Gustaf IV Adolf målad av Jacob Björk efter en pastell av Lundberg. Jag håller ju på att bygga upp en samling ”gustaviana”: konst, möbler och annat från Gustav III:s epok.

Jag kallar det min pensionsfond. Bortsett från att man inte har någon koll på hur de olika vanliga pensionsfonderna sköts har jag fördelen av att kunna ha mina vackra ting omkring mig i mitt dagliga liv. Livskvalitet. Min kontakt med andra fonder gick via tidningarnas börssidor och det var ju aldrig någon speciellt upphetsande läsning, ofta tvärtom.

Porträttet av kronprinsen ställdes upp på visningsstaffliet. En vacker, snidad och förgylld ram med lagerkrans och en liten krona. På den vita blusen bar han Serafimerordens ljusblå band och stolt höll han fram den praktfulla kraschanen.

Troskyldigt såg den lille gossen på betraktaren. Han kunde inte ha vetat att han skulle få ett mycket dramatiskt liv. Gustav III, hans pappa, mördades och själv avsattes han som kung 1809 i en militärkupp som syndabock för förlusten av Finland i kriget med Ryssland.

Sina dagar skulle han sluta i landsflykt som överste Gustafson på ett litet värdshus i St. Gallen i Schweiz, ensam, alkoholiserad och förbittrad. Men hans dotter, som gifte sig med storhertigen av Baden, skulle återföra de gustavianska generna till ätten Bernadotte då hennes dotter Victoria gifte sig med Gustav V och blev drottning av Sverige.

Så började budgivningen. Jag var till slut ensam mot telefonbordet som envist höjde. När den osynlige köparen ropat upp tavlan till åttiotusen hoppade jag av. Längre sträckte jag mig inte, smärtgränsen var nådd. Till priset kom ju också en del avgifter så slutsumman skulle säkert närma sig hundratusen och det tyckte jag inte kronprinsen var värd, trots att jag är rojalist.

Egentligen är auktionsbranschen ganska egendomlig om man tänker efter. En ”win-win situation” för auktionshusen. Både säljare och köpare får betala för att vara med på kalaset och det är stora belopp. Även om adrenalinet rusar och kamplusten växer så måste man kunna sätta en gräns. Jag har lärt mig genom åren att hålla tillbaka, så jag kunde åtminstone trösta mig med att jag indirekt åtminstone var hundratusen kronor rikare. Och det blev man ju inte varje dag. Det borde finnas en nationalekonomisk term för det. ”Utebliven utgift” kanske?

Allt är bäst som sker, tänkte jag där jag satt i den stora salen. I morgon är också en dag, och man ska inte gråta över spilld mjölk.

Där fick jag till det, men jag är förtjust i den gamla Bondepraktikans och folkvisdomens vokabulär och formuleringar. Det ligger mycket erfarenhet och klokskap bakom.

Så segade sig auktionen fram. Nu var det äldre konst som gick. Avdöda grevar och längesedan begravda krigarkungar på stora hingstar. Porträtt av ”okänd” konstnär varvades med verk av Ehrenstrahl, Westin, Breda och andra storheter.

Ett ögonblick funderade jag på Ulrika Paschs bild av Karl XII som något äldre barn men jag tyckte inte den höll måttet, så jag avstod. Det är också viktigt på auktioner. Att kunna avstå, inte ryckas med.

Jag skulle just gå när man kom in på avdelningen för utländskt måleri. En stor duk bars in. En rysk konstnär, och motivet var verkligen ryskt. Ett snöigt landskap med svarta, frustande hästar i trojka framför en släde där en skäggig man, kanske en kosack, drev på dem med en lång piska. Snön yrde kring hovarna, snön gnistrade i solen, fläkt och fart.

Telefonerna ringde vid budbordet, det satt väl köpsugna herrar i Moskva och Novosibirsk och på andra håll som kämpade om det livfulla motivet. I salen bjöds också, från stolsraden längst fram.

Jag skymtade ett huvud. Vladimir Sytenko mellan två biffiga män. Men var skulle sleven vara om inte i grytan? Den konstälskande miljardären passade väl på att fynda när han ändå var i Stockholm. Förenade nytta med nöje. Jag tänkte på Rickards begravning. Den kanske också var både nyttig och nöjsam?

Slutbudet stannade vid tre miljoner och en nöjd Sytenko reste sig och gick mot utgången. Jag följde efter, nådde honom vid dörren, ville inte missa tillfället att konfrontera honom.

Förvånad såg han på mig, så kände han igen mig,

– Mr Homan. Har ni ropat in nånting? Ni är ju antikhandlare. Eller är det bara grekiska hjälmar som intresserar er? Han log stelt.

Hans båda kumpaner hade slutit upp tätt bakom honom. Trodde de att jag skulle försöka mörda deras boss?

– Jag får gratulera till ekipaget, sa jag. Fasligt dyra hästar. Tre för tre miljoner.

– Det kan jag hålla med om, men fördelen är att dom aldrig förlorar på travbanorna och aldrig dör och inte heller blir till lasagne. Det är mer än man kan säga om arabiska fullblod som kostar mycket mer. Sen är motivet från mina hemtrakter och jag älskar konstnären. Har flera verk av honom. Han är en mästare på snö, får den att leva, skimra. Olika nyanser av vitt. Man kan nästan känna lukten av snö, sol över snö.

Leendet var tillbaka nu, men förändrat. Fullt av liv och värme.

– Det är en sak jag skulle vilja prata med er om.

Förvånad såg han på mig. En av livvakterna tog mig i armen, som för att föra undan mig. Sytenko gjorde en avvärjande gest och greppet lossade.

– Vad skulle det vara?

– Mineraler, strategiska jordartsmineraler.

Medvetet satte jag allt på ett kort. Skulle han vända på klacken och gå? Hade jag bränt mina skepp? Men jag fick säkert inte många tillfällen att träffa honom igen och jag hade en bestämd känsla av att hans och Rickards affärer spelade en viktig, kanske avgörande roll för mordet i den gula villan.

Vladimir Sytenko såg begrundande på mig. Undrade han vad jag var ute efter? Så bestämde han sig.

– Okej, jag förstår bara inte vad det angår er, men vi kan inte stå här bland alla människor. Följ med mig på restaurangen här borta. Jag skulle ändå fira mitt nyförvärv.

Leendet var vänligt nu och jag undrade vad han tänkte. Ville han pumpa mig för att se vad jag visste, vad jag kände till om hans affärer? Och om hans relation med Rickard?

En stund senare satt vi vid ett fönsterbord inne på Wedholms fiskrestaurang mitt emot Bukowskis. Berömd för sin fisk och för sina viner. Priserna var därefter så det var sällan jag hade råd att gå dit.

Vi hade beställt piggvar på mitt förslag. Vinet bestämde Sytenko efter ett långt botaniserande i vinlistan och det blev don efter person, den dyraste chablin. Fast det drabbade ju inte någon fattig.

Vid dörren satt de båda livvakterna strategiskt placerade. Hade full kontroll över alla som kom och gick, kunde ingripa med några sekunders varsel om det behövdes. Fick de beställa samma dyra anrättningar som vi eller var deras matsedel magrare?

Utanför fönstret där vi satt stod en lång, svart limousin parkerad. Mörktonade rutor med två män i framsätet. Tillhörde de också livvaktsstyrkan? Var man i Sytenkos klass skulle ett lyckat kidnappningsförsök bli en stor ekonomisk framgång. Ett dödsfall kunde också bli bingo för rätt personer och det fanns det säker många av i det gamla sovjetimperiet där djungelns lag verkade gälla i toppskiktet.

På Sytenkos förslag hade vi inlett med vodka on the rocks, rysk vodka, innan varmrätten serverades. ”Så att vi kommer igång”, som han sa. Och gärna för mig. Inte för att jag dricker vodka före lunch till vardags, men det var ju knappast fråga om en vardagslunch där jag satt tillsammans med en av Rysslands rikaste män. En person som kunde vara inblandad både i Rickards död och i handel med dödliga mineraler.

– Nasdrovje. Han höjde sitt glas mot mig. Skål. Fast latin går också bra. ”In vino veritas.” I vinet kommer sanningen fram. Eller hur, mr Homan? Tala nu om vad ni vill veta.

– Det gäller vissa strategiska mineraler. Thulium och promethium. Den första är en supraledare som används inom högteknologin och den andra får man fram genom fission av uran. Det används för atombatterier i rymdfärjor och missiler. Kärnvapenbestyckade robotar med lång räckvidd. Från Teheran till Tel Aviv.

Vladimir Sytenko lyssnade uppmärksamt till vad jag sade medan han bröt sönder det lilla kuvertbrödet vid tallriken i små bitar. Var han nervös?

Så såg han på mig.

– Såvitt jag vet så var Bergman en framstående musik- och teaterproducent. Vi diskuterade till och med vissa uppsättningar i Moskva. Och för att vara antikhandlare är ni förvånansvärt väl informerad, mr Homan. Hur kommer det sig?

– Rickard Bergman berättade det för mig. Och han sa att ni hade affärer ihop.

Sytenko log.

– Käre, käre Bergman. Ibland flög fantasin iväg lite väl långt. Det är möjligt att han försökte sig på den sortens affärer, inte ville lägga alla ägg i samma korg, som vi säger i Ryssland, men dom håller jag mig långt borta ifrån. För det första ligger dom här produkterna under FN:s sanktioner. För det andra är det dyrt. Thulium till exempel kostar omkring 50 000 dollar kilot, kanske mera nu, och slutligen är det farligt. Det finns dom som slåss om kakan och dom lägger inte fingrarna emellan. Han log ett tunt leende. Ni pratade ju om det där också efter begravningen och mitt svar är detsamma som då. Mitt råd till er också.

Jag kände på mig att han ljög. Men varför skulle han sitta och berätta om sina tveksamma affärshemligheter för mig?

– I vilket fall tror jag att Bergmans mineralaffärer kan ha haft att göra med hans död, sa jag. Fanns det konkurrenter som ville stoppa honom? Och alldeles före mordet så brann ett av hans lager ner. Finns det nåt samband?

– Det är väl inte osannolikt, fast om jag får ge er ett gott råd så ska ni berätta det här för polisen, inte för mig. Jag beklagar mordet på honom men det finns ingenting jag kan göra. Det är ett fall för svenska myndigheter att klara upp.

– Och för CIA. Där sköt jag ett skott i blindo men kunde registrera träff.

Sytenkos förbindliga småleende var borta, stint såg han mig i ögonen.

– Vad menar ni? CIA?

– Jag har förstått att dom var mycket intresserade av Rickard Bergmans affärer och höll honom under uppsikt. Det gäller ju varor av stor strategisk betydelse där också Kina hör till intressenterna. Det kalla kriget fortsätter i andra former.

Då landade två stora vita tallrikar med generösa portioner av piggvar med hollandaisesås, min favorit bland favoriter. En sval chablis i grönbukig flaska förhöjde upplevelsen och maten tystade munnen. Vi fick andra och mindre dramatiska prioriteringar att hantera än storpolitik.

– Jag är fortfarande intresserad av den grekiska hjälmen, sa Sytenko när kaffet kom. Man kan nästan säga att jag är besatt av den. Tyvärr gick det snett i Miami och jag kom för sent in i bilden. Sen vägrade Rickard att sälja den. Tänk er själv. Att hålla i en hjälm som kanske burits i slaget vid Thermopyle, tyngd av minnena, historien.

Han såg ut genom fönstret, ut över Nybroplans lummiga träd.

– Perserkungen Xerxes anföll med hopplös övermakt. Några tusen hopliter under spartanernas kung Leonidas slogs till sista man i passet. Samma hjältemod som hos ryska folket under det stora fosterländska kriget. Och nu är allt förött genom förrädarna.

– Nu förstår jag inte riktigt?

– Sovjetimperiets upplösning var ett av världshistoriens största brott. Ett gigantiskt misstag. Allvarligt såg han på mig. Men vi ska komma tillbaka, mr Homan. Och för mig representerar den grekiska hjälmen hjältemod och hopp om seger. Skaffa den åt mig.

– Hur skulle jag kunna det? Sista gången jag såg den var i Bergmans kassaskåp. Senare mördades han ju och hjälmen är borta. Men den är alldeles för väldokumenterad för att kunna säljas på öppna marknaden.

– Tala med er vän Jeremy Wells. Han har ett stort nätverk och hans vackra fru Anastasia är född i Ukraina. Jag känner henne väl. Jeremy också. Och jag har en bestämd känsla av att ni vet mer än ni säger, mr Homan. Kunskap är makt, men för mycket kunskap kan vara farlig. Ett annat gammalt ordspråk. Och det tunna leendet var tillbaka.

Kapitel XXV

När jag gick hem från min lunch med Sytenko ringde mobilen i kavajfickan. Jeremy.

– Jag ville bara säga hej innan jag flyger tillbaka. Tack för den här gången och vi ses, hoppas jag.

– Jag åt just lunch med Vladimir Sytenko och det verkar nästan på honom som om jag stulit hjälmen hos Rickard. Jag var ju där alldeles före mordet och sen var den borta.

– Genom sig själv dömer man andra. Han måste väl fatta att du aldrig skulle kunna sälja den. Inte på den öppna marknaden.

– Han sa också att du kunde hjälpa mig. Du hade ett sånt nätverk.

– Tack för komplimangen. Jeremy skrattade. Jag skulle alltså vara nån sorts hälare? Nu måste jag sluta. Batteriet håller på att ta slut. Vi hörs.

– Hälsa Anastasia.

Vad visste jag egentligen om honom? tänkte jag där jag gick över bron mot Tessins slott, enväldets magnifika symbol. Stålnät hade spänts över delar av fasaden för att hindra sten och murbruk från att rasa ner. Men tidens tand hade härjat i över tvåhundra år, luftföroreningar och avgaserna från köerna tätt under fasaderna hade tagit sin tull. Det var inte bara människor som for illa av miljöangreppen.

Jag funderade över Sytenkos insinuationer om Jeremys nätverk och att han kunde hjälpa mig. Vad låg bakom det? Fanns det någonting bakom de välordnade och charmiga kulisserna på Jermyn Street som jag borde känna till?

Så var jag framme vid affären, skulle larma av, men det var redan gjort. Konstigt. Hade jag glömt att sätta på larmet när jag gick? Cléo kom farande mot mig med svansen rakt upp och halvöppen mun. Jamade högt och ljudligt, verkade uppjagad.

Jag lyfte upp henne i famnen, smekte henne över ryggen. Hade jag lämnat henne ensam för länge? Kände hon sig försummad? Men det brukade ju gå bra.

Då ringde min mobil. Jag lyfte ner Cléo på golvet. Eric Gustafson.

– Jag såg att du hade besök. Två farbröder var och hälsade på dig för ett tag sen. Jag trodde du var ute.

– Det var jag också. Då satt jag på Wedholms och åt piggvar med en ryss och dessförinnan bjöd jag på Gustav IV Adolf som kronprins.

– Oh, den söte gossen. Jag hade tänkt lägga ett bud, men jag förstod att det var ditt område så jag avstod.

– Det var ädelt. Fast jag trodde honom inte. Ädelmod var inte Erics bästa gren.

– Dom gick in i alla fall och stannade en bra stund. Jag såg dig inte men trodde att du satt inne på ditt kontor.

– Märkligt. Dörren var ju låst. Jag måste kolla om nånting har försvunnit. Tack för att du ringde. Hur såg dom ut förresten?

– Grova typer, hade inte passat i min affär. Verkade inte vara dina vanliga klienter heller. Fast i ditt fall vet man ju aldrig.

Sytenko, tänkte jag. Sytenko och hans torpeder. Jag såg mig om i affären men ingenting verkade borta. Inte heller inne på kontoret. Såvitt jag kunde se var ingenting stulet. Om det var som Eric sa måste de ha tagit sig in med en dyrk och mitt larm var ju inte direkt insatt igår. Men om jag gissade rätt så var det den grekiska hjälmen de letat efter.

Skulle jag polisanmäla inbrottet? Det skulle knappast löna sig och eftersom ingenting var stulet som jag kunde se skulle polisen inte lägga många strån i kors, om dom ens kom. Att ringa och anmäla ett inbrottsförsök som gällde en grekisk hjälm för över två miljoner som jag inte ens hade i affären skulle inte imponera. Men det kändes obehagligt. Jag borde ta hit en låssmed och byta lås och dessutom se över mitt larm.

När jag kom hem till våningen tittade jag noga på min ytterdörr ute i trappuppgången men den hade inga spår efter någon åverkan, inga brytmärken. Fast när jag satte nyckeln i låset kärvade den. Jag fick ta i för att få den att gå runt. Likaså med gallergrinden innanför. Hade jag fått besök i våningen också eller var det bara tillfälligheter? Ibland kunde ju låset haka upp sig. Man fick inte måla fan på väggen i onödan.

Jag gick runt i alla rum. Drog ut lådor, öppnade skåp, men ingenting verkade ha rörts. Om jag haft inbrott så måste det ha skötts av proffs. Dyrkat sig in och rört sig försiktigt. Säkert inte lämnat några fingeravtryck. Men de hade inte haft något för det. För om de letat efter hjälmen så fanns den ju inte. Det visade i så fall en sak. Det var alltså inte Sytenko som stulit hjälmen hemma hos Rickard. Jag öppnade balkongdörren för att vädra ut. Tanken på att jag kunde ha haft besök kändes inte bekväm.

Jag satte mig vid datorn och googlade på Valdmir Sytenko och trots mina elementära kunskaper fick jag snart upp honom, på engelska. Kortfattat var han född i St. Petersburg för femtio år sedan, hade gått någon ingenjörsteknisk linje vid universitetet kombinerad med en examen i företagsekonomi. Hade gjort politisk karriär som biträdande borgmästare i en stad nära Moskva för att senare ta sig in i partitoppen via några topptunga kommittéer. Han var också ägare till ”Sytenko Investment” som spände över det mesta, från naturgas och olja i Sibirien till jordbruk och maskiner. Andra uppgifter följde. Hur han hade kommit över sina tillgångar förbigicks diskret. Men det var särskilt en uppgift jag stannade upp inför. En intressant information. Sytenko hade också grundat ett museum för antik konst i Moskva. Det förklarade hans intresse för den grekiska hjälmen.

Vladimir Sytenko hade verkligen många strängar på sin lyra, tänkte jag. Inte bara akademiker och gammal politruk utan också estet och konstkännare. Åtminstone hade han grundat ett eget museum. Men det kanske var en statussymbol i hans kretsar, liksom bland en del amerikanska kapitalister. Alla behövde tydligen inte köpa fotbollslag eller kvarter i London för att hävda sig. Konst var också gångbart om den var tillräckligt exklusiv och tillräckligt dyrbar.

Jag satt kvar vid datorn. Vad visste jag egentligen om Anastasia, mer än att hon var gift med Jeremy och att hon hade en agentur för musik och musiker liksom Rickard, fast i mindre format? På bröllopet hade hon berättat att hon kom från Kiev i Ukraina och att hon var manager för gruppen ”The Red Caps”.

Jag fick fram henne på datorn efter en stunds sökande, fick googla på Jeremy för att hitta hennes ukrainska flicknamn. Uppgifterna var knapphändiga. Anastasia var trettiofem, född i Kiev, hade en akademisk examen i konsthistoria och hade varit intendent på ett museum i Moskva innan hon flyttat till England och startat sin agentur. Det var ju ungefär vad hon berättat för mig på deras bröllop i Stratford-upon-Avon.

Men när jag såg närmare på bildskärmen trodde jag först att jag läst fel. Men det hade jag inte. Museet där hon arbetat hette ”The Vladimir Sytenko Museum for Ancient Art”.

Kapitel XXVI

Francine körde, lugnt och koncentrerat som alltid. Vi var på väg ner till Björkesta, hennes barndomshem vid Båven. Hon hade tagit sin BMW och det var jag glad för. Min gamla Volvo hade gått sina bästa matcher och tjänstgjorde nu mest som packåsna vid mina auktionsräder ute i landsorten. Den hade inte riktigt platsat framför Björkestas rosa herrgårdsbyggnad med det svarta tegeltaket som Adelkrantz ritat, arkitekten bakom Drottningholmsteatern och andra kulturbyggnader.

Det var dagen före midsommar och Francine hade just börjat sin semester. Det hade jag också. Jag var ju mer flexibel och kunde anpassa mina tider efter hennes. På insidan av min dörr hade jag satt upp en skylt med ”Semester” plus mitt telefonnummer och en hänvisning till Erics affär mitt emot. Och mig passade tidpunkten bra för midsommartid är inte någon höjdpunkt i min verksamhet. Tvärtom är det ganska glest mellan kunderna. Turisterna i Gamla stans gränder var mera ute efter souvenirer än gustavianska stolar och tennkannor. Vikingahjälmar i plast med stora kohorn var populärare än mina stick ur Suecia Antiqua och det fanns över tjugo affärer enbart på Västerlånggatan som förmedlade den sortens svenska ”kulturprodukter”.

Höll Gamla stan på att slamma igen? Skulle Le Corbusiers vision till slut förverkligas, den att riva hela området utom slottet och Storkyrkan och sen bygga nytt och futuristiskt? Rensa bort det gamla.

Systembolaget hade lagts ner och bibliotekets framtid stod och vägde. Skulle jag till slut bli tvungen att sälja min affär till en kebabrestaurang? Kunde en lösning på problemet vara att införa något slags kvalitetskrav på utbudet? Som för julmarknaden på Stortorget. Där såldes rejäla produkter; korvar, vantar, mössor och annat.

Men det var väl fel förstås, att dirigera den fria företagsamheten. Man sålde vad folk ville ha. Eller vad man trodde att de ville ha. Ungefär som kvällstidningarna. Men jag slog bort mina kverulantiska funderingar. Med hösten skulle de seriösa kunderna förhoppningsvis komma tillbaka och de kohornade vikingahjälmarna försvinna.

P1 stod på, min favoritkanal. Nyheterna meddelade att ett politiskt parti föreslog månggifte.

– Intressant, sa jag, men Francine stängde av.

– Det finns många sätt att förlora val på, konstaterade hon, men det där lär väl vara ett av dom säkraste.

Cléo hade också fått följa med. Hon sov i sin lilla bur i baksätet. För henne väntade spännande upplevelser i den stora parken på Björkesta. Träd och buskar, högt gräs, dofter och ljud, exotiska jaktmarker för en stadskatt som levde sitt stilla och ombonade liv i min affär och uppe i våningen på Köpmantorget.

Den lilla gårdsplanen med den stora kastanjen utanför mitt kontorsfönster var hennes begränsade revir när jag någon gång släppte ut henne. Sparvflocken som tjattrade uppe i lövverket var väl det mest upphetsande som hände där ute, men ingen sparv kom så nära att det uppstod fara för livet. På betryggande avstånd betraktade de Cléo, men hade kommit till slutsatsen att hon var ofarlig. Och skulle hon mot all förmodan kunna slå klorna i något byte tror jag inte hon vetat vad hon skulle göra av det. Generationer av förfinad tillvaro hade väl nästan raderat ut de ursprungliga instinkterna, men man kunde aldrig veta. Det hände ibland när vi hälsade på hos Francines föräldrar att hon kom dragande med en liten mus som hon stolt presenterade på salongsmattan.

Jag berättade för Francine om begravningen, om min lunch med Sytenko och om inbrottet i min affär. Jag berättade också om vad jag fått fram om Anastasia och hennes koppling till Sytenko. Hon lyssnade uppmärksamt, utan att avbryta.

– Jag vet inte hur många gånger jag har sagt det, sa hon. Att du aldrig kan lära dig. Nu är du inblandad i egendomliga historier med grekiska hjälmar, strategiska mineraler, ryska oligarker och med ett mord som extra krydda. Fattar du inte hur farligt det är? Och du satt ju direkt illa till innan det kom fram att dina femtio tusen verkligen var ett arvode och inte stöldgods från Bergmans kassaskåp. Lova mig att du lägger av. Låt polisen ta hand om det. Dom är proffs och du amatör, om ens det. Dessutom kan du inte bevisa nånting. Inte att Sytenko mördat Bergman och inte att den där Anastasia skulle kunna vara inblandad. Krångla inte till det.

– Hurdå menar du?

– Anastasia är konsthistoriker, kommer från Ryssland och har jobbat på ett museum i Moskva. Det råkar vara grundat eller ägt eller hur det nu är av den där ryssen. Det behöver ju inte nödvändigtvis innebära att hon är inblandad i nån mordkomplott, om du tänker logiskt. Eller hur?

– Du har väl rätt som alltid.

Men inom mig var jag inte lika övertygad av hennes argument. Det var någonting som inte stämde, eller kanske stämde alldeles för bra.

– Och inbrottet i din affär kan ju ha varit vanlig rutin för dom där figurerna. Vet du hur många inbrott det sker varje dag i Stockholm? Dom har haft spaning på din affär, förstått att du varit borta och tagit sig in men inte hittat nånting intressant. Det skulle väl ha varit din gustavianska soffgrupp i så fall. Hon skrattade och körde om en långtradare med långt släp.

Fast det du berättade om dom där mineralerna Bergman handlade med oroar mig. Jag har tagit upp det i våra sammanhang och vi har skickat vidare till MUST och inspektionen för strategiska produkter. Det är inte riktigt mitt bord, men det kan bli internationella förvecklingar om vi har svenskar som sysslar med sånt.

– Det går väl att stoppa? Rickard är borta ur bilden. Och ni har sanktioner, exportförbud mot handel med dom där prylarna. Räcker inte det?

– Uppenbarligen inte. Det finns så många kryphål. Falska varubeteckningar, falska handlingar och intyg. Och alldeles för stora pengar. Det är ett svårkontrollerat område. Men ibland funkar det. Bara häromdan kom vi på en svensk affärsman som gjorde business med Iran. Han skulle sälja avancerad teknisk utrustning dit som kan användas när man anrikar uran, alltså material som ingår i atombomber. Men våra nät är för grova och vi fångar inte alla fiskar, tyvärr. Dessutom sköter dom många gånger sånt här internationellt, utanför Sverige alltså. Du kan ju ta Bergmans samarbete med Sytenko som ett exempel.

Då kom en signal bakifrån, stark som en åskknall. Och jämsides svängde en knallröd Ferrari upp med mullrande motorer. Mannen i förarsätet med stora, mörka solglasögon skrattade, ett halsband guldblänkte och han gav oss fingret, körde om i en skarp kurva och hann precis smita in före en mötande mjölkbil från Arla.

– Jäkla bildrulle, ropade Francine som bromsat in. Han kunde ha kört ihjäl oss.

– Där hade vi tur. Jag har aldrig förstått mig på dom där

knoddarna som köper Ferrari och Maserati och andra vrålåk. Dom dricker bensin som en kamel dricker vatten, för ett fruktansvärt oväsen och det finns bara plats för en tjej och en necessär.

– Det kanske räcker. Francine skrattade. Säg som det är istället. Du är bara avundsjuk.

– Verkligen inte. Tycker du jag behöver gubbracer eller en penisförlängare?

Francine svarade inte och det tydde jag som ett nej.

Så fortsatte vi genom sommarsverige. Och vädret var med oss. Många midsomrar har jag upplevt med regn och kyla och tv-bilder från festplatser med kullblåsta tält och huttrande semesterfirare. Men nu sken solen från en klarblå himmel och midsommarblommor blänkte från dikesrenarna när vi körde in på den smala grusvägen som ledde till Björkesta.

– Vilken tur vi har med vädret, sa Francine och bromsade in framför en kaxig fasantupp som tvärade över vägen i maklig takt.

– Nu ja, svarade närkingen i mig.

– Vad menar du?

– Det vet du väl att vi säger i gnällbältet, i Närke alltså, när nån konstaterar att det är vackert väder. ”Nu ja.”

Francine skrattade.

– Säg inte så där. Då kanske det blir regn i morgon. Cléo jamade instämmande från sin bur, rörde sig oroligt fram och tillbaka.

– Vi är snart framme, lugnade jag henne. Då ska du få springa på gräsmattan och fånga sorkar.

– Vi måste bara se till att mamma inte släpper ut Sigge.

– Vem är det?

– Det kommer du väl ihåg? Mammas gamla tax. Han är för henne vad Cléo är för dig.

Ankomsten till Björkesta följde det vanliga sceneriet. ”The same procedur as last year”, tänkte jag. Francine tutade när vi körde in mellan de höga grindstolparna som kröntes av stora järnlyktor, och upp på den nykrattade grusplanen framför huset.

Ut på den breda trappan kom hennes föräldrar, Archibald och Claudette. Han, rakryggad, gråhårig gammal jägmästare och reservofficer, förutom greve Silfverstierna och herre till det tidigare fideikommisset Björkesta. Hon, vacker och charmfull, en kvinna av ”un certain âge” som man säger i hennes gamla hemland Frankrike. Lång, slank, mörkt hår och lika mörka ögon. Bara rynkorna kring ögon och mun antydde ålder.

Bakom dem kom Sigge springande och skällde sitt välkomnande med svansen i glädjefull aktion.

Kramar och kyssar, ryggdunkningar och glada tillrop, precis som vanligt. Francine och jag skulle husera i en av de båda flyglarna. Tidigare hade Claudette placerat oss i var sitt rum, men hon hade väl insett att tiderna förändrats.

– Då får ni lugn och ro och kan rå er själva. I kylskåpet hittar ni allt ni behöver till frukost och varmvattnet är påsatt i badrummet och duschen fungerar. Jag kontrollerade det i morse, sa Claudette och Archibald hjälpte oss med våra väskor. Men buren med Cléo tog jag själv hand om.

Sigge hoppade och skuttade bredvid mig, skällde som en galning och Cléo väste i sin bur. Hon lugnade sig inte förrän vi kommit inomhus och den hotfulle besten försvunnit.

–Jag gissar att ni inte har ätit lunch, sa Claudette. I köket finns prinskorv och stekta ägg. Och dijonsenap. Ni får en halvtimme på er. Så gick hon och vi började packa upp.

En stund senare satt vi i det stora köket. Det var modernt inrett med kylskåp och frysar och stora spisar. Men mycket hade bevarats av den gamla inredningen. En murad, vitkalkad spiskåpa fanns kvar och högt upp längs väggarna satt hyllor fyllda med välputsade kopparkärl av olika storlek och format. Aladåbformer, puddingformar och kärl. Stora bunkar och små bunkar och i ett hörn vid den vita spiskåpan pöste en bredmagad koppartunna för vatten som tidigare burits i hinkar, före vattenledningarnas tid.

– Några nyheter från storstan? Archibald satt bredvid Claudette mitt emot oss vid det stora bordet med den rödrutiga duken. Claudette hade ställt fram faten med äggen och korvarna; små, blankt bruna och trinda. Jag älskar den kombinationen. Stekt ägg och prinskorv med mycket senap till och kall mjölk.

– Ingenting särskilt, svarade Francine. Det lunkar på. En och annan resa ibland, men mest rutin.

– På tal om resor tycker jag inte om att ni kör bil hit. Claudette såg bekymrat på henne. Det händer ju så mycket på vägarna och nu har vi fått hit en massa vildsvin också. Ta tåget istället.

– Jag vet inte om jag håller med, sa Archibald. Sist jag åkte till Stockholm blev vi stående i över två timmar. Nån hade stulit vitala kopparledningar. Jag läste nånstans att dom här stölderna kostar samhället en halv miljard om året. Det blir som bönderna i riksdagen trodde när man införde järnvägen i Sverige på 1800-talet. Då sa dom att det inte gick för att rälsen skulle stjälas. Järn var dyrt.

– Jag tar inga risker när jag kör. Inte Johan heller. Men berätta. Vad händer på midsommarafton? Jag har inte sett nån majstång.

– Det är stora saker på gång. Claudette log mot henne. Pappa har blivit befordrad.

– Verkligen? Hur då?

– Jag har blivit biskop, sa Archibald stolt.

– Nu fattar jag ingenting. Du som knappt går i kyrkan annat än på begravningar.

– Vi har lånat ut stora logen till hembygdsföreningen, sa

Claudette förklarande. Dom ska ha stora övningar där, majstång och allt som hör till. Folkdanser och servering. Och ett krönikespel. Om biskop Thomas. Biskopen i Strängnäs som ägde Björkesta på 1400-talet. Nu finns bara källarvalven kvar. Och där finns vår vinkällare. Archibalds stolthet. Hon log.

– Han skrev frihetssången också, om Engelbrekt, sköt Archibald in. Det var ett inlägg i dåtidens maktpolitik. ”Frihet är det bästa ting” och så vidare. Och i krönikespelet ska jag föreställa biskopen. Som tur är har jag inte många repliker, annars hade jag aldrig klarat det.

– Grattis! Francine log mot sin pappa. Det ska bli en upplevelse! Fast du måste sköta dig. Du vet ju att biskopen spökar här på Björkesta. Han kanske har synpunkter på att du är hans stand in. Jag ska i alla fall fota dig i din skrud och sätta upp på nån hylla hemma. Sen kan jag förevisa dig som min pappa biskopen. Alla kommer att bli jätteimponerade. Francine skrattade.

– Hoppas bara att det inte regnar, sa Claudette. Föreningen har lagt ner så mycket arbete. Men i så fall får vi väl flytta in festen i logen.

Claudette hade oroat sig i onödan. Det blev en strålande vacker midsommarafton, som vädret när man var barn, tänkte jag när jag drog upp rullgardinen tidigt nästa morgon. Eller var det bara nostalgiskt önsketänkande? Man förträngde kanske alla regniga och kalla midsomrar, idealiserade verkligheten?

På eftermiddagen gick vi ner till den stora, timrade logen. Svenskt rödfärgad med vita knutar. En hög majstång, lövbekransad och blomsterprydd, hade redan rests och mycket folk rörde sig på den öppna planen. Redan på avstånd hördes dragspelsmusiken. Pilsnabba svalor singlade över logtaket och borta i hagen hördes dova råmanden från Archibalds kor.

När vi kom närmare såg jag många i folkdräkt. Det hade

Claudette också satt på sig, Östgötadräkten, som hon ärvt efter Archibalds mamma. Vit skjorta, rött liv, vackra ränder i förklädet och en broderad schal med ett stort silversmycke. En liten, dekorativ skinnväska hängde vid sidan.

Trängsel och skratt. Glada barn med färggranna ballonger. Korvstånd och lyckohjul. Vid kaffeserveringen var det kö och föreningens hembakade bullar gick snabbt åt.

Små grodor hoppade runt majstången följda av flickor som gick i ringen med röda gullband. Skar havre gjorde man också, en reminiscens av skördearbetet före skördetröskornas tid. Midsommarafton när den var som bäst.

Jag tänkte på de ideella föreningarnas insatser för att bära upp det svenska kulturarvet. Oavlönade, mycket arbete, men det skapade gemenskap och närhet. Bygden levde upp. Man kunde bara hoppas att klåfingriga politiker inte lade moms på vetebullarna och andra aktiviteter.

Claudette och Archibald hade gått i förväg. Hon för att hjälpa till där det behövdes och han skulle kläs på sin biskopsskrud och sminkas.

Då ringde min mobil. Calle Asplund av alla människor. Vad ville han på midsommarafton?

– Jag trodde inte ni jobbade idag.

– Lagens långa arm sover aldrig., det vet du väl? Men jag är rädd för att jag har tråkiga nyheter. Peter Hansson är död. Mördad. Han som var ditt kronvittne.

– Kronvittne?

– Du berättade ju att han förmedlat dina femtiotusen i arvode. Vi hade inte hunnit höra honom än. Och nu är han borta.

Kapitel XXVII

– Att du inte kan stänga av den där apparaten, sa Francine misslynt. Du har ju faktiskt semester och snart får du se pappa som biskop.

– Jag önskar jag hade gjort det, men jag glömde det, tyvärr. Det var Calle Asplund.

– Som om det skulle göra det bättre. Tvärtom, skulle jag säga. Vad är du insyltad i den här gången?

– Ett mord. Ett nytt mord.

Francine såg på mig, suckade.

– Inte nu igen!

– Var inte orolig. En av Bergmans medarbetare har mördats och eftersom jag träffade honom nyligen ville Calle att jag kommer upp till Stockholm. Han säger att det är viktigt, att han måste prata med mig om det.

– Du menar alltså att bara för att Calle Asplund vill "prata" med dig så måste du avbryta din semester? Kan det inte vänta tills du är tillbaka i stan? Förresten kan du väl berätta vad du vet på telefon? Märkvärdigare är det väl inte? Om jag har förstått rätt är du inte misstänkt för mord.

– Verkligen inte. Haken är att mordoffret är en kille som jobbade med ekonomin hos Bergman och som fixade pengarna, mitt arvode. Nu är båda som kände till det döda.

– Men det måste dom väl kunna ta reda på, en så stor utbetalning? Pengarna kan ju inte ha ramlat ner från himlen. Företaget har väl bokföring?

– Självklart. Det ordnar sig säkert.

Men jag var inte lika självsäker som jag ville ge intryck av. För jag tänkte på Rickard Bergmans motvilja mot konton och överföringar. Hade det funnits en privat "handkassa" bortom taxeringsintendenters och andras vakande ögon?

– Oroa dig inte, sa jag. Ingenting kan få mig att missa Archibald som gudsman. Och inte ens chefen för Riksmordkommissionen kan få mig att avstå från en midsommarafton på Björkesta. Men om du kör mig till tåget i morgon så åker jag upp några timmar och är tillbaka till en god middag.

– Bara dom inte låser in dig. Francine skrattade och kysste mig, mitt på munnen.

Efter en stund förkunnade en högtalarröst att festspelet skulle börja. "Biskop Thomas" väntade inne i den stora logen. Där fanns en scen och rader av hopfällbara stolar. Man hade garderat sig mot regn och arrangerat föreställningen inomhus. Midsommarvädret var ingenting att lita på.

Francine och jag satt på främsta raden tillsammans med Claudette. Scenen befolkades av amatörskådespelare från trakten. Handfast allmoge, illistiga danskar, en grym Erik av Pommern och en redbar Engelbrekt och på en tronstol i mitten satt Archibald, högtidlig, allvarlig. Påminde om Max von Sydow i någon historisk film. I mitra, kåpa och med kräkla gav han illusion av en medeltida biskop. Archibald hade varit mycket road över sin nya roll. "Greve kan vem som helst bli. Det är bara att välja rätt föräldrar. Att bli biskop är fan så mycket svårare."

– Tack och lov har han ju inte många repliker, viskade Claudette. Men jag är nervös i alla fall. Hans minne är inte vad det har varit. Han börjar dagen med att leta efter glasögon och nycklar. För att inte tala om mobilen.

– Det går nog bra, lugnade Francine sin mamma. Jag håller tummarna.

Han är inte ensam, tänkte jag och undrade om han också måste ringa till sin mobil för att hitta den.

Och allt gick bra. Krönikespelet var välskrivet och en del av skådespelarna snudd på proffs. Det hela avslutades med att en kör sjöng Biskop Thomas frihetssång och små barn gick över scenen med svenska flaggor.

Archibald tog av sig mitran när han bugade för applåderna. Jag reste mig och publiken följde efter.

– Standing ovations, sa jag till Francine som höll med. Din pappa kommer att Oscarnomineras.

– Då vet du i alla fall att jag inte mördade Peter Hansson.

Jag hade tagit ett tidigt morgontåg och haft tur. Inte något frömjöl på rälsen, inga stulna kopparledningar och nu satt jag punktligt hos Calle på hans kontor.

– Hur kan jag veta det? Calle Asplund såg på mig från andra sidan det stora skrivbordet.

– Han var ju mitt vittne. På pengarna. Dom femtiotusen som var mitt arvode.

– Du säger det. Men om han i själva verket inte var något vittne? Vi hade ju inte hunnit höra honom. Om han alltså skulle förneka att han sett till att du fått några pengar. Då hade han blivit ett hot mot dig, ett dödligt hot.

– Det verkar väldigt långsökt.

– Var inte orolig. Jag tror inte att du är en dubbelmördare, men det är så här man kan resonera som polis. Det var hyggligt av dig att avbryta din semester, men det var viktigt att få tala med dig. Och jag vill att du berättar i detalj om ditt möte med honom på Bergmans kontor. Det är ju nytt läge nu sen han mördades.

– Är det nån sorts förhör? Är jag misstänkt?

– Nej, det är snarare tjänstefel. Från min sida alltså. Calle log. Låt oss säga att du och jag pratar lite bakgrund. Sen får mina utredare ta det formella.

– Om du först berättar vad som har hänt. Jag vet ju bara att Hansson mördats. Var, när och hur?

– Han bor i Vasastan och det var hans syster som hittade honom. Hon har nyckel till hans våning och hjälpte honom en del med städning och inköp. En del matlagning också. Hansson var ju ungkarl. När hon kom dit i förrgår så låg han död i sin säng, strypt med en röd sidenscarf.

– Det låter verkligen dramatiskt. Teatraliskt på nåt sätt.

– Du kanske inte visste det, men Peter Hansson var homosexuell. Hans syster berättade det. Hon tror att det var nån tillfällig kontakt som han plockat upp. Nån sexlek som gått snett. Så nu kartlägger vi hans kontaktnät i dom kretsarna. Det fanns vissa anteckningar i våningen. Hans adressbok. Men det är ingenting som vi går ut med som du förstår. Så du får hålla det för dig själv.

– Intressant. För då kan knappast Vladimir Sytenko vara inkopplad, om det gällde sex. Såvitt jag vet är han inte gay. Fast han kan ha haft andra motiv.

– Nu hänger jag inte med riktigt.

– Som du vet hade ju Bergman affärer vid sidan av musikbiten, mineralerna jag berättade om. Och han hade business med Sytenko. Peter Hansson höll i ekonomin på Bergmans agentur så det kunde ha varit ett motiv.

– För Sytenko att mörda Hansson?

– Precis. Om han visste för mycket om deras affärer för att det skulle vara hälsosamt. CIA är ju intresserat, andra spelare också.

– Intressant. Men nu vill jag höra mer om ditt möte med Hansson.

Och jag berättade. Om hur Hansson hade talat om den grekiska hjälmen och om Rickards affärer med Sytenko. Om de strategiska mineralerna. Att han hade varnat honom för Sytenko som var ”en djävligt ful fisk”. Och om alla som bråkat med firman genom åren om skadestånd och annat. Det hade ju också Maria Nyman sagt. Och jag berättade om hennes misstankar när det gällde Peter Hanssons förskingring och vad han sagt om henne, att Rickard stängt ut henne ur sitt liv.

Jag tipsade också Calle om den kritiska artikeln som ”avslöjade” Rickards relationer till kolleger och artister och om vad Rickard sagt om de som hatade honom för uteblivna karriärer och missade kontrakt.

– Du menar att den som Rickard snuvat på att få spela Hamlet på Dramaten skulle hämnas? Calle log.

Men det jag berättade om Maria Nyman verkade intressera honom mest.

– Han sa alltså att han hört hur Bergman skrikit åt henne, sa Calle fundersamt. Och att hon skulle få sparken och att han inte hade lovat henne nånting.

– Precis. Och att Hansson hintat att hon visste mer om olyckshändelsen när Louise Bergmans första man föll i trappan och bröt nacken.

– Då kanske vi har en mördare. Åtminstone ett motiv. Ett dubbelmotiv.

– Hurdå, menar du?

– Den här sekreteraren har alltså haft en relation med Bergman som plötsligt slänger ut henne ur sitt liv. Hon kommer ut till villan, dom har en uppgörelse, ett gräl som slutar med mord. Passionsmord, kan man säga. Peter Hansson anar att hon är skyldig, konfronterar henne och är ett hot som måste bort. Enkel snutlogik. Calle log igen. Men inte enbart. Vi ska titta lite närmare på henne. Tack för tipset.

På tåget tillbaka till Björkesta tänkte jag på vårt samtal. Calles team hade inte någon lätt uppgift framför sig. Om Peter Hansson död varit ett sexmord komplicerade det utredningen. I många mordfall kunde mördaren sökas bland offrets anhöriga eller närstående, men om det rörde sig om ett tillfälligt ragg, om de mötts på någon bar och sen gått hem till Peter blev det naturligtvis mycket svårare. Och jag var inte övertygad om att Maria Nyman var inblandad i mordet på Peter. Också om det låg någonting i vad Calle sagt om olyckan i villan så kunde han ju inte bevisa någonting.

Så slog jag bort på tankarna på ond bråd död. Det var Calle Asplunds avdelning. Nu var det sommar och semester. Och jag såg ut över landskapet med betande kor och blommande ängar. Här och där blänkte en sjö fram i blått, grönskan var vällustigt frodig och träden stod täta av löv. Jag kunde inte höra några lärkor men jag visste att de fanns utanför tågfönstret, och jag slog upp tidningen. En artikel informerade om att Svenska Klätterförbundet försökte få klättring till olympiskt gren. Skulle man tävla om vem som kom snabbast upp på Mount Everest? Och fanns det något land som var så genomorganiserat som Sverige? Det fanns tydligen till och med ett särskilt förbund för människor som klättrade, med idrottskonsulent och andra funktionärer.

Fast det var ju förstås dumt med förutfattade meningar, jag kanske borde pröva på? Att klättra var kanske intressant, bara man inte ramlade ner. Men jag avstår, jag får svindel bara jag stiger upp på en stol för att hänga tavlor.

Kapitel XXVIII

Tidigt nästa morgon smög jag nerför trappan i flygeln, Cléo följde mig tätt i hälarna. Jag hade förvarnat Francine kvällen innan så att hon inte skulle bli förskräckt av att möta en tom säng. För jag skulle fiska. Det var en del av min ritual på Björkesta, att ro ut på Båven en tidig morgon när dimmorna lättade och sjön låg spegelblank berikade mitt liv. Livskvalitet. Lugnet och stillheten ute på vattnet. Kontemplativ rofylldhet. Och i mitt "fiske" var inte fisken huvudsaken, nästan tvärtom. Kom jag dragande med en stor gädda var det inte alltid jag fick hurrarop som tack. Att rensa, filea och anrätta mitt byte var en process som krävde sin man, eller rättare sagt, som det oftast blev, sin kvinna. Fast i det fallet vara Claudette den mest positiva. Hon malde helt sonika ner fisken och gjorde queneller av den, små läckra fiskbullar med en härlig, gräddig sås. Till det brukade hon bjuda på Sancerre från det lilla vinslottet i Loiredalen hon ägde tillsammans med sina syskon.

Jag hade sett det på en tavla i stora salongen, en vacker byggnad med anor från medeltiden, en befäst borg som pacificerats och byggts om och anpassats till franskt 1700-tal. Men tornens smala öppningar för bågskyttar fanns kvar och delar av fasaden var nästan täckt av mörkgrön murgröna. Francine talade ofta om att vi skulle åka dit någon gång, men hittills hade det inte blivit av.

I båthuset hämtade jag kastspö och håv och gick ner till bryggan som sträckte sig ut i den lilla viken. Lossade den rasslande järnkättingen som band den gröna ekan, klev ner i båten som vinglade till, men jag hann sätta mig på den smala sittbrädan. Cléo hade redan hoppat i och ockuperade sätet i aktern.

Jag tog upp öskaret och hällde ut några skopor regnvatten som samlats, lyfte upp årorna från ekans botten, fäste dem i årtullarna och rodde ut från land. Klockan var lite över fem, jag vaknar alltid tidigt, och solen steg på andra sidan sjön, blänkte i den stilla vattenspegeln.

Jag rodde ut genom ett bälte av gula näckrosor som vände upp sina gröna handflator. Med smattrande vingar lyfte en grönhövdad gräsand ur vassen och lågt över vattnet seglade en stor fiskgjuse på morgonjakt.

Den lätta dimman över vattnet hade lyft för en svag bris från land och jag lät ekan driva för vind och strömmar när jag kommit en bit ut. En svanfamilj med fem dunbollar seglade förbi. En av de vita föräldrarna burrade upp sig, gjorde ett väsande utfall mot båten för att sedan högmodigt paddla vidare.

Kastspöt hade redan ett blankt skeddrag på tafsen och jag riktade ett första försök mot den gröna vassen. Gång på gång, Cléo såg intresserat på, men inte något hugg, inte det där plötsliga rycket och det tunga motståndet när en gädda huggit. Då är abborrarna trevligare, tar upp en bestämd kamp, rycker och drar, kämpar, medan gäddorna ofta låter sig halas in. Åtminstone de mindre exemplaren. Och abborren ser ut som en krigare faktiskt, en japansk samuraj med den spetsiga vassa ryggfenans pilkoger och sidornas krigsmålning.

Mina tankar var inte fokuserade på fisket, om jag skulle få gädda, abborre eller gös. Jag tänkte på den grekiska hjälmen och händelserna den förorsakat. Om jag varit skrockfull och haft livlig fantasi kunde jag ha föreställt mig att den bar med sig en förbannelse mot den som dragit hjälmen från huvudet på en krigare från Sparta som fallit i slaget vid Thermopyle.

Men verkligheten var mer prosaisk. Rickard Bergman hade mördats. Många hade motiv, alldeles för många. Och hjälmen var borta liksom pengarna i kassaskåpet.

När det gällde mordet på Peter Hansson var problemet något mindre komplicerat. Där fanns två huvudspår. En sexrelation som gått över styr eller någon som velat tysta honom. Hade han vetat för mycket om Rickards affärer? Hade Maria Nyman varit rädd för att han skulle vittna mot henne?

Plötsligt avbröts mina funderingar av ett våldsamt hugg. Med skrikande rulle löpte linan ut innan jag fick stopp på den. Borta vid vasskanten slog en stor fisk, det lät som om någon plumsat ner i vattnet med fötterna före.

Jag drog emot, spöt stod böjt i en båge över vattnet och det kändes som om jag fått en vattendränkt timmerstock på kroken. Det var en stor fisk, en mycket stor fisk, det kändes. Hade jag fått storsjögäddan på kroken?

Försiktigt lirkade jag med mitt byte, drog det närmare ekan, bit för bit. Jag ville inte ta i för mycket, var rädd för att linan skulle gå av för tyngden. Men min fisk närmade sig sakta men säkert. Då och då gjorde den ett ryck, ett kraftigt utfall, men efter en stund var den tillbaka på rätt kurs.

Till sist hade den kommit så nära båten att jag kunde se den, anade den som en mörk skugga nere i vattnet. Cléo hade också sett den. Hon stod med tassarna mot ekans reling och såg spänt ner i vattnet, jamade upphetsat. Och jag förstod henne. För när gäddan kommit fram till båtens kant såg den ut som en krokodil. Inte lika stor, men lika skräckinjagande. Ett stort huvud. Små, ondskefulla ögon och en lång, grönskimrande kropp.

Nu gällde det bara att få upp den. Ingen skulle tro mig om den försvann vid båtkanten. ”Jo, jo”, skulle Archibald skrocka.

”Den har man hört förr. Storfiskarvalsen. Ni skulle sett vilken bjässe jag fick! Jättestor, men just som jag skulle ta upp den slet den sig.” Och det ville jag inte bjuda på.

Fram med håven i ena handen och med den andra höjde jag spöt så att det blev läge att manövrera in mitt byte. Hjärtat dunkade, adrenalinet rusade och jag kände blodsmak i munnen. Uråldriga jaktinstinkter bubblade i mina gener, stenåldersmannen tog över och till slut fick jag min fångst över båtkanten. Den grönskimrande gäddan låg på botten och slog med den stora stjärten. Förskräckt hade Cléo krupit in under sittutrymmet i aktern. Det här var en annan sorts fisk än de blanka strömmingar hon brukade få. Jag tog öskaret och slog gäddan över huvudet tills de tvära kasten upphörde.

– Nu klarar jag inte mer, sa jag till Cléo som fascinerad betraktade mitt byte. Hon nosade försiktigt på gäddan, men drog sig sedan tillbaka till en lugnare plats i aktern. Nog med sensationer så här tidigt på morgonen, tänkte jag, tog årorna och började ro mot land.

När jag förtöjt ekan vid bryggan skar jag en grenklyka ur buskaget bakom båthuset och stack in den bakom gälarna för att kunna bära hem mitt byte. Jag såg med respekt på den stora käften, full av sylvassa tänder fullt kapabla att hugga in på en simmande sjöfågel och dra ner den under ytan.

Med Cléo stolt svansande bakom mig gick jag tillbaka till flygeln, uppför trappan. Öppnade dörren in till sovrummet och ställde mig vid Francines huvudkudde, höll upp den stora bjässen nära hennes ansikte.

Francine vaknade, såg sömndrucket på mig och sedan på den våta bjässen. Hon stelnade till, skrek högt innan hon riktigt vaknat.

– Båvens största gädda, sa jag stolt och Cléo hoppade upp till henne. Tio kilo. Minst.

– Du är inte klok, sa Francine matt. Gör aldrig om det där. Jag trodde jag skulle få hjärtstopp.

– Risken är inte så stor. En sån här fisk får du bara en gång i livet. Jag ska stoppa upp den och hänga den i affären. Den kommer att bli en turistattraktion.

Achibalds och Claudettes reaktion blev mycket mer positiv när jag några timmar senare stolt placerade min gädda på den långa diskbänken i köket, mitt i deras frukost. Hushållsvågen plockades fram, men den räckte inte. Men i skafferiet fanns ett besman, en stor viktmätare. Archibald och jag hängde upp gäddan på kroken och vikten stannade på fjorton kilo. Sigge viftade entusiastiskt på svansen och nosade förtjust på den långa fisken.

– Det är nog den största gäddan man har tagit i Båven, sa Claudette förtjust och Archibald såg belåten ut.

– Den där besten var livsfarlig för andungarna. Jag har sett att dom ibland blir knipsade av en sån här bjässe när dom paddlar fram bakom sin mamma.

Då surrade min mobil i fickan. Eric Gustafson. Vad ville han? Hade någon frågat på något av mina objekt i skyltfönstret? Men det var inte det han ville tala om utan om något helt annat. Jag hade gått ut med mobilen i den stora trapphallen utanför köket för att kunna tala ostört.

– Jag hörde nånting i går kväll som jag tror kan intressera dig. Eric lät förtjust, som alltid när han serverade någon "godbit" som dykt upp från hans stora kontaktnät, hans "klienter".

– Igår var jag alltså på en mottagning på rumänska ambassaden. Det var nån kulturknutte från Bukarest som skulle föreläsa i Sverige och eftersom jag räknas in i den kategorin, kulturmänniskor alltså, så var jag bjuden. Alla kan ju inte räknas dit, men din dag kanske kommer om du sköter dig.

Jag såg honom inte, men jag hörde på tonfallet hur spinnande belåten han var med sin replik. Men den bjöd jag på. Jag ville veta varför han ringde.

– Och jag träffade Eva, Rickard Bergmans styvdotter alltså. Hon representerade UD. Jag känner ju både henne och Henrik väl sen många år. Och hon berättade nånting mycket, mycket intressant. Eric tystnade. För att höja spänningen?

– Dom har just öppnat Rickards testamente ute i den fina villan. Tystnad igen.

– Fram med det.

– Det visade sig att Rickard hade en dotter, men inte med Louise utan med en annan dam. Och hon ska alltså ha sin arvslott. Och det blir mycket pengar. Eric lät förtjust.

– En dotter?

– Just det.

Det måste verkligen ha varit en bomb som slagit ner i den gula villan, tänkte jag. Inte bara en ny familjemedlem. En ny arvtagare också.

– Och du då? Vad händer i din lilla värld? Eric lät förtjust över sitt melodramatiska övertag.

– Om det kan intressera dig så är jag Båvens Hemingway. Jag har just dragit upp den största gäddan dom nånsin har sett på Björkesta. Du har väl läst ”Den gamle och havet”? Så du kan slänga dig i väggen med dina diplomatmottagningar. Här är det ”the real life” som gäller. Ingen plats för sconesbakande veklingar.

Där satt den, tänkte jag och knäppte av.

Kapitel XXIX

Efter samtalet med Eric gick jag tillbaka till köket och det uppdukade frukostbordet. Det doftade nybryggt kaffe och rostat bröd. Apelsinjuicen stod guldgul i en hög glastillbringare, kokta ägg fanns och korv. Leverpastej. Uppskuren gurka. Knallröda tomater som aldrig sett skymten av bekämpningsmedel från växthuset. Skinka också. Och mina favoriter, hembakade fröflarn, lika goda som nyttiga.* Ett överdåd som jag inte var van vid. Mina frukostar på Köpmantorget är betydligt mer spartanska. Men här var det i alla fall en sak jag saknade, min halva grapefrukt.

– Slå dig ner Johan, sa Archibald. Vi la ditt monster ute i grovköket för det luktade fisk så förbannat. Francine sa att du skulle stoppa upp den.

– Nja, jag vet inte. Jag tror inte det ryms i min budget. Och jag vet heller inte riktigt var jag ska hänga den i så fall.

– Om du inte vill göra det så ska jag gärna ta hand om den. Den skulle göra sig bra ute i hallen bland alla hornen. Älg, hjort och rådjur. En gammelgädda skulle pigga upp. Mina vänner på trakten skulle bli jäkligt avundsjuka.

– Svär inte, sa Claudette missnöjt. Det låter så obildat.

– Men jag är ju obildad. Archibald såg belåtet på henne. En enkel och redbar lantjunkare. Vi satt förresten just och talade

* Recept på sid. 348.

om spioneri med Francine.

– Verkligen?

– Du vet att det inte är mitt bord, sa Francine och slog upp svart kaffe åt mig. Jag svarar ju för personskyddet.

– Jag har aldrig riktigt förstått vad det går ut på mer än att du ska se till att kungar och statsministrar inte blir skjutna, sa Claudette.

– Det är faktiskt lite mer komplicerat än så. Francine log mot sin mamma. Säpo har ett anslag på omkring en miljard om året och nästan hälften av det går till personskyddet. Vårt uppdrag på min kant är att skydda mer än fyrahundra personer som hör till den centrala statsledningen. Sen tillkommer kungafamiljen och höga utlänningar på statsbesök liksom ambassader.

– En halv miljard, sa Archibald. Och ändå så mördades Palme och Anna Lindh.

– Det är våra största misslyckanden och därför har vi fått ökade anslag. Jag har omkring hundrafemtio livvakter till min hjälp.

– Unga flickan. Claudette såg förtjust på henne. Så stor personal. Jag som bara har Archibald att köra med.

– Jag är inte ensam chef. Francine skrattade. Men vi är faktiskt en viktig del av Säpo.

– Så du sysslar inte med spioner? Archibald såg frågande på henne.

– Nej, men jag vet naturligtvis en del om den biten. Och jag är också inkopplad på terroristbekämpningen. Vi räknar med att vi har omkring tvåhundra potentiella terrorister i Sverige.

– Jag trodde spioneriet försvann med kalla kriget, sa Claudette.

– Ja och nej. Det försvann inte men ändrade inriktning. Förr var det Nato och Warszawapakten som gällde. Neutrala Sverige låg mitt emellan och var mycket intressant, inte minst ur militär synpunkt. Men nu har fokus skiftat. Nu spionerar man självfallet mot militära mål men särskilt när det gäller industri, teknologi och andra områden där vi ligger i framkant.

– Det är ryssarna förstås, sa Archibald dystert.

– Inte bara dom, men dom ligger i topp tillsammans med Kina och Iran.

– Men kineserna och iranierna vill väl inte invadera Sverige? Claudette såg undrande på Francine.

– Nej, men kineserna är exempelvis intresserade av vår ubåtsexport till Australien, och Iran bedriver flyktingspionage. Vi har ju många iranier i Sverige nu. Och våra IT-system är intressanta.

– Du och Säpo gör nog ett bra jobb, sa Archibald. Men titta på domstolarna. Nämndemännen, en bunt fritidsdomare ur det politiska B-laget utan utbildning sitter med och dömer. Dessutom är en del jäviga så man får ta om en rättegång i Södertälje som redan kostat tvåhundra miljoner, och ibland somnar dom.

– Man diskuterar det nu, sa Francine.

– Det är på tiden i så fall. Men rättstillämpningen sen! Jag läste om några ligister som slog ner en äldre man. Såna där huliganer roar sig ju med att sparka folk i ansiktet. Mannen fick livshotande skador, förlorade minnet och ett öga. Vet ni vad dom där gökarna fick? Jo, 140 timmars ”ungdomstjänst”, städning och trädgårdsarbete. Det är vad man får om man förstör livet för en annan människa. Vilka signaler skickar det? Och sen finns det politiker som vill att det ska vara en lagstadgad plikt att man ingriper när man ser en sån där misshandel. Vad händer då, tror ni?

Arcihbald tystnade, såg på oss.

– Jo, man blir själv nerslagen och sparkad, blir liggande och ingen ingriper. Sen finns det ingen som vågar vittna och man får kanske ligga resten av livet som en grönsak. För att inte tala om dom som mördar nån och sen skyller på varandra och alla går fria. Gör nånting åt det Francine, du som är polis.

– Jag önskar jag kunde, Francine log mot honom. Men du får tala med politikerna, ni har ju en KD-farbror i riksdan härifrån. Dom stiftar lagarna och domstolarna måste följa dom.

Några dagar senare körde vi tillbaka till Stockholm. En minisemester, men bättre än ingenting och midsommar är alltid midsommar. Och jag hade inte velat missa att se Archibald som biskop Thomas. För att inte tala om min gädda! Det var sommarens behållning. En machoupplevelse. Jägaren och samlaren från stenåldern hade kommit tillbaka.

I bilen hade jag tid att sammanfatta läget, situationen kring den grekiska hjälmen.

– Två mord, en upphittad dotter och en ryss som säljer strategiska mineraler, sa Francine. Och polisen är inte övertygad om att dina femtiotusen är ett arvode. Har jag fattat rätt?

– Alldeles.

– Då vet du precis vad jag tänker säga, eller hur?

– Exakt. Du behöver inte göra det.

– Förstår du inte att jag är rädd om dig? Att jag älskar dig.

– Jag vet. Men nu finns det ingenting mer jag kan göra.

Det var förstås en vit lögn, för husfridens skull. Jag tänkte i alla fall tala med Jonas Berg om Rickard Bergmans affärer med strategiska mineraler. För jag hade en bestämd känsla av att det var där mördaren kunde hittas. Ville Sytenko eliminera en konkurrent och vilken roll spelade CIA?

Väl hemma duschade jag och gick ner till affären. Jag låste upp och larmade av, dörren lät jag stå öppen. Det var kvavt och instängt, men sommarvinden svepte in och fräschade upp.

Varken våningen eller affären bar spår av några nya inbrott. Om Sytenko legat bakom hade han säkert insett att någon grekisk hjälm inte fanns att hämta hos mig.

Jag satt nersjunken i min slitna fåtölj och såg igenom posten som samlats i en driva nedanför brevinkastet ute i affären. Ingenting spännande. Elräkning, telefonräkning, inbjudan att delta i Postkodlotteriet, inbjudningar till vernissage och utställningar. Det enda som livade upp skörden var ett vykort från Jonas. På semester i Thailand. Då fick vårt samtal vänta.

Jag såg på kortet. En oändligt lång, vit sandstrand. Turkosblått hav. En gul fiskebåt med rött segel. Fast varför man lämnade den svenska sommaren förstod jag inte riktigt. Själv brukade jag fara på en vecka till Kanarieöarna under den mörkaste perioden, bort från snö och kyla. Lagom långt och inga problem med tidsomställning.

Då ringde telefonen. Francine? Men till min förvåning var det Louise. ”Tack för senast”, höll jag på att säga men hann ändra mig.

– Det var en fin begravning.

– Tack. Jag tror att Rickard hade uppskattat det. Han talade ibland om det, om döden. Och han sa att dom som kom på hans begravning skulle gå sorgsna dit och glada därifrån. ”Champagnen ska flöda”, brukade han säga.

– Det gjorde den verkligen. Allting var mycket generöst.

– Tack igen. Rickard sa alltid att man dör bara en gång och då ska det kostas på. Men det var inte därför jag ringde. För att tala om begravningen. Jag har ett helt annat ärende, som gäller dig.

– Mig?

Var det den grekiska hjälmen hon ville tala om? Det var väl den enda beröringspunkten jag haft med Rickard.

– Ja, jag tänkte be dig om hjälp. Rickard lämnade ju efter sig stora samlingar och jag vill att du tittar på vad han hade och ger mig råd om hur jag ska hantera objekten. Ska jag gå ut på auktion? Bukowskis eller Auktionsverket? Eller är Sotheby's eller

Christie's bättre? Dom har ju ett annat klientel.

– Jag skulle gärna ställa upp men jag är faktiskt inte expert på dom "antika" antikviteterna. Hjälmar, vapen och kejsarbyster i marmor.

Louise skrattade.

– Jag förstår det och det mesta finns nere i Zürich. Vi har ju ett hus där och dom föremålen tänkte jag sälja på antikmässan i Basel eller i Maastricht. Eller låta nåt av dom stora antikhusen sköta försäljningen. Men han hade faktiskt annat också, inte bara romerska kejsare och medeltida riddarrustningar. Här i Stockholm hade han mycket fin konst och svenska antikviteter. Han har exempelvis en Hauptbyrå och både Zorn och Liljefors. Sånt kan du väl?

– Det är mitt yrke så där kan jag ställa upp. Du vill alltså ha en värderingsman?

– Inte bara det. Nån som kan ge mig råd och som har tips på intressanta köpare.

– Men jag förstod på Rickard att han skulle donera en del av samlingarna till Nationalmuseum?

– Tur i oturen var att han aldrig hann skriva in det i sitt testamente.

– Jag förstår. Men du vill väl behålla mycket själv?

– Verkligen. Jag tänker inte bli sittande i tomma rum. Hon skrattade. Men jag har tänkt sälja villan. Det finns för mycket sorgligheter här. Du vet ju att min förste man ramlade i trappan. Sen Rickard... Hon tystnade. Och jag har förtroende för dig, fortsatte hon. Du verkar hederlig och Rickard litade på dig. Sen känner jag faktiskt inte till nån annan i din bransch som jag kan anlita. Arvode får du bestämma själv.

– Jag ska gärna ställa upp. När passar det dig?

– Vi kan väl ha en första genomgång nån gång i nästa vecka? Jag måste bestämma bara vad jag vill bli av med. För jag tänker skaffa ett mindre boende, en våning. Det blir för mycket för mig med det här stora huset och trädgården. Särskilt efter det som hänt. Och jag har ju huset i Zürich. Sen får jag se hur det blir med företaget. Om Henrik tar över eller hur vi gör.

– På tal om det så hörde jag att Peter Hansson är död. Mördad, han också.

– Jag vet det. Han fick vad han förtjänade. En väldigt obehaglig typ, såg ut som en tivoliägare. Det var väl nån av alla hans älskare som hade fått nog.

Det var också ett begravningstal, tänkte jag när vi lagt på. Och hur såg förresten en tivoliägare ut? För min del tyckte jag att han mer liknade en bookmaker på en hundkapplöpning i London. Liten, smal, tunna läppar och ett obehagligt, beräknande uttryck i ögonen. Men man ska väl tänka väl om de döda. Peter Hansson, en av trotjänarna i firman, kanske i grund och botten var en hedersman, men jag tillät mig tvivla. Fast jag undrade vad Louise hade emot honom. Hon hade ju låtit så oerhört negativ. Hade hon hört talas om hans förskingring?

Kapitel XXX

Jag skulle just stänga i affären, stod inne på kontoret för att låsa den tunga dörren till det höga kassaskåpet. Det har sin egen historia. Juveleraren som haft lokalen före mig hade låtit installera det för att skydda sina skatter som måste ha varit betydligt exklusivare än de objekt jag ställde in. Och han hade tagit till. Stort och åbäkigt. Satt upp det i en smal garderob där det passade precis.

När jag stängt den tjocka dörren och vridit in koden, JKH 1402, min födelsedag, med den runda ratten, borde jag alltså känna mig trygg. Mina silverkannor, lite smycken och annat jag brukade låsa in över natten vilade väl i säkert förvar. Men jag var inte alldeles övertygad. Det gamla skåpet hade sett bättre dagar och tekniken gjort framsteg, också bland kassaskåpsknäckare. Och jag undrade om mitt "besök" häromdagen, männen som Eric sett gå in i affären, hade försökt sig på att öppna det i sin jakt på den grekiska hjälmen? Om de nu hade varit ute efter den förstås och inte bara varit vanliga inbrottstjuvar.

Jag mindes ett tidigare inbrott i affären, ett försök från baksidan, mot gården, som misslyckats. Tjuven hade tydligen blivit skrämd och lämnat efter sig en kofot, en keps och en snusdosa. Det kändes tryggt med en hederlig, gammaldags tjuv, hade jag tänkt. Inte någon representant från den organiserade brottsligheten eller öststatsmaffian. Men jag skulle i alla fall ligga bättre till hos mitt försäkringsbolag om jag hade mina skatter inom relativt säker lås och bom. Det skulle åtminstone kosta en viss möda att få upp den tunga dörren och under tiden skulle larmet gå. Frågan var väl närmast om Securitas skulle hinna fram innan fåglarna var utflugna.

Jag hade läst någonstans att ett inbrott i en våning i New York i genomsnitt tog femton sekunder. In och ut. Snabbrusch till sovrummet där nattygsbordslådor, toalettbord och andra utrymmen vittjades på smycken, kontanter och kreditkort. Här hos mig skulle gallergrinden förhoppningsvis avskräcka.

Då öppnades dörren ute i affären. Jag såg på klockan. Fem över sex. Stängningsdags. Men jag ville inte missa en affärsmöjlighet.

Till min förvåning stod Jonas Berg därute. Solbränd och fräsch. Han log mot mig.

– Jag vet att jag är sen. Du hade väl redan stängt? Om du vill kan jag komma tillbaka i morgon.

– För tjocka släkten är det alltid öppet. Jag trodde du var i Thailand. Jag fick just ett fint kort därifrån. Men jag fattar inte att du reser bort från den svenska sommaren.

– Det var faktiskt inte semester. Jag var på ambassaden för att diskutera svensk vapenexport. Du har kanske sett att svenska vapen letar sig in i Burma trots att vi inte har nån export dit. Vårt fina granatgevär Carl Gustaf figurerade. Så vi samarbetar med thailändarna, med polis och militär för att få stopp på det. Och jag stannade över i Delhi också. Dom har ju exporterat moderna vapen till Burma.

– Jag trodde du höll på med terrorism?

– Jag är inkopplad på lite av varje som du vet och krigsmateriel är ju en del av den biten. ISP bad mig ställa upp.

– Ni har så många förkortningar nu för tiden. Vad betyder det?

– Inspektionen för strategiska produkter, dom ska se till att våra exportrestriktioner på det här området funkar. Dom har alltså ersatt gamla Krigsmaterielinspektionen.

– Det förstår jag, med ett sånt namn. Då bör dom väl övervaka dom strategiska metallerna också? Dom som Rickard och Sytenko handlade med?

– Jag känner ju inte till deras verksamhet i detalj men det borde dom göra. Jag har hört att en av dom större fyndigheterna av den här sortens metaller faktiskt finns i Sverige, utanför Gränna. Fast jag tror knappast att dom där båda figurerna ville besvära nån statlig myndighet med sina affärer. Tvärtom. Jonas skrattade.

– Men här står vi och pratar. Slå dig ner. Vill du ha kaffe? Te? Whisky? Det är bara att välja.

– Tack, men jag är lite på språng. Jag ska äta middag med Eva om en halvtimme och jag hade vägarna förbi. Jag ska till en krog i Gamla stan så jag ville bara titta in och säga hej och att jag är tillbaka.

Vi satte oss i den långa soffan.

– Läget, men kort. Grekiska hjälmar, strategiska mineraler och mord på en musikproducent. Du har allt. Jonas skrattade.

Jag gav honom den korta versionen. Han avbröt inte, lyssnade koncentrerat.

– Och nu är alltså också Bergmans medarbetare mördad. Vad säger polisen? Finns det nåt samband?

– Dom säger ingenting, men dom tror att det är ett sexmord. Peter Hansson var gay och strypt i sin säng med en röd sidenscarf. Fast det är hemligt. Polisen håller på det.

– Verkligen? Det låter dramatiskt. Då kan det knappast vara din vän Sytenko som varit i farten.

– Om han nu inte använde nån av sina torpeder och arrangerade det som ett sexmord för att blanda bort korten?

– Det är naturligtvis en möjlighet. Frågan är bara varför i så fall?

– Ingen aning, men Hansson kan ju ha varit inblandad i Bergmans affärer när det gällde dom strategiska mineralerna. Han visste för mycket också om Sytenko. Och då måste han bort. För säkerhets skull. Men det kan ju också ha funnits andra motiv.

– Vi får väl avvakta polisutredningen och jag ska kontakta min "agent" på amerikanska ambassaden. Han brukar vara välinformerad. CIA har ju ett stort nätverk. Men nu måste jag tyvärr dra. Vi hörs. Hej så länge.

Jonas reste sig och gick till dörren.

– Hälsa Eva. Jag ska snart träffa hennes mamma i deras villa.

– Verkligen?

– Jag kommer som värderingsman. Rickard hade ju många fina föremål; konst, möbler och mycket annat och Louise vill ha hjälp med värderingen.

– Utmärkt. Då kan du ju kolla om du hittar några strategiska jordartsmineraler eller din grekiska hjälm. Jonas skrattade.

När jag larmat affären och låst gallergrinden och ytterdörren fick jag en idé. Jag såg på Erics affär tvärs över gatan. Ljuset var tänt därinne och Eric rörde sig bland montrarna. Det verkade som om han möblerade om. Hade han fått in ett nytt sortiment? Jag knackade på hans dörr. En förvånad Eric öppnade.

– Så kärt att se dig, men jag trodde du hade gått hem. Det är ju stängningsdags och det drar väl i Dry Martini-tarmen.

– Ja, men jag har fått en idé.

– Då får jag gratulera. Då är det bäst att du kommer in innan du har glömt bort den. Hos en del börjar det tidigt.

– Tack för älskvärdheten, men nu ska du lyssna.

– Jag är idel öra när du får idéer. Det händer ju inte så ofta.

– Nu ska du inte vara sån. Lyssna i stället.

– Om du tillåter så sätter vi oss. Jag vet inte om jag klarar dina idéer stående.

Vi gick in i Erics kontor, större än mitt med en liten soffgrupp i mitten, och han satte på tevatten och tog fram några scones ur en plåtask, lade dem på ett glasfat.

– Välkommen till min budoar. Hit kommer bara bättre kunder. Dom föredrar en diskret miljö när dom gör affärer, särskilt när dom vill sälja. Damer mest förstås. Män är ju ofta så okänsliga. Burdusa. Inte du förstås. En vek och känslig natur. Står frågande inför livet. Eller hur? Han log igen. Vi tar en kopp te. Det lugnar. Och så kan du få smaka på mina egenhändiga scones. Man blir så ren om händerna när man bakar dom.

Jag satte mig ner i en av baljfåtöljerna, ville inte gå i svaromål för jag hade någonting att be honom om. Då var det bättre att ligga lågt.

– Jag har ett förslag, sa jag när Eric satt ner tekopparna på bordet. Silverfatet med sconesen landade mitt emellan.

– Det låter oroväckande. Eric serverade rökdoftande Earl Grey ur en stor porslinskanna, såg ut som Wedgwood.

– Jag vill att du ska bjuda mig på middag. Och inte bara mig. Henrik och Eva också. Bergmans styvbarn.

– Ja, man kan ju knappast kalla dom ”bonusbarn”. Det maliciösa leendet var tillbaka. Och varför det om jag får fråga? Vad har jag gjort för att föräras detta hedersuppdrag? Ta ett scones nu. Dom bjuder jag på utan att vara uppmanad, sån är jag.

– Jag förstår att det kan verka påfluget och det kan vara i all enkelhet.

– Det var omtänksamt av dig. Men när jag äter middag är det aldrig i enkelhet som målsättning, sa Eric avmätt och bröt sitt scones i två delar, strök smör och hallonsylt på.

– Du känner ju till hela den här historien med Rickard Bergman, och nu har en av hans medarbetare i företaget också mördats, som du vet. Och det du berättade om den okända dottern förenklar ju inte ekvationen.

– Det är väl det minsta man kan säga.

– Jag har just talat med Louise. Hon ringde och bad mig att göra en värdering. Dom finaste grejerna är nere i Schweiz men mycket av det svenska finns i villan. Bland annat en Hauptbyrå och en del fin konst.

– Och därför skulle jag bjuda hennes barn på middag?

– Nej, men jag skulle vilja träffa dom på neutral mark, prata med dom. Få dom att öppna sig.

– Varför det?

– För att jag tror att dom vet mer om Rickard och hans död än dom berättat. Du känner dom sen tidigare och då är det inte nånting konstigt med att du bjuder dom på middag. Gjorde jag det skulle dom undra och bli på sin vakt. Om du vill kan du bjuda med Jonas Berg också. Han och Eva är kolleger och du har ju träffat honom.

– Det har jag. Din stilige kusin. Tänk så långt äpplet ändå faller från päronträdet, men det kan du ju inte rå för. Du är i alla fall snäll, för det mesta. Han är mycket välkommen. Eric log belåtet och tog den andra halvan av sconeset. Och när ska jag få äran att bulla upp ditt gästabud?

– Så snart som möjligt och mig passar det när som helst. Du har inte hört nånting mer om den där flickan du berättade om?

– Vilken flicka?

– Du sa ju att det fanns en okänd dotter till Rickard med i bilden. Visste Louise om det?

– Ingen aning, men Rickard var ju en ful fisk på många sätt så man kan aldrig veta. Förmodligen kom det som en chock för henne. Och det kan ju få konsekvenser på många sätt.

– Hurdå?

– Jag tror inte att dom har äktenskapsförord så Rickard och

Louise har hälften var av boet. Henrik och Eva får ju ingenting efter honom. Dom var ju inte hans barn om han inte adopterat dom och det tror jag inte. Dom var ju redan vuxna när han gifte sig med Louise. Men det får du väl ta reda på om du är intresserad.

– I normalfallet skulle alltså Louise som änka efter honom ärvt hela Rickards andel, men inte nu?

– Inte nu. Den här flickan har sin laglott efter sin pappa. Eftersom boet har stora tillgångar så blir det en bra bit av kakan som Louise i så fall får lämna ifrån sig. Sen vet man ju inte heller vad han kan ha testamenterat bort.

– Enligt Louise skulle i alla fall Nationalmuseum inte få nånting. Han hade ju tänkt göra en donation, men det hann visst inte bli klart. Så där har hon åtminstone nånting att glädja sig åt.

– Åja, hon sitter inte i sjön. Du kan ju tänka dig vad alla dom här antika prylarna han köpt på sig kan inbringa på rätt auktion och till rätt köpare. Det är museiklass på samlingarna, har jag förstått på Rickard. Tänk bara på hans grekiska hjälm.

– Det har du rätt i. Men hjälmen är försvunnen. Jag såg den när jag var hemma hos honom på kvällen samma dag han mördades, men sen dess är den borta. Och jag misstänker att Sytenko har den. Du såg ju själv dom där typerna som bröt sig in hos mig häromdan. Det kan ha varit hans torpeder. Nån hade varit uppe i våningen också.

– Det var ju inte så bra. Be Calle Asplund skicka nån biffig konstapel som kan stå vakt utanför dörren. Det kan bli riktigt trevligt. Han kan skicka en till mig också för säkerhets skull. Du vet ju att jag är svag för uniformer.

– En bra idé. Och låsen har jag redan bytt. Nej, nu måste jag kila. Cléo har varit ensam hela dan och måste ha mat. Vi ses på din middag,

– Vi gör väl det. Jag är bara lite orolig.

– Varför det?

– När man släpper ut dig på egen hand så vet man aldrig var det slutar.

– Du låter som Francine.

– Jag vet, men vi känner dig.

Inte för att jag trodde att en middag med Eva och Henrik skulle ge särskilt mycket, tänkte jag när jag gick hem från Erics affär. Även om de visste mycket om Rickard Bergman och hans affärer skulle de väl knappast vara alltför öppenhjärtiga. Särskilt om de själva var inblandade. Men det vore intressant om man kunde komma under ytan på deras attityder. Det var alldeles tydligt att de avskydde Rickard. Kanske en vanlig reaktion inför en man som tagit barnens pappas plats i livet?

Jag tänkte på mitt första möte med Henrik, eller snarare sammanträffande. ”Sammanstötande” kanske var ett bättre ord. Hur han skrikit ”gubbjävel”. Och Rickards agerande hade väl inte minskat klyftan. Vidlyftiga affärer, investeringar i exklusiva antikviteter och hans ”affärer” vid sidan av.

Var de medvetna om Maria Nymans ambitioner och Rickards löften till henne? Om hon fått ersätta Louise i familjen skulle definitivt Henriks framtid i firman ha blivit ännu mer kringskuren.

I och för sig trodde jag inte att varken Eva eller Henrik låg bakom mordet om man med mord menade ett välplanerat och kallblodigt dödande. Men jag tänkte på hur pistolen legat framme i kassaskåpet. En hetsig och aggressiv Henrik tappar kontrollen, rafsar åt sig pistolen och skjuter besinningslöst. Många års uppdämt hat hade inte längre kunnat kontrolleras.

Det kunde också gälla Eva. Att avfyra en pistol fordrade inte någon styrka. Och hennes låga kanske inte var svagare än broderns.

När jag kom upp på trappavsatsen utanför min våning, jag

hade tagit den smala trappan upp, min enda eftergift till hälsoknuttarnas motionsråd, så tittade jag noga på det nyinsatta låset. Ingen åverkan, om det nu inte dyrkats upp med specialverktyg. Gallergrinden verkade också intakt och larmet hade inte gått.

– Man får vara glad för det lilla, sa jag till Cléo som suttit på min axel. Hon rann in i våningen efter mig, jamade högljutt och satte fart mot köket. Det var en uppmaning som jag förstod. "Mat, men snabbt!" Jag skedade ner det som fanns kvar i kattmatsburken på hennes blåvita Meissenfat, satte ner det på golvet och fyllde hennes vattenskål.

Det är alltid trevligt att se på när hon äter. Sitter med huvudet på sned, blundar och tuggar koncentrerat och elegant. Njutningsfullt. Inte som Sigge, taxen på Björkesta, och andra hundar. Glufs, glufs, glufs och så var fatet tömt. Ingen finess. Ingen njutning. Men hundars smaklökar lär vara mycket mindre utvecklade än luktsinnet som ju är fenomenalt.

Till mig själv tog jag fram en djupfryst fiskform, alla singlars vän. Fast en nödlösning. Jag kände inte för att laga riktig mat. Så satte jag ugnen på 200 grader och ställde in formen. Det var en fiskart jag aldrig hört talas om, men det stod på förpackningen att den inte var hotad. Eftersom jag inte ville bidra till torskens utfiskning i spåren av EU:s egendomliga fiskeripolitik hade jag köpt den med gott samvete. Den var dessutom dekorerad med räkor och omringades av en sträng potatisgratäng. Det fick duga. En halv flaska Stoneleigh stod också beredd.

Jag gick in i mitt vardagsrum och satte på tv:n i väntan på nyheterna. Med mig hade jag tagit ett glas av vinet. I ett försök att hålla vikten nere tog jag inte en Dry Martini varje dag. Trist, men säkert nyttigt.

Det var sportnytt så jag kunde med gott samvete sätta på "tyst". Jag brukade titta som barn när Stenmark åkte och Borg spelade Wimbledon, men numera blir det ju mera sällan. Ja,

Carolina Klüft på sin tid förstås, men hon var ett undantag. Annars var det egentligen bara glimtar från OS när svenskar fanns i rutan och Vasaloppet som gällde. Den lätt bisarra folkfesten när tusentals skidlöpare glider iväg genom snötyngda skogar under en blekgrå himmel. Det är också ett vårtecken, för man vet att efter Vasaloppet kommer våren, sakteligen förstås, men den kommer. Ljuset skulle också komma tillbaka och Vasaloppet var för mig en milstolpe i ökenvandringen, om man nu kan applicera det begreppet på snö och kyla.

Jag satte mig i en av fåtöljerna, tänkte på den grekiska hjälmen och allt den fört med sig. Att be Eric bjuda Henrik och Eva tillsammans med Jonas var naturligtvis ett hugskott, "a shot in the dark", som säkert inte skulle leda till någonting. Men jag kände att jag måste agera, göra någonting. För med Peter Hanssons död hade mitt bästa kort försvunnit. Han och Rickard hade varit de enda som visste att mina femtiotusen varit ett arvode, de kunde bevisa att jag inte stulit dem ur Rickards kassaskåp.

Det fanns förstås en möjlighet. Peter, som varit Rickards högra hand och ekonomiansvarige, kanske hade anteckningar och viss bokföring i sitt hem, det som alltså rörde Rickards affärer "vid sidan av", som exempelvis strategiska mineraler och antikviteter. Om den informationen förvarats på kontoret kunde den ju hamna i fel händer. Eller åtminstone under fel ögon. Och jag hade läst om skattemyndigheternas "gryningsräder", när någon misstänkt persons arkiv plockades bort och genomlystes av deras experter. Det fanns alltså stora fördelar med att den delen av firmans verksamhet förvarades på ett diskretare ställe än på kontoret vid Västra Trädgårdsgatan. Då gällde det bara att få tag på Peter Hanssons syster. Calle hade ju berättat att hon fanns. Men vad hette hon och var bodde hon? Jag måste höra med Calle.

Nästa steg var sedan att förklara för henne varför jag undrade över Peters anteckningar och bokföring. Skulle hon inte bara svara att det hade jag inte med att göra? Om det fanns några oklarheter så var det polisens sak, inte min. Och det skulle hon naturligtvis ha alldeles rätt i. Men den som inte frågar får heller inte något svar. Igen kom ett av de gamla, folkliga uttrycken för mig. ”Lyckan står den djärve bi.”

Vem vet, tänkte jag och tryckte fram nyheterna. Det kanske låg någonting i det där gamla uttrycket. Åtminstone gjorde jag någonting. Satt inte bara passiv och väntade på nya förhör om arvodet för hjälmen från Miami.

Kapitel XXXI

– Vad ska du med den till? Calle Asplund lät misstänksam i mobilen.

– Jag behöver adressen för att jag kände hennes bror, ljög jag, fast bara lite för jag hade ju ändå träffat honom. Och jag tror att Peter visste en hel del som han kanske har berättat för sin syster.

– Du ska alltså vara nån sorts djävla privatspanare. Köra en parallell utredning till vår? Calle lät bister.

– Oroa dig inte. Jag ska inte trampa på några ömma polistår, bara fiska lite om hon vet vart min grekiska hjälm tog vägen. Om Peter sagt nåt.

– Okej, det är ju inga statshemligheter vi pratar om och vi har redan hört henne. Har fått med Hanssons adressböcker och brev också, så du kan husera fritt med tanten. Ett ögonblick bara.

Tystnad. Så kom det.

– Ingela Hansson. Tydligen ogift. Och hon bor på Söder. Sankt Paulsgatan 45B. Nu har jag inte tid med dig längre. Och hitta inte på några dumheter. Hej.

Jag kände Calle så väl att jag visste att han visste att jag visste. Att han alltså diskret släppte in mig på ett område han egentligen inte hade rätt till och där jag kunde röra mig friare som privatperson än hans egna kolleger. Vi har ju en benägenhet att rygga tillbaka för polismakten vare sig det gäller hastighetskontroller eller någonting mera seriöst. ”Överheten bär inte sitt svärd förgäves”, hette det och även om polisen idag inte bär sabel så finns det en förkrossande auktoritet i uniformen. I århundraden hade vi som förtryckt allmoge stått med mössan i handen inför prästen, doktorn och länsman. Den stämpeln hade jag alltså inte på mig och kunde röra mig fritt i olika miljöer. Kunde jag gräva upp något som hans utredare missat så skulle det vara mycket välkommet. Det var vår underförstådda deal, vårt oskrivna avtal. Han riskerade inte JO-anmälan och hade ibland nytta av mina ”spaningar”. Och det passade mig bra.

Jag ringde på en gång, jag ringde två, när jag stod i trapphallen utanför Ingelas våning. Tystnad på andra sidan dörren. Hade hon glömt att jag skulle komma eller ville hon inte prata med mig? Ingela Hansson hade låtit misstänksam när jag ringde.

– Är du journalist?

– Nej. Men god vän till Peter och jag skulle gärna vilja träffa dig.

– Varför då?

Jag tog tjuren vid hornen och avlossade en bredsida. Det fick bära eller brista.

– Polisen tror att jag kan ha nånting att göra med Rickard Bergmans död och jag undrar om Peter talade med dig om det? Om mordet på Rickard alltså.

Det var tyst i luren. Hade hon lagt på? Hade jag bränt mina skepp?

Så kom hon tillbaka, lite mindre frostig nu.

– Jag vet inte vad jag kan bidra med och allt jag vet har jag berättat för polisen. Dom tog ju hans dator och anteckningsböcker och annat som dom var intresserade av. Men om du var god vän med Peter och vill prata med mig om honom så går det väl bra.

Då hördes steg på andra sidan dörren, en säkerhetskedja rasslade och dörren öppnades.

En kvinna i min ålder ungefär såg på mig. Hon var kortare än jag, kraftigt byggd men på ett feminint sätt, var ”mullig”, ett begrepp som ladugårdskarlen hos prostgårdsarrendatorn hemma i Viby brukade använda om en del av sina välväxta flickvänner. Barfota var hon, tårnas röda naglar lyste som körsbär. Svarta jeans, T-shirt i turkos.

Mörkt, kortklippt hår och glada ögon. Om man sett henne tillsammans med Peter hade man inte trott att de var syskon. Han tunn och snipig, hon frodigt glad.

– Kom in. Jag förstår att du och Peter var goda vänner.

– Ja, svarade jag med en vit lögn. Jag vill börja med att beklaga hans bortgång. Mordet på honom. Fruktansvärt. Det är ju sånt man läser om men aldrig blir konfronterad med. Förrän nu.

– Det har du rätt i. Slå dig ner. Hon gjorde en gest mot den gula soffgruppen i det stora vardagsrummet. Intressanta litografier på väggarna. Välfyllda bokhyllor och på golvet en färgstark, kaukasisk matta i geometriska mönster. Ett avlångt glasbord på stålrörsben framför soffan.

– Kaffe?

– Ja tack.

Inte för att jag ville ha, men kaffet är ju smörjmedlet i delar av vårt sociala liv. Hon landade en grön bricka med en röd hund signerad Keith Haring på glasbordet.

Två udda porslinsmuggar.

– Socker använder jag inte och kakor hatar jag. Så du får ta det som det är. Hon log och hällde upp i min mugg.

– Inte jag heller. Socker lär vara farligt, nästan som cigaretter.

Ingela satte sig i stolen mitt emot mig.

– Jag varnade honom, sa hon allvarligt. Han drog hem alla möjliga konstiga typer som han hade träffat, människor som han egentligen inte kände men som hängde på barer och restauranger dit han brukade gå. Sen kan man ju också ta kontakt på nätet. Förstå mig rätt, jag är inte nån moraltant och Peter levde sitt eget liv med sina vänner. Men jag var alltid rädd för att nånting sånt här skulle hända. Fast han var inte gay, inte alldeles. Bisexuell heter det. Både och om du förstår. Men han var aldrig tillräckligt försiktig. Fattar du?

Jag nickade, jag förstod. Trodde hon att jag som Peters ”vän” delade hans böjelser?

– Du har inga misstankar?

Hon skakade på huvudet.

– Nej. Peter var visserligen min bror, men han släppte aldrig in mig i sitt privatliv. Och det kan jag ju förstå. Jag vet bara att han var sambo med en väldigt trevlig kille. En ryss. Han kom visst från Sankt Petersburg och var nån sorts dataspecialist. Jag träffade honom flera gånger. Men det tog slut för ett tag sen och Peter levde ensam nu. Hade åtminstone inte nån fast relation. Så jag har ingen som helst aning om vem som mördade honom. Det är polisens sak att ta reda på. Om dom kan.

– Det får vi verkligen hoppas. Stod ni varandra nära, du och Peter?

– Ja och nej. Han var ganska inbunden och levde sitt eget liv, men jag var ju hans enda familj. Den enda som fanns kvar. Våra föräldrar är döda och vi har inga andra syskon. Så när han behövde prata så kom han hem till mig. Ibland sågs vi i hans våning också. Han tyckte om att laga mat och han var duktig. Ett snabbt leende inför minnet.

– Minns du om han pratade om Rickard Bergman?

– Ganska ofta. Rickard var ju hans chef och han litade hundra procent på Peter.

– Hurdå, menar du?

– Det var tydligen inte bara när det gällde affärerna och bolaget. Peter var ju ekonomiansvarig. Jag har en känsla av att Peter var hans högra hand också när det gällde det privata. Det som inte rörde firman alltså.

– Är du i samma bransch?

– Knappast. Ingela skrattade. Ser jag ut som om jag producerade musikaler? Nej, jag är designer och grafiker. Jobbar på en byrå här i närheten. Nu för tiden gör jag mest bokomslag.

– Det måste vara intressant. Och svårt.

– Om! Många starka viljor finns med. Omslaget ska sälja, det ska uttrycka bokens budskap, om det nu finns nåt. Och författarna ska vara nöjda. Ofta är dom narcissistiska primadonnor. Hon skrattade. Man få ge och ta.

– Peter berättade om Bergmans affärer med strategiska mineraler. Om hans affärer med en ryss som hette Sytenko. Sa han nånting om det till dig?

– Han nämnde aldrig några namn, men jag vet att han ibland flög till Moskva för Rickards räkning. Men vad han gjorde där sa han aldrig.

– Berättade han nånting om honom? Om det privata, alltså.

– En del. Som att en kollega på firman hade ihop det med Rickard bakom ryggen på hans fru. Att hon hade räknat med att han skulle skiljas och att hon hade hjälpt honom på alla möjliga och omöjliga sätt att komma till grötfatet.

– Hurdå menar du?

– När gamle chefen levde, Ivar Lindström alltså, rävade Rickard in sig hos honom, fick hans förtroende och fick mer och mer att säga till om. Mot slutet, innan Ivar bröt nacken i sin trappa, så var det i praktiken Rickard som styrde och ställde med företaget, och det hade hans son, Ivars alltså, inte gillat. En gång hade han faktiskt slagit till honom och bättre blev det inte sen Rickard gifte sig med hans mamma. Han hade charmat henne och hon hade fallit som en sten. Blixtförälskad. Det hjälpte väl till att hennes man var tjugo år äldre och hade fått en stroke för en del år sen. Fast det var inte det värsta. Ingela tystnade, såg allvarligt på mig.

– Han sa det aldrig rent ut, bara antydde, fortsatte hon. Att det var nånting skumt med Lindströms död. Han ramlade ju i trappan. Men att det kanske inte var nåt olycksfall. Hon tystnade igen.

– Du menar att nån hade knuffat ner honom?

– Det vet jag inte, vet bara vad Peter hintade. Han sa aldrig nånting rakt ut, var alltid försiktig. Men jag förstod på honom att han trodde att Rickard legat bakom fallet i trappan. Åtminstone antydde han det.

– Menar du att Rickard mördade honom?

– Det verkade så på honom.

– Har du berättat det här för polisen?

– Varför det? Dom frågade inte. Och det var ju Rickards död dom utredde. Den förste mannen hade ju dött många år tidigare.

– Jag förstår.

– När du ringde sa du att polisen trodde att du haft nånting att göra med Rickards död.

Ingela såg på mig och slog upp mer kaffe i våra muggar.

– Jag hade en del affärer ihop med Rickard, sa jag utan att gå in på några detaljer. Och jag skulle få ett arvode på femtiotusen kronor. När jag träffade Rickard på mordkvällen fick jag pengarna. Kontant. Han ville av nån anledning inte gå via bankerna. Han var kanske paranoid och trodde att hans transaktioner kunde spåras. Han hade ju trassel med de amerikanska skattemyndigheterna har jag förstått. Och eftersom vi hade en muntlig överenskommelse undrar alltså polisen om jag verkligen fått pengarna i handen eller tagit dom ur Rickards kassaskåp som stod öppet och tomt när dom kom.

– Så polisen misstänker att du mördat Rickard och stulit pengarna i hans kassaskåp? Har jag fattat rätt?

– I stort sett. Dom utrycker sig inte så direkt, men jag förstår vad dom tänker.

– Och nu tror du att Peter kan ha några noteringar om det eftersom han skötte Rickards ekonomi?

– Huvudet på spiken. Bull's eye.

Hon log.

– Du har tur. Inte för att jag vet om det kan var till nån hjälp, men Peter hade en ”hemlighetsbok”. När vi var barn hade vi det, hemlighetsböcker som vi gömde för dom vuxna. Där vi skrev upp våra ”hemligheter” som inga andra fick se. Jag förstod inte vad det handlade om när jag bläddrade i den och den är inte läsbar.

– Hur kommer det sig?

– Den är full av siffror och bokstäver. Det måste vara nån sorts kod. Han hade bett mig förvara boken här eftersom han inte vågade ha den vare sig på kontoret eller hemma hos sig. Du får se själv.

Ingela reste sig, gick fram till bokhyllorna, sträckte sig upp mot den högsta bokraden och drog ut en bok i rött skinnband.

– Jag ställde den i bokhyllan, för tjuvar tittar aldrig där. Hon skrattade. Så där har den stått säker.

– Har du visat den för polisen?

– Nej, dom tog ju vad dom behövde hemma hos Peter och jag ville inte ge dom boken för det var ju Peters personliga anteckningar. Och den innehåller inga namn så dom kan inte ha nån glädje av den. Bara siffror.

Hon räckte mig boken och jag bläddrade upp några sidor. Hon hade haft rätt. Siffror paraderade i ordnade rader och kolumner. Bokstäver förekom också. Versaler. Angav de namn? Stod R för Rickard? I så fall markerade väl S Sytenko? Kunde det vara så enkelt? Och sifferraderna gav heller inte några svar. Man måste ha nyckeln för att kunna läsa koden.

– Du hade rätt, sa jag till Ingela. Har man inte koden så blir det obegripligt.

– Jag sa ju det.

Jag bläddrade fram några sidor till, kom fram till slutet. På sista sidan, högst upp fanns en ny versal. H. Och bredvid fanns siffror. 50 000.

– Bingo!

Oförstående såg Ingela på mig.

– Du har räddat mig. Du och Peter.

– Nu förstår jag inte riktigt.

– På mig verkar det här vara noteringar om ekonomiska transaktioner och med facit i hand kan man förstå vad som ligger bakom. Och det har jag gjort. Peter har noterat på sista sidan att H, alltså Homan, har fått femtiotusen. Det var precis vad jag behövde, beviset för att jag inte stal pengar ur Rickards kassaskåp.

– Fantastiskt! Så glad jag blir. Nu kan du sova gott om natten. Hon log. Det måste vara hemskt att bli oskyldigt misstänkt.

– Verkligen. Och jag föreslår att du ringer polisen, kommissarie Calle Asplund på Riksmordkommissionen, och berättar att du har hittat boken så får dom hämta den. Jag vet att dom kommer att få mycket nytta av den i den fortsatta utredningen.

– Så roligt att Peter kunde vara till nytta fast han är död, eller hur?

Jag höll med. Och det skulle bli intressant att se vad polisen kunde komma fram till. Jag var övertygad om att uppgifterna skulle avslöja mycket om Rickards affärer, inte minst med S. Kanske skulle de indikera vem som mördade honom?

Ingela följde mig till hallen och öppnade dörren ut till trapphuset.

– Jag är glad att jag har kunnat hjälpa till fast nu finns det många problem kvar. Begravning av stackars Peter, bouppteckning och mycket annat. Jag är ju Peters enda syskon så jag gissar att jag ärver honom. Men huset i Provence vill jag inte ha. Det är för stort och åbäkigt och hans Mercedes är inte min stil. En skrytbil. För mycket avgaser, för mycket bensin. Men hans konst ska få flytta hit, särskilt Halmstadgruppen. Peter hade öga för konst och hans samling är säkert dyrbar.

– Bara du inte glömmer att ringa kommissarie Asplund. Och tack för all hjälp. Du är en räddande ängel.

– Tack, och berätta för mig om du blir frikänd och slipper hamna i galgen. Ingela skrattade och stängde dörren.

Underbart, tänkte jag när jag gick ner för trappan. Nu kunde jag visa svart på vitt att Peter Hanson betalat ut femtiotusen till mig, för jag kunde inte tyda hans ”hemlighetsbok” på något annat sätt.

Jag tänkte också på vad Ingela just sagt. Om huset i Provence, om Mercedesen och konstsamlingen. Peter Hansson hade varit tjänsteman på ett företag i musik- och teaterbranschen. Jag visste ingenting om agenturens affärer. Men Peter måste ha varit mycket sparsam eftersom han kunnat skaffa sina statussymboler. Eller fanns det någon annan förklaring till hans välstånd?

Kapitel XXXII

Jag hade kommit sist till Erics middag. Inte förrän klockan sju samma kväll hade jag fått audiens hos Calle Asplund. Han var mycket nöjd när han såg mig. Lyste upp.

– En blind höna, sa han fryntligt. Nålen och höstacken, fortsatte han. Jag måste gratulera dig. För en gångs skull funkade din manliga intuition som du brukar skryta med. Vi hade totalt missat boken som fanns hemma hos Hanssons syster eftersom vi koncentrerade oss på hans kontor och våning. Men det var ju inte så konstigt. Vi visste inte att anteckningarna fanns och hon berättade ingenting.

– Den som gräver han finner. Ni grävde inte tillräckligt djupt. Huvudsaken är i alla fall att Hanssons anteckning finns, att han ordnat mina femtiotusen.

– Det verkar faktiskt så. Om det inte är nån annan H som fick pengarna. Men skämt åsido trodde jag aldrig att du mördat Bergman för att komma åt pengarna i kassaskåpet.

– Det värmer.

– Vi håller på nu med en analys av innehållet i boken. Bokstäverna talar ju för sig själva, S borde till exempel vara Sytenko, resten är en smula knepigt. Men siffrorna representerar nog pengar, som i ditt fall.

– Säkert. Hansson var ju Bergmans ekonomichef på företaget och sen hade han tydligen en parallell funktion också på den privata sidan. Och den omfattades inte av den bokföring som vi har hittat. Att den var kodad indikerar väl också att det var nåt skumt.

– Precis. Antingen var det för att lura skattmasarna eller också har det att göra med allvarligare affärer.

– Som strategiska mineraler?

– Det är inte omöjligt eftersom S finns med i anteckningarna. Vi får se vad vi kan komma fram till. Hittills tror våra experter att det kan röra sig om både utbetalningar och inbetalningar. Vi får göra en jämförelse med hans bankkonton. Tack i alla fall för hjälpen. Du har en lunch att hämta.

– Välkommen. Eric kramade om mig när jag kom. Finaste gästen kommer alltid sist. Det har jag lärt mig av min mamma. Och du känner alla andra här, eller hur? Han blinkade mot mig i samförstånd, påminde om att det var jag som bett honom arrangera middagen för utvalda gäster.

Jag gick runt och hälsade. Jonas Berg stod framme vid drinkbordet och pratade med Eva i en röd baraxlad klänning, sötare än jag mindes henne.

– Är inte du på Kuba nu? frågade jag. Du skulle ju dit.

– Det skulle jag, men det har blivit uppskjutet så jag åker lite senare.

– Grattis, då får du vara med om mera sommar före snön. Du kommer väl ihåg vad Tessin skrev en gång? ”Den svenska sommaren är en kil mellan tvenne vintrar”, och det hade han rätt i.

– Verkligen, sa Jonas. Ska jag göra en Dry Martini till dig?

– Du har min välsignelse, bara du gör den torr. Jag har förtjänat den, tänkte jag.

– Den kommer att damma i halsen på dig.

Henrik kom fram till oss med ett glas i handen.

– Tjenare, Johan. Hur går det med dina antikviteter? Har du gjort nåt fynd på länge?

– Hemligheten ligger inte i att göra ”fynd” utan i att bli av med vad man har. Och det är inte alltid det lättaste. Men det går hyggligt och fynden visar sig ibland inte förrän senare.

– Senare?

– Vad som inte är så märkvärdigt idag kan poppa upp i prisläge efter ett tag.

– Okej. Jag förstår, nej, jag tänkte närmast på om du hittat nån Hauptsekretär på en bondauktion.

– Det där är en gammal vandringssägen. Rembrandt på en loppis i Fjugesta är en variant. Såna bönder finns inte idag, tyvärr.

Då kom Eric med en silverbricka, små snittar med löjrom och tapenade.

– Här kommer farbror Eric med godis. Ta av löjrommen, den är dyrast. Men jag hörde att ni talade om fynd?

– Det gjorde vi, sa jag.

– Betänk då att det är marknaden som bestämmer fynden. Jag har ett underbart rokokoskåp nere i affären, du har sett det Johan. Ett fantastiskt arbete. För inte så många år sen hade det kostat skjortan, idag får jag vara glad om jag får fyrtiotusen. Det är alltså ett potentiellt fynd för den som kan vänta. Men en kollega till oss sålde ett skåp av Jonas Bohlin häromdan. Ett ”slottsskåp”. En stor, lätt rostig plåtlåda, utan grace, skönhet men stor hantverkskonst och en representant för nytänkande. Vet ni vad det gick för? Eric såg sig triumferande runt om, han visste svaret.

– 157 000 kronor! Den där enkla plåtkonstruktionen motsvarade alltså minst tre av mina rokokoskåp från en höjdperiod i svensk kultur och möbelkonst.

– Vad beror det på? undrade Jonas.

– Modet växlar, smaken förändras. Yngre människor som tjänar pengar i IT-branschen och på att flytta pengar mellan konton och riskkapitalisterna är inte lika intresserade av antikviteter längre. För dom är status en ny, modernistisk köksinredning med alla möjliga och omöjliga finesser, en BMW eller en stor Bang & Olufsen-tv som täcker hela väggen. Dessutom är rokokoskåp skrymmande. Dom ryms inte i en trea på Söder.

– Förtala inte riskkapitalisterna, sa Henrik. Vet du inte att Gud älskar dom?

– Det undrar jag verkligen.

– Nånstans i Bibeln står det om pappan som gav sina två pojkar pengar och när dom skulle redovisa användningen så visade det sig att en av dom, samvetsgrann och försiktig, hade grävt ner sin del i en åker och sparat, medan den andre hade spekulerat hej vilt och tjänat pengar. Han fick beröm av pappan medan den försiktige fick smäll på fingrarna.

– Det var första gången jag hört att Gud står på riskkapitalisternas sida, sa Jonas. Men alltid får man lära sig nåt nytt. Skål.

– För Gud eller riskkapitalisterna? Eric log sitt maliciösa leende.

Så satte vi oss till bords i den lilla matsalen. Huset var från 1600-talet och målningar fanns bevarade i taket. I motsats till det stora vardagsrummets gustavianska inredning hade rokokon fått ta över matsalen. Där hade Eric samlat några av sina bästa föremål, allt från stolarna till vitrinskåpet med kinesiskt porslin och tavlorna på väggen där en fransk hertiginna av Roslin tronade i upphöjt majestät mellan två mindre målningar av Lundberg, rokokons store porträttkonstnär.

Den ena tavlan föreställde Lovisa Ulrika, Gustav III:s mamma, och den andra var en bild av Ulla Sparre, en av samtidens rikaste kvinnor, gift med Carl Gustaf Tessin som använt en del av hennes förmögenhet till stora konstinköp. Det är nu grundstommen i Nationalmuseums samlingar från den epoken.

Det hade Eric berättat när vi slagit oss ner vid bordet där han dukat upp med ostindiskt porslin, tunga magnifika silverbestick, 1700-tal förstås, och kristallglas från Kungsholms glasbruk.

Jag satt mitt emot Henrik och hade Eva till bordet. Bredvid Henrik fanns Jonas och på kortänden presiderade Eric.

– Välkomna, sa han och höjde sitt glas. Jag älskar att ha gäster och hoppas att jag inte tråkade ut er med min tour d'horizon vad gäller tavlorna och annat. Man jag är hopplöst förälskad i vackra föremål och känner mig som en pärla i en mussla när jag är hemma, vill nästan aldrig gå ut. Och det gläder mig att ni uppskattar och delar mitt intresse för konst och kultur. Välkomna!

Löjrommens entré avlöstes av den rosa rödingen som i sin tur fick ge plats för en annan av Norrlands skatter, Västerbottenosten.

Samtalet kring bordet blev livligt. Politik diskuterades. Hur hade Grekland hamnat i sin skuldkris? Var det rimligt att man konsumerar på övertid som ”drunken sailors” och sen klagar när räkningen kommer och tycker att nån annan ska betala?

Man tog upp stort som smått. Från internationell politik och ekonomisk kris, amerikansk inrikespolitik, till mikrokosmos som Stockholms Lokaltrafik, SL och SJ.

Stationerna ägs av ett bolag. Rälsen av ett annat och järnvägsvagnarna av ett tredje. Den ena handen vet inte vad den andra gör och under tiden står passagerarna på perrongen och väntar. Den kanske ägs av ett fjärde bolag förresten? Vem vet?

– Sluta kverulera, sa Jonas. Tala om nåt trevligt istället. Som Blandaren. Ni läser väl teknologernas tidning som dom ger ut till julen?

– Den kan jag inte undvara, sa jag. Den är ett måste för mig.

Jag ger den till Francine också. Det finns många pärlor: ”Om man har dåligt närminne, får man vänta tills det gått en stund.”

Alla skrattade.

– Så sant, sa Eric, så sant. Ibland när jag glömt nånting, ett namn till exempel, kan jag vakna mitt i natten och komma på det.

– Det finns andra, mer drastiska, sa Jonas. ”Vad skulle din mamma säga om hon såg dig nu? Hon skulle bli djävligt glad för hon har varit blind i tio år.”

– Det var väl snudd på lyteskomik. Henrik skrattade. Själv föredrar jag en annan. ”Vill fröken följa med mig hem ikväll? Ja gärna, men jag kan väl få tveka lite först.”

– Nu får ni ge er med era gubbiga skämt, sa Eva och jag höll med henne. Middagen höll på att spåra ur från mitt perspektiv sett. Jag hade ju tänkt mig att få tillfälle att diskutera Rickard Bergman och hans brutala död, men nu satt vi här med allt från Grekland till Blandaren. Jag måste få dem att växla in på rätt spår. Och oväntat kom Jonas till min hjälp. Jag hade visserligen förklarat för honom vad jag ville uppnå med middagen hos Eric, men hade inte väntat att han skulle vara så direkt.

– För att vara mer seriös så undrar jag om polisen kommit nån vart i utredningen av Rickard Bergmans död?

Konversationen avstannade, alla såg frågande på honom. Och det var ju faktiskt ett etikettsbrott enligt alla handböcker, ett tramp i klaveret. Att tala om rep i hängd mans hus.

– Jag har inte hört nåt nytt, sa Henrik. Personligen tror jag att det var ett rånmord. Kassaskåpet var ju tömt.

– Mördaren kanske ville få oss att tro det. Eva såg på honom. Sen kväll. Olåst dörr. Nån tar chansen och försvinner sen. ”Tillfället gör tjuven”, heter det ju.

– Det var inte enbart pengar som försvann, sköt jag in. En grekisk bronshjälm också. Över tvåtusen år gammal. Jag hade själv köpt den åt honom. Över två miljoner.

– Typiskt Rickard. Henrik lät bitter. Det är kris i världsekonomin, Europa är som ett skepp utan roder och vår ekonomi går neråt. I det läget spenderar vår käre Rickard ett par miljoner på nån gammal bronspotta. En hänsynslös, djävla egoist som mjölkat firman på pengar i alla år.

Jag tänkte på vad han sagt på Rickards begravning. "Det finns en Gud! Halleluja. Gud hör bön." Det hade inte varit ett uttryck för religiös övertygelse. Det var ett griftetal över Rickard Bergman.

– Han hade i alla fall placerat en del av dom där pengarna, sa Eric. Rickard hade ju en oerhört värdefull samling av grekiska och romerska antikviteter.

– En ljusglimt i mörkret, men vem köper på sig romerska marmorkejsare i dagens konjunktur? Vad säger du Johan, som är i branschen? Henrik såg uppfordrande på mig.

– Det är klart att prisnivå och köpvilja påverkas av det ekonomiska läget, sa jag. Men på den här exklusiva marknaden gäller som i alla sammanhang att det är kvalitén på objektet som är avgörande. Det finns alltid samlare som kan betala för "rätt" föremål.

– Han var ett svin, sa Eva lågt där hon satt bredvid mig. Så lågt att jag knappast hörde. Han förtjänade att dö.

Eric, som hade lämnat bordet, kom tillbaka med en stor skål med hjortronglass. Den hade dekorerats med solgula hjortron.

– Direkt från frysen, nästan, och han satte skålen mitt på bordet. Dom är faktiskt handplockade, av mig. Jag hade en vecka i fjällen i Tärnaby, men glassen är köpt.

Så gick han runt bordet och plockade bort våra tallrikar och bestick, satte sedan fram glasassietter till oss.

– Du avslöjar nya sidor för oss, sa jag. Jag trodde att dina längsta utflykter gick till Operabaren och Bukowskis och Auktionsverket.

– Det finns mycket som du inte vet om mig, käre vän. Och det tackar vi extra för. Skål.

Svart kaffe följde i det stora rummet som vette ut mot Köpmangatan. Kaffe och konjak, men jag avstod. Jag sover sämre av båda.

Jag gick fram till fönstret. Såg ut i kvällen. En blekblå skymning hade sänkt sig över hustaken. Svarta skorstenar avtecknade sig mot himlen i mörka kontraster, konturskarpt, som på japanska träsnitt.

När jag böjde mig framåt kunde jag se min affär där nere. Och jag var ganska nöjd med skyltningen. Ett av fönstren förevisade gammalt svensk tenn, lågt värderat men på väg uppåt. I det andra paraderade en del ostindiskt porslin. Förhoppningsvis skulle det locka kinesiska turister.

Eva kom fram till mig där jag stod.

– Hårda ord, sa jag. Om Rickard.

– Han förtjänade det.

– Verkligen?

– Han våldtog mig när jag var femton. Räcker det för att jag ska få kalla honom ”svin”?

Eller behövs det mer?

Kapitel XXXIII

Jag såg på Eva. Hade jag hört rätt?

– Mamma var i Zürich och Henrik sov över hos en kompis. Rickard hade druckit, mer än han brukade, och han kom in i mitt rum när jag låg och sov.

– Anmälde du honom? Det är ju fruktansvärt! Att förgripa sig på ett barn.

– Jag borde kanske ha gjort det, men jag skämdes. Trodde att det var mitt fel. Delvis i alla fall och jag ville inte förstöra för mamma. Hon var ju jättekär i honom.

– Henrik? Berättade du för honom?

– Jag vågade inte, inte då. För Rickard hade hotat mig. Och han skulle berätta för mamma att det var jag som låg bakom. Att jag hade velat ligga med honom, men att han nekat och att det var därför jag ville hämnas. Och jag har lagt det bakom mig efter alla dessa år. Men jag måste erkänna att jag nästan kände mig lättad när han mördades. Jag blev fri. Och det är därför jag kan berätta det för dig.

– Du sa ingenting till Henrik då, men gjorde du det senare?

– Ja, bara för nån månad sen.

– Hur reagerade han?

– Först blev han alldeles vansinnig. Jag ska slå ihjäl den jäveln, skrek han. Så lugnade han ner sig men sa att Rickard skulle få sitt straff. Det skulle han ordna. Så där är han, Henrik. Brusar upp, är häftig, har jättekort stubin. Men det går över lika fort som det kommer.

– Och din mamma? Vet hon om det?

– Jag vet inte. Jag har ingenting sagt och jag tror inte Henrik har gjort det heller. Men det är väl för plågsamt för henne att ta upp med mig i så fall.

– Jag förstår.

– Kom Eva, ropade Eric från den gula, gustavianska soffgruppen där han satt med Henrik och Jonas under den stora tavlan av Katarina den stora i full galastass.

– Kom och berätta om Kuba. Får du träffa Fidel, den gamle skojaren? Det är väl bara han och nordkoreanernas diktator som är kvar i det stalinistiska järngänget.

– Jag kommer. Så vände hon sig mot mig. Såg mig in i ögonen. Det här är nånting bara mellan oss och jag berättade det för att jag vet att du är inblandad i mordutredningen. Jag ville bara visa vilken typ av människa han var. Charmig på ytan men hänsynslös, våldsam ibland. Doktor Jekyll och mister Hyde, om du förstår vad jag menar. Och jag vet att mamma haft det svårt, särskilt med alla hans affärer. Han var ju aldrig diskret.

Så gick hon bort till Eric och de andra. Jag såg efter henne. Och jag tänkte på Anastasia. Enligt Jeremy hade ju Rickard försökt våldta henne, men inte lyckats. Det måste ha varit något fel på honom, tänkte jag. Han liknade den där franske politikern som anklagades för att ha våldtagit en städerska på ett hotellrum i New York. Ett tilltag som kanske kostade honom presidentposten.

Och motivbilden började klarna. Eva hatar Rickard för vad han gjort med henne. Henrik hatar Rickard för att han knuffat undan honom i företaget.

Frågan var bara, om nu min analys var riktigt, om det kunde finnas någon koppling till mordet på Peter Hansson? Hade han vetat mer än han borde, insett vem som mördat Rickard Bergman? En dödlig kunskap?

Men jag fick akta mig för att dra för snabba slutsatser. Vladimir Sytenko och hans torpeder fanns fortfarande kvar i bilden liksom kränkta skådespelare och bedragna konkurrenter. Ett ”vanligt” rånmord kunde heller inte uteslutas. Eller skulle en analys av Peter Hanssons ”hemlighetsbok” ge svaret?

Några timmar senare bröt vi upp. Jonas och jag stod kvar en stund ute på gatan och pratade. Natten var ljum och svävade mellan mörker och ljus i Köpmangatans trånga schakt.

– Har du pratat med din CIA-kontakt? frågade jag.

– Ja, och han berättade nånting intressant. Dom har lyckats spåra ett parti av den där sortens mineraler vi talade om. Och leveransen stoppades. Det blir naturligtvis ett avbräck för iranierna, om dom nu inte har tillräckligt redan. Och CIA har hittat dokumentation som visar att Bergman var inblandad. Det finns en till svensk också, men honom har dom inte kunnat identifiera. Inte än.

– Peter Hansson?

– Vem är det?

Jag berättade om Hansson och hans bok med de kodade räkenskaperna. Att Calle Asplunds team försökte knäcka koden men inte hade lyckats.

– Jag vet att det i din bransch är tjänster och gentjänster som gäller. Så om du kontaktar din CIA-vän på amerikanska ambassaden kan du tipsa honom om Hanssons bok och föreslå att han kontaktar Calle Asplund. Hans team har försökt knäcka koden men jag tror inte dom har lyckats. CIA har kanske andra resurser för den typen av verksamhet. Du kan ju indikera att det kan röra sig om strategiska mineraler.

– Du tror att Hansson är inblandad? Att han är svensken som CIA talat om?

– En tanke bara, en gissning. Jag har inga bevis. CIA och Calle får väl nysta. Vi hörs, jag måste hem till Cléo.

– Inte till Francine?

– Tyvärr inte. Hon är på tjänsteresa.

Vi gick var och en till sitt. Jonas till vänster på Köpmangatan, jag till höger, ner mot Sankt Göran som med sitt höjda svärd mot ondskans drake tornade upp i mörk silhuett mot den bleka natthimlen. I dunklet såg han mer verklig ut än på dagen.

Nästa morgon ringde jag Calle Asplund och berättade vad som hänt kvällen innan. Men jag gick inte närmare in på vad Eva sagt. Bara att jag förstått att hon haft stor anledning att hata sin styvpappa, liksom brodern Henrik. Jag föreslog att utredarna skulle titta närmare på syskonparet. Och jag berättade också vad Jonas sagt om sin CIA-kontakt. Calle borde analysera anteckningarna i Peter Hanssons bok med tanke på att det kunde finnas en koppling till de strategiska mineralerna. Det fanns ju långa sifferrader som kunde indikera inkomster från den trafiken.

Calle tackade.

– Jag har noterat vad du har sagt. Det verkar intressant och jag ska ta upp det med våra utredare.

Nu har jag gjort mitt, tänkte jag. Hittat Peter Hanssons bok hemma hos hans syster och rapporterat vad jag hört på middagen hos Eric.

Så ringde jag Eric för att tacka för senast.

– Verkligen fint av dig att ordna den här middagen. Och det var fantastisk mat och härliga viner. Överkurs! Nästan overkill.

– Vad gör man inte för sina vänner, men du får tacka Hötorgshallen. Hoppas du fick ut vad du ville.

– Om! Det blev ljus i tunneln.

– Utmärkt. Lova att jag blir den förste som får veta när du hittar din mördare. Det kanske är nån jag känner?

– Vem vet? Och då ska jag bjuda dig på middag. Fast jag vet inte om jag kan nå upp till dina höjder.

– Försök. Jag förstår att det blir svårt för dig, men jag uppskattar tanken. Du kanske kan be Francine att stå för maten? För säkerhets skull.

– Oroa dig inte.

Då pinglade min tibetanska kamelklocka ute i affären.

– Jag måste sluta, det kom en kund.

– Det kan du behöva. Lycka till.

Först kände jag inte igen honom. Så kom jag på det. Hette han inte Blom? Han som presenterat sig som ”kulturarbetare” på Rickards begravning. Han som kommit för att vara säker på att Rickard Bergman var död. På riktigt. Och han var glad över att slippa se ”fanskapet” i fortsättningen. Rickard hade stoppat hans karriär.

– Jag råkade gå förbi, sa han. Och jag såg namnet och tänkte titta in och säga hej.

Stor och kraftig stod han vid dörren. Gråsprängt, tjockt hår och det kraftfulla ansiktet påminde mig åter om en av Rickards marmorkejsare.

– Trevligt, sa jag. Se dig gärna om. Det kanske finns nånting som intresserar dig.

– Gärna, men min finansiella situation tillåter inga antikvitetsköp. Han log ironiskt. Det har vår vän Bergman sett till.

– Jag kommer ihåg att du sa nånting om det på begravningen. Vill du inte ha en kopp kaffe? Det finns pepparkakor också.

Min fråga kom inte enbart från mitt goda hjärta, jag ville att han skulle slå sig ner och berätta mer om Rickard. Bland alla mina teorier om möjliga mördare så fanns ju också en möjlighet att det kunde vara någon han gjort illa, en karriär som hade stoppats, en matta som ryckts undan någons fötter.

– Gärna. En fika säger man ju aldrig nej till.

Han skrattade. Ett bullrande skratt som jag vagt mindes från hans filmer för länge sen. Han var ju ”stor” innan han gled ut i glömskans kulisser. ”Borta från ögat, borta från hjärtat.”

– Rickard var din agent, eller hur? frågade jag när jag satte ner brickan med två muggar och en termoskanna på det lilla bordet vid den gustavianska soffan.

– Precis. Och som jag sa när vi sågs sist satte han stopp för mig. Jag drar mig fram, men dom stora jobben är borta. Det har han sett till och han hade ju kontakter i hela branschen.

– Varför gjorde han det? Som din agent var han väl angelägen om att du skulle tjäna pengar?

– Man kan tycka det. Egentligen var det ganska löjligt. Jag och han var intresserade av samma tjej och jag vann. Det kunde han aldrig förlåta.

– Var han verkligen så småskuren?

– Om! Och med ett djävla mindervärdeskomplex i botten. Han kom ju från ingenstans och hade dragit över chefens fru och sen dog gubben knall och fall. Hur det nu gick till. Och det bullrande skrattet kom tillbaka.

– Sen gifte han sig med änkan, fast barnen hatar honom, tog över agenturen och satte sig på höga hästar. En översittartyp. Jag var inte den enda som råkade illa ut för den långsinta jäveln. Jag kan räkna upp minst ett halvt dussin som hurrade när han dog.

– Överdriver du inte nu?

– Lite kanske. Men inte mycket. Det fanns till och med en tjej som begick självmord. Och han var jätterädd för hennes kille. Han hade skrämt Bergman, hotat att ta livet av honom.

– Tror du att det är nån av dom som sköt Bergman?

– Ingen aning, men det är inte omöjligt. Tvärtom. Gammalt hat som ligger och pyr kan explodera vid rätt tillfälle. Eller fel tillfälle, snarare. ”Tillfället gör tjuven”, heter det ju. Fast i det här fallet kanske det är mer korrekt att säga att tillfället gör mördaren.

Kapitel XXXIV

På morgonen nästa dag tog jag en taxi ut till den gula villan på Djurgården. Louise Bergman hade ringt igen om värderingen och vi hade kommit överens om en tid.

Jag tänkte på en av hennes tidigare grannar, den koleriske greve Mörner som bott några hus längre bort. Eric Gustafson hade berättat om honom när jag sa att jag skulle ut på värdering i den bergmanska villan.

Mörner hade varit chef för Stora sjötullen som legat vid Blockhusudden. Båtar som tog sig in till Stockholm fick betala tull för sina varor. Och befattningen hade han fått av Carl XIV Johan när han bidragit till valet av marskalk Bernadotte till svensk tronföljare. Men han var otacksam och kom i konflikt med kungen och blev avsatt.

”Så kan det gå när inte haspen är på”, tänkte jag filosofiskt där jag satt i bilen genom Djurgårdens lummiga grönska. Ett gracilt rådjur skymtade i en glänta, det fläktade behagligt genom det nerdragna bilfönstret.

Manilla ner till höger med den pampiga Bonnierska villan där familjens författare hängde på porträttparad, vi fortsatte förbi Thielska galleriet med sin fantastiska arkitektur. Huset var ritat av Ferdinand Boberg, mannen bakom Waldemarsudde och NK. ”Upp som en sol och ner som en pannkaka.” Den förmögne bankiren Ernest Thiel hade skapat ett hem för en renässansfurste, fylld med konst av de "stora" namnen innan hans imperium föll och hus och samlingar köptes av svenska staten till museum.

Jag log för mig själv åt mina snusförnuftiga, folkliga citat, men det låg visdom bakom formuleringarna, en allmängiltig visdom som inte bara var tillämplig på Bondepraktikans tid.

Jag hade med mig kamera och anteckningsbok och min silverbibel med alla års- och mästarstämplar. I portföljen låg också Torsten Sylvéns heltäckande uppslagsverk om stockholmssnickarna under "guldåldern" 1700–1850, "Mästarnas möbler".

Jag tänkte först göra en preliminär översikt över de objekt hon ville sälja och sedan komma tillbaka för en mer ingående analys. För jag insåg att det inte gällde dussinvaror som Rickard samlat på sig genom åren.

När jag kom arbetade Louise i trädgården, satt nerböjd över en rabatt med en gul liten spade i handen. Hon reste sig när jag kom. Log.

– Välkommen. Ursäkta om jag inte tar i hand, men det är besvärligt att dra av trädgårdshandskarna, dom är trånga.

Sportskor, kakifärgade shorts och en röd, kortärmad tröja med "rätt" märke på bröstet. Solbrun och barbent. Igen slogs jag av hur vacker hon var, ja, snarare stilig än konventionellt vacker. Lång med hållning som en balettdansös. Generös mun och det kortklippta grå håret slöt som en hjälm runt hennes huvud.

Jag tänkte på Maria Nyman, Rickards sekreterare som han tydligen haft ett förhållande med under många år. Jämfört med Louise var hon i underläge, men kanske hade hon dolda kvaliteter. I vilket fall hade hon om jag förstått Peter Hansson rätt lotsat fram Rickard till det dukade bordet. Och till den bäddade sängen. Fick hon gå när allt fallit på plats och Rickard satt säker i sadeln? Jag förstod om hon var bitter.

– Snällt av dig att komma. Vad kan jag bjuda på? Kaffe eller saft? Jag har kall flädersaft om det kan var nånting?

– Det kan det, verkligen. Saften alltså. Mamma brukade göra flädersaft och jag älskade den. Påminner om min barndom.

– Som Proust? Louise log. Jag har tyvärr inga madeleine-kakor, men jag tror det finns några bitar sockerkaka kvar. Kom med in i köket.

Vi gick uppför den breda trappan, trappan där Henrik nästan sprungit omkull mig första gången jag var ute i villan. Genom biblioteket där Rickard suttit den där ödesdigra kvällen. Men nu sken solen genom höga fönster, det stora rummet bar inga spår av mord och våld.

Bredvid den stora AGA-spisen ute i köket stod en bricka på en bänkskiva med glas, vattenkaraff och en flaska flädersaft. Några gula sockerkaksbitar låg på ett fat.

– Du ser att jag är klärvoajant. Jag gissade att du ville ha saft. Kaffe känns lite ofräscht i sommarvärmen. Men vi kan sätta oss på baksidan. Där är det skuggigt och svalt.

Ute på vattnet gled ett mastodontiskt kryssningsfartyg förbi när vi satt oss i trädgårdsstolarna bakom huset. Ett liggande höghus och människor på däck vinkade till oss.

Louise hade tagit med sig brickan från köket. Glas och sockerkaka. Jag bar saftflaskan och kannan med kallt vatten.

– En underbar dag, sa Louise. Och dom här stora båtarna piggar upp.

– Det måste vara ett privilegium att bo här.

– Verkligen.

– Jag är avundsjuk. Fast utsikt har jag förstås. Högst upp på Köpmantorget bor jag och kan se ut över Gamla stan och med Skeppsholmen och Djurgården i fonden.

– Du ska inte klaga och du slipper rensa ogräs. Hon skrattade.

– Sköter du trädgården själv?

– Jag har nån som klipper gräs och tar hand om grovjobbet med lövkrattning och annat. Men jag älskar blommor. Jag har till och med växthus med egna persikor och vindruvor.

– Och dom klarar sig i vinterkylan?

– Konstigt nog. Vi har ingen värme där om vintern och vinstockarna planterades på trettiotalet. Vi får faktiskt mer druvor än vi kan göra av med. Växthuset var Ivars ögonsten. Ja, min förste man alltså. Hon tystnade, såg ut över vattnet. En armada av småbåtar stävade ut mot skärgårdens fröjder.

– Men som jag sa förut så tänker jag sälja och flytta in till stan. Jag har redan kontaktat en mäklare. Villan är för stor för mig och det är lite opraktiskt att bo här, borta från affärer och annat. Det var ju skillnad när ... ja, när Rickard levde. Och efter allt som har hänt. Du vet kanske att min förste man omkom. Föll i halltrappan. Sen det här med Rickard. Louise tystnade.

– Jag förstår. Det måste vara svårt för dig. Har du nån uppfattning om vem som kan ha legat bakom? Hade Rickard några ovänner?

Min fråga var kanske lite abrupt, men jag hade ju kommit för att försöka få fram fakta och hon hade bjudit på en öppning.

– Han brukade säga att i hans bransch hade man enbart ovänner sen kontrakt var skrivna. Allt som kunde gå snett gick snett. Och det var stora egon inblandade. Primadonnor av alla sorter, fulla av lättrampade tår. Uteblev framgångarna så var det naturligtvis Rickards fel. Och gick nån uppsättning snett och gav förlust istället för klirr i biljettkassan hade man blivit lurad. Allt det där har jag tragglat igenom med polisen, och med dig också, om jag minns rätt.

– Jag har haft kontakt med en ryss, en av dom där oligarkerna som plundrade det gamla Sovjetunionen under Jeltsin. Han var ju en av Rickards affärskontakter, om jag förstått rätt. Han är samlare också. Konkurrerade ibland med Rickard. Nu senast om en grekisk hjälm, men Rickard vann.

– Jag vet. Jag har träffat honom. En obehaglig människa. Jag mådde nästan illa när jag mötte honom. Och han förföljde Rickard om den grekiska hjälmen. Skulle tvunget ha den och det spelade ingen roll vad det kostade. Det verkade som om det gått prestige i det. Han var inte van att bli motsagd, han skulle alltid få som han ville.

– Vart tog hjälmen vägen? Sista gången jag träffade Rickard, samma kväll han mördades, så såg jag den. Han hade den i sitt öppna kassaskåp.

– Jag vet inte vad som hände med den. Men eftersom kassaskåpet var tömt så hade väl mördaren tagit den också, inte bara pengarna och en del av mina smycken som låg där.

Tänkte hon på att jag varit ensam med Rickard den där kvällen, sett att kassaskåpet stod öppet och att jag visste vad hjälmen var värd?

– Jag vet att polisen har förhört Henrik, sa Louise. Flera gånger och det verkade som om dom trodde att han var inblandad. Men han hade ju alibi. Han åt middag hemma hos Eva den kvällen. Dom visste att han avskydde Rickard, tyvärr, och att han kände sig undanknuffad i firman. Men det är så fel det kan bli. Henrik är världens snällaste, fast han har ett hiskeligt humör. Kan brusa upp för en småsak, men lugnar sig nästan med detsamma och ber om ursäkt.

Jag tänkte på orrhönan jag en gång sett när jag varit ute i skogen med min pappa. Vi hade nästan trampat på henne bland tuvorna och hon sprang iväg med sina små kycklingar efter sig. Plötsligt hade hon vikt ut ena vingen, pipit högt och haltat bort från sina dunbollar.

Pappa hade berättat att det var hennes trick. När vuxna fåglar kände sig hotade skyddade de sina ungar genom att spela skadade så att man skulle följa efter dem istället. ”Det kallas moderskärlek”, hade pappa sagt.

Var det moderskärlek som drev Louise att skydda sin son? Skulle det räcka för att övertyga polisen? Men jag kunde ju inte gärna gräva efter fler detaljer. Trots allt var jag inte någon polis. Och hon skulle säkert inte berätta mer än hon gjort.

Fast hon hade inte nämnt Eva. Hennes hat mot Rickard efter våldtäkten var väl inte mindre än Rickards? Men det tänkte jag inte ta upp med Louise. Inte heller vad jag fått höra från Eric om den nya arvingen som plötsligt dykt upp, Rickards okända dotter. Det hade varit världens klavertramp, och jag var fokuserad på Henrik. Och Sytenko.

Henrik hade alltså alibi för mordkvällen, enligt Louise. Men vad skulle det vara värt om det var hans syster som gav honom det?

– Om du inte vill ha mera saft kanske vi ska titta lite på dom olika möblerna och tavlorna. Jag har satt häftlappar på dom som jag inte tänker ta med mig och innan jag tar hit nån auktionsfirma så vill jag gärna ha en objektiv värdering från nån utomstående. Man får inte var dum. Hon log.

Vi reste oss ur de låga solstolarna. Louise tog brickan och jag saftflaskan.

När vi satt ifrån oss saft och bricka ute i köket gick vi tillbaka in i våningen. Började i den stora salongen med magnifik utsikt mot vattnet. Tre höga franska fönster gick från golv till tak och kunde öppnas ut mot en stensatt terrass med svarta järnkrukor där blommor i olika färger vällde över kanterna.

En stor Savonneriematta i bleka färger täckte nästan hela golvet. På väggarna fanns tavlorna jag kände igen från förra gången. Picasso, Chagall och två av Braque. Den sistnämnde skulle få respass. Gula klisterlappar satt på båda.

– Jag tycker Braque är lite tung, sa Louise, och jag har aldrig varit förtjust i hans kubism. Men dom lär vara värdefulla.

– Om. Här får du ta in nån expert på internationell konst av det här formatet. Zorn och Liljefors kan jag, men sen slår huvudet i pristaket.

– Jag har faktiskt en på gång. Jeremy har ringt och bett att få komma. Han är särskilt intresserad av en stor rysk målning som Rickard köpte på Christie's för ett tag sen. Han har en köpare, påstår han. Gamarna samlas. Hon skrattade.

Vi fortsatte vår rundvandring. Vid ena kortväggen stod en sekretär som jag inte kunde ta miste på. Georg Haupt, Ébéniste du Roi, Gustav III:s hovschatullmakare. Primus inter pares bland samtida möbelkonstnärer, internationellt erkänd och uppskattad.

Det var nästan vördnadsfull jag gick fram till mästerverket. Elegant avsmalnande höga ben bar upp sekretärens perfekta proportioner. Ett stort, dekorerat framstycke.

Faneringen var typisk för Haupt och jag kunde urskilja jakaranda, amarant och björk blandade med andra träslag. Skivan av grön marmor från Kolmården och under fanns det typiska beslaget i form av en löpande hund. Framstycket var inlagt med lagerkrans och girlander.

Jag fällde ner skrivklaffen. Innanför fanns en rad små lådor och Louise drog ut det traditionella lönnfacket.

– Perfekt skick. Grattis. Två miljoner på rak arm. Kanske mer om du får rätt köpare. Men du vet att det går av en del avgifter om du säljer via ett auktionshus.

– Jag föredrar det i alla fall. Det är mer praktiskt om dom kommer och hämtar allt på en gång och jag sen får pengarna direkt än om jag själv ska ut och ragga köpare.

Så fortsatte vi genom de olika rummen. Det fanns många föremål med gula klisterlappar på. Ett par höga, pampiga empirekandelabrar, franska, Parisarbeten efter vad jag kunde se. Jag hade sett motsvarande som gått för över 200 000, vilket gladde Louise. Det fanns gustavianska speglar och några rokokobyråer. Ett elegant rokokoskåp. Mera konst, mest svensk. Silver och glas.

Vi stannade upp framför en stor Zorn med den typiska nakna kvinnan som badade i en sjö. Vattnets speglingar visade Zorns mästerskap, men personligen har jag aldrig varit förtjust i modellernas blanka hull, påminner mig om värmlandskorv.

– Den där ska bort, sa Louise bestämt. Grosshandlarporr. Dom hängde i herrummen där gubbarna satt efter middagen, rökte cigarr och drack punsch och slickade i sig den nakna tjejen.

– Det har du rätt i. Men grosshandlarna finns kvar. Och du får säkert mellan fem och tio miljoner.

– Det tackar vi för.

Vi fortsatte. Jag fotograferade, jag noterade i min anteckningsbok.

– Jag ska gå igenom det här materialet och återkommer med en ungefärlig uppskattning. Men det är nog klokast om du låter internationella experter titta på resten.

– Precis. Och Jeremy kommer om ett par dagar. Han är ju särskilt intresserad av den där tavlan du inte har sett än. Rickard hängde den i sitt sovrum.

Vi gick trappan upp till övervåningen. Samma trappa, tänkte jag, trappan där Louises förste man dött. Jag höll hårdare om räcket.

I Rickards sovrum hängde den ryska tavlan och den var verkligen praktfull. En stor, tjock och rödblommig man i knallblå långrock lyfte sin stora mössa och gjorde en inbjudande gest mot sin häst och sin släde i ett snöglittrande landskap.

– En droskkusk, sa Louise. Han erbjuder sig att köra dig och är målad av Kustodiev, en av Rysslands främsta konstnärer. Rickard gav femton miljoner för den, men han påstod att den var värd mer. Kustodiev är efterfrågad av rika ryssar.

– Av Sytenko också?

– Säkert. Hon skrattade. Men jag vet att han är särskilt avundsjuk på den här.

Louise lyfte upp ett fotografi med ram som stod på en byrå. Jag tittade på det. En exklusiv, diamantbesatt ram av guld med ett signerat foto av den mördade tsarfamiljen. Unga oskyldiga flickor. En storögd liten son. Två allvarsamma föräldrar. Ingen av dem anade att de bara några år senare skulle brutalt mördas i Jekaterinburg av bolsjevikerna.

Jag såg på ramens baksida, på stämplarna. Och de bekräftade vad jag redan förstått.

– Fabergé. Guldsmeden från Sankt Petersburg.

– Jag vet. Och Sytenko skulle ge sin högra hand för den. För en man som han är det ju en nationalklenod och en statussymbol mycket mer värd än en grekisk hjälm. Rickard hade berättat det för mig. Och han var rädd för Sytenko.

– Varför det?

– Dom gjorde affärer ihop. Jag vet inte med vad, Rickard berättade aldrig, men jag förstod att det var nånting tveksamt. Och det var därför han inte fick visum till USA. Han sa att det var skatteproblem, men det trodde jag aldrig på. Och Sytenko hade en hållhake på honom. Det gällde pengar. En skuld för några leveranser.

– Tror du att Sytenko mördade Rickard?

– Ja, om det inte var ett inbrott som gått snett. Men det tror jag inte. En man som Sytenko är i stånd till vad som helst.

– Låg han bakom mordet på Peter Hansson också?

– Det är väl inte omöjligt. Peter var ju Rickards närmaste man och visste allt om hans affärer. Kanske alldeles för mycket för att det skulle vara bekvämt för Vladimir Sytenko. Polisen tror ju på sexmord. Louise log. Men underskatta inte vad två ryska torpeder kan göra med en röd halsduk och en försvarslös man.

När jag kom tillbaka till affären ringde jag Calle Asplund och redogjorde för mitt besök hos Louise.

– Hon verkade övertygad om att Sytenko mördade Rickard. Nån affärsdeal skulle ligga bakom. Förmodligen rörde det sig om dom strategiska mineralerna.

– Då måste jag göra henne besviken. Sytenko har alibi för mordkvällen.

– Verkligen? Inte nånting fejkat? Att han varit hemma hos nån kvinna till exempel?

– Nej. Ett vattentätt alibi. Vi har fått fram nu att han var på en officiell middag hos president Putin. Slå det om du kan. Calle skrattade.

Kapitel XXXV

– Vet du att CIA är intresserat av dig?

– Förlåt?

– Jag sa att man är intresserad av dig på CIA, repeterade Jonas i min mobil. Jag har just talat med min kontakt. Du finns i deras handlingar när det gäller Vladimir Sytenko.

– Varför skulle jag göra det? Jag känner honom inte. Vi har bara träffats nån gång. Det var på Rickards begravning. Vi talade om den grekiska hjälmen och han frågade om jag visste var den fanns. Och han hotade mig. Så jag förstår inte varför jag skulle vara intressant.

– Genom din koppling till Rickard Bergman. Dom hade koll på dig redan i Miami.

Mannen med den vita panamahatten, tänkte jag. Det var alltså inte någon inbillning.

– Det förstår jag inte. Jag handlar inte med strategiska mineraler.

– Dom var sen länge intresserade av Bergman, och dom kartlade hans kontaktnät över dator och telefon. Där hamnade du. Dom misstänker att hjälmen du köpte var ett led i penningtvätt, pengar från hans affärer med Sytenko.

– Hur kan dom veta det?

– Glöm inte att CIA är världens största underrättelseorganisation. Dom har sina kontakter. Och att du fanns ute i villan samma kväll Bergman mördades gör dig ännu intressantare. Sen vet dom också att du känner Jeremy Wells, att du var på hans bröllop.

– Det kan väl inte ha med Sytenko att göra?

– Det tror dom i alla fall. För han finns också på deras lista över ”intressanta” personer.

– För att han sålde konst till Sytenko?

– Inte bara det. Wells var en av Sytenkos kontakter i England. En viktig kontakt. Wells har tydligen ett brett nätverk genom sin affärsverksamhet och sin bakgrund. Det där engelska köret du vet: exklusiv privatskola, Cambridge, rätt klubbar, ”the old schoolboys network”. Det finns politiker, mediemänniskor och andra viktiga beslutsfattare i hans liv. Han kunde introducera Sytenko till rätt kretsar. Olja i maskineriet. Wells hade andra ryska kontakter också.

– Konstköpare?

– Inte bara det, du. Har du hört talas om Magnitskij?

– Var det inte nån advokat i Moskva som råkade illa ut?

– Det är det minsta man kan säga. Han avslöjade en omfattande korruptionshärva som hade trådar ända upp i Kreml, sattes i fängelse och dog för några år sen efter tortyr och misshandel. Dessutom hade han blivit sjuk och fick inte läkarvård. Nu har amerikanarna beslutat att inte ge inresetillstånd till dom höga ryssar som misstänks ha varit inblandade i skandalen.

– Du menar att Jeremy hade affärer med nån av dom?

– Precis. Och det gör honom ännu mer intressant ur USA:s synpunkt.

– Vet dom att Anastasia, Jeremys fru, har arbetat på ett museum i Moskva som är grundat av Sytenko?

– Det vet dom säkert. Jeremy är nog kartlagd in i minsta detalj. Dom har ju resurser.

– Jeremy kommer till Stockholm om några dagar. Och jag berättade om mitt besök hos Louise.

– Ska du träffa honom?

– Jag vet inte. Han har inte hört av sig.

– Var försiktig i så fall. CIA kikar över axeln på honom.

När vi avslutat samtalet tänkte jag på vad Jonas sagt. Jeremy Wells skulle alltså vara inblandad i hela den här härvan. Och hans relation till Sytenko var inte enbart fokuserad på konst och antikviteter. Det fanns andra faktorer med i spelet också. Strategiska mineraler? Och kunde han vara inblandad i mordet på Rickard Bergman?

Men det som var mest obehagligt i vad Jonas berättat var CIA:s misstankar mot mig. Skulle jag vara inblandad i penningtvätt, ”money laundering”? Hade det legat bakom Rickards köp av exklusiva antikviteter? Alla romerska kejsare och grekiska hjälmar? Och var jag misstänkt för samröre med Sytenko?

Jag tänkte på vad Rickard berättat om IRS, att hans inreseförbud till USA gällde en skattehistoria. Var det i själva verket så att han hade drabbats av sanktionerna mot dem som varit inblandade i Magnitskijs död?

Så tog jag vid där jag slutat när Jonas ringde. Jag satt vid min dator med skrivbordet fullt av auktionskataloger och facklitteratur och på datorn kollade jag in olika auktionshus. Framför mig hade jag anteckningarna från min värdering i Bergmans villa och i kameran fanns bilderna.

Det var inte några större problem, jag har ju varit i branschen länge och visste var prisnivåerna låg. Men ett problem vid värderingar är ju att varje föremål är individuellt, unikt. Varje rokokobyrå har sitt pris, varje väggspegel med konsolbord sitt. Det går inte att skära över en kam. Var möbeln signerad, i vilket skick? Vad efterfrågade marknaden? Proveniensen var också viktig.

Samlarfaktorn fanns också med. Ett förhållandevis oansenligt föremål kunde bjudas upp till oanade höjder om en eller flera samlare hade kommit medan bättre föremål kunde falla mellan stolarna på en glest befolkad auktion.

Storleken var en annan faktor. Ett magnifikt barockskåp kunde knappast placeras i en modern våning med modern takhöjd och modern volym. I högreståndsvåningar på Östermalm skulle skåpet däremot komma till sin rätt, men de flesta var ju fullmöblerade för länge sedan. Vid arvskiften och utflyttningar till seniorboenden ville barnen inte ta hand om den sortens objekt.

Hur som helst så kom jag upp i imponerande summor ju längre jag höll på, även om jag var försiktig i mina uppskattningar och var begränsad till enbart de objekt hon ville avyttra. Louise skulle i vilket fall bli en rik änka, mycket rik. Och om jag förstod rätt skulle inte något av hennes barn kunna ha några anspråk i dödsboet. Varken Henrik eller Eva skulle ha någonting att vinna på Rickards död. De fick vänta tills Louise gick bort. Så det motivet kunde avskrivas.

En som däremot kunde kräva sin arvslott efter Rickard var hans okända dotter som plötsligt dykt upp som gubben i lådan, eller rättare sagt gumman i lådan. Det vore intressant att träffa henne, höra om hennes relation till Rickard. Men varför skulle hon berätta någonting om det för mig? Fast man kunde aldrig veta. Frågan var bara hur jag skulle kunna komma i kontakt med henne. Jag visste inte ens vad hon hette. Men kanske Maria Nyman visste någonting? Hon hade stått Rickard nära och borde känna till hans dotter.

Jag satt just och funderade kring ett porträtt när det ringde. En enkel förgylld ram omslöt drottning Kristina i svart sidenklänning och vitt linne, prytt med en svart bandrosett. Det var tillskrivet Bourdon och alltså inte nödvändigtvis utfört av honom själv. Kungaporträtt var ju alltid populära och drottning Kristina kom inte ofta ut på marknaden.

Det var Jeremy. Hoppsan, tänkte jag. När man talar om trollen.

–Jag har förstått av Louise att du kommer till Stockholm snart.

– Precis. Och det var därför jag ringde. Jag ska bjuda på en del av Rickards föremål, dom flesta i Zürich men några i Stockholm också. Köpa en del om det går. Och jag ville höra av mig.

– Trevligt. Hoppas vi ses. Om du är ledig för lunch eller middag kan du väl höra av dig.

– Gärna. Och Anastasia kommer med den här gången.

– Ännu trevligare. Hälsa henne att hon är välkommen.

– Det ska jag. Vi ses. Jag ringer när vi är i Stockholm. Antingen i morgon eller i övermorgon.

Två flugor i en smäll, tänkte jag när vi slutat. Två motiv. Anastasia och våldtäktsförsöket, dessutom hade Rickard snuvat henne på ett kontrakt, som hon berättat vid bröllopet. Och Jeremy var mer involverad än jag förstått, åtminstone om jag fick tro Jonas och CIA. Det skulle bli ett intressant möte.

Så återvände jag till drottning Kristina. Någonstans kring hundratusenstrecket låg hon säkert. Det kunde åtminstone vara utropspris vid en auktion. Och det blev inte sämre av att ett liknande porträtt av henne fanns på Nationalmuseum. Det var ”äkta” Bourdon. Inte bara ”tillskriven”.

Framåt eftermiddagen var jag klar med min genomgång och ringde Louise.

–Jag har tittat igenom mina anteckningar och foton och kommit fram till tjugofem miljoner mellan tummen och pekfingret.

– Det var inte dåligt.

– Verkligen inte. Men det är några saker jag måste kolla. En rokokobyrå som kan vara Linning till exempel. Jag hann inte titta närmare på den. Sen fanns det några andra objekt också.

– Du är välkommen. När kommer du?

– Passar det i morgon förmiddag?

– Det går bra. Kom vid tio. Då är jag säkert hemma.

– Fint. Jag hade telefon från Jeremy förresten. Han kommer om ett par dar.

– Jag vet. Han ringde mig också. Vi får se vad han bjuder på min ryske kusk. Louise skrattade. Vi ses.

Så flöt dagen på. En och annan kund men inte några större affärer. Ett par kopparstick från 1700-talet, en liten silverbägare, empire, och några ostindiska tallrikar. Men i morgon kommer också en dag, tänkte jag när jag satte på larmet och låste mot gatan. Det är det som är tjusningen i min bransch. Det kan se dystert och grått ut, fakturor skall betalas, momsredovisningar och skatteinbetalningar och det är ganska tomt i kassan. Då plötsligt händer det. Någonting försvinner från hyllor eller skyltfönster, någonting dyrt, och livet leker.

Men jag får skylla mig själv. Jag har valt mitt yrke. Om man nu ska kalla det yrke. Livsstil kanske är en korrektare beteckning. ”Kall” säger Eric Gustafson, men han ska ju alltid ta till. Fast problemet är att ingen egentligen behöver konst och antikviteter på samma sätt som man behöver en bil, en tv eller mat och kläder. Ett konstverk eller en signerad möbel kan man vara utan. För att inte tala om grekiska hjälmar. Men hittills har det fungerat och jag har hållit kronofogden från dörren, så jag kastade inte några yxor i sjön. I värsta fall fick Francine försörja Cléo och mig, men det vågade jag inte säga till henne.

Jag såg fram mot en lugn hemmakväll. Francine var fortfarande borta på sin tjänsteresa så jag fick klara mig själv, men det skulle nog gå. Jag hade ju Cléo och kommissarie Barnaby i Midsomer Murders. Fast jag tycker att serien börjar lite tappa stinget. Miljöerna är underbara, små byar med vasstäckta tak, rosenöverväxta trädgårdar och engelsk landsbygd när den är som bäst. Skådespelarna genuina, men själva intrigen är ofta överkurs. Man behöver inte krångla till det så oerhört. Enda trösten är att det nästan alltid är den minst misstänkte som är mördaren. Jag brukar roa mig med att peka ut någon som helt verkar sakna betydelse för handlingen och ofta har jag rätt.

Så började jag gå hemåt med Cléo på axeln då en bil kom bakom mig. Jag ställde mig närmare väggen för att låta den passera. Men det gjorde den inte. Den långa, svarta bilen med blå diplomatskyltar stannade vid min sida. En dörr öppnades, en man steg ur.

– Mr Homan?

– Yes.

– Mitt namn är Jensen. Jag och min kollega skulle vilja prata med er.

Kapitel XXXVI

– Det gäller Vladimir Sytenko. Och Rickard Bergman.

– Nu förstår jag inte. Och vem är ni?

– Dick Jensen, från amerikanska ambassaden. Vi utreder Vladimir Sytenkos affärer och vi förstår att ni har haft kontakt. Med Rickard Bergman också, eller hur?

– Ja, men jag har väl ingen anledning att svara på era frågor? Sytenko har jag bara träffat ett par gånger och Rickard Bergman hade jag ett affärsuppdrag för. Jag har berättat allt jag vet för svensk polis. Ni får väl vända er till dom om ni vill veta mer.

– Förstå mig rätt, mr Homan. Han log. Vi är inte några poliser och det här är inte nåt förhör. Vi är bara intresserade av ett samtal och vi tror att ni kan hjälpa oss.

– Vilka "oss"?

– Den amerikanska administrationen. Vladimir Sytenko är inblandad i vissa olagliga transaktioner med Iran. Brott mot sanktionslagarna. Det gäller export av strategiska metaller, viktiga för uppbyggnaden av deras kärnvapenkapacitet. Där var mr Bergman också delaktig.

– Det är möjligt, men det vet jag ingenting om. Mina kontakter med Bergman gällde antikviteter, inte atombomber. Han var samlare, som ni kanske vet.

– Vi vet, och vi vet vad ni gjorde i Miami. Underskatta oss inte. Mr Bergman var ofta i Moskva för kontakter med ryska artister och kompositörer. Vi vet att han träffade Sytenko flera gånger.

– Jag förstår bara inte varför ni tränger er på mig mitt på gatan. Kunde ni inte ringa först?

Jensen log.

– Vi lever i cyberepoken, mr Homan, om ni inte har upptäckt det än. Och vi är inte ensamma. Inte bara USA har kompetens på det området. Och vi vill inte, låt oss säga, "oroa" våra objekt.

– Jag förstår att ni har ett jobb att sköta och jag respekterar det. Då får ni också respektera mig och lita på vad jag säger. Jag har alltså inga som helst kontakter med vare sig Sytenko eller Bergman när det gäller militär teknologi eller strategiska mineraler. Absolut inte! Och jag har ingenting mer att tillägga.

– Okej. Jag förstår. Och tack för er tid. Men skulle ni komma på nånting som kan vara av intresse för oss så hör av er. Ni kan ju föreställa er vad en kärnvapenattack mot Israel skulle få för konsekvenser. Kan ni bidra till att förhindra det så har ni ett ansvar, ett stort ansvar.

– Jag sysslar med objekt som är mer än hundra år gamla. Från en epok då det bara fanns kulor och krut och kanoner. Och det enda jag vet om världsläget och säkerhetspolitik är vad jag ser på tv eller läser i tidningarna. Man var inte orolig. Jag ska ta mitt ansvar. Jag log mot honom, men han log inte tillbaka.

– Tack för samtalet, sa han kort. En sak bara. Var försiktig i era kontakter med mr Wells. I motsats till er sysslar han även med annat än antikviteter.

Dick Jensen gick tillbaka till bilen som långsamt körde ner mot Sankt Göran och Draken. Såg han sig själv som världsfredens bevarare i form av helgonet med det dragna svärdet och var Sytenko ormen i paradiset där han låg i form av en väsande drake vid statygruppens fot?

När jag kom upp i våningen ringde jag Jonas Berg.

– Jag har blivit antastad. På gatan.

– Grattis, var hon snygg?

– Det var en han.

– Oj då. Inte visste jag att du var så attraktiv.

– Det var säkert din gode vän från amerikanska ambassaden, Dick Jensen. Det låter inte särskilt amerikanskt.

– Pappan kom från Danmark. Vad menar du med ”antastad”?

Jag berättade vad som hänt. Jonas lyssnade utan att avbryta.

– Det som oroade mig mest var det där med Jeremy Wells. Hur kunde han veta att Jeremy skulle komma?

– Du har telefon och dom har resurser. Jag sa ju att du skulle vara försiktig med din telefon och din dator.

– Det var faktiskt han som ringde till mig. Men det får mig att tänka på en sak.

– Vadå?

– Jag berättade väl om dom där inbrotten i affären och i min våning? Men ingenting hade stulits. Dom kanske inte var där för att stjäla utan för att rigga telefonen och fixa min dator?

– Jag vet inte om dom behöver göra det. Avlyssning kan ske på annat sätt också. Jag är ingen expert, men det är nog inte omöjligt med dagens teknik. Kommer du att träffa Wells?

– Jag bjöd honom på lunch eller middag och han tar med sig sin fru, Anastasia. Och som en extra krydda har hon ju arbetat för Sytenko på hans museum i Moskva.

– Vi får väl se var det här landar. När du träffar Wells får du försöka få fram så mycket som möjligt. Han förekommer i våra akter och har ju kontakt med Sytenko. CIA har honom under uppsikt och han har rest flera gånger till Ryssland på senare tid. Officiellt för affärer, men vi vet inte riktigt vilket slags affärer. Officiellt antikviteter, det finns kapitalstarka ryssar nu som är intresserade av sin historia. Ryska målningar och annat går för höga priser som du vet. Och som en av Sytenkos kontakter och introduktör till ”rätt” kretsar i England är han intressant. Hans fru också.

När jag avslutat vårt samtal gick jag ut i köket och tog fram ett par djupfrysta wallenbergare som jag lagat för några veckor sedan. De hade blivit över från en middag med Francine. Hon älskar wallenbergare med potatismos, gröna ärtor och lingonsylt. Och en kall öl. Rödvin kommer inte till sin rätt i mötet med den svenska husmanskosten.

Så satte jag på tv:n och kom precis i rätt tid för Rapport. En stor nyhet var att man tagit in ”Zlatanera” i språkrådets lista över årets ”nyord” liksom ”Tintingate” och ”tårtgate.” ”Eurobävning” fanns också med.

Jag borde göra en ”Zlatan” i den komplicerade matchen med Bergmans död och Sytenkos strategiska mineraler. Göra det oväntade. Spela mig fri och briljera med en ”bicicleta” i krysset.

Men det var lättare sagt än gjort. Jag kände till spelplanen och några av spelarna, men inte alla. Så fanns CIA med som något slags självutnämnd domare och på läktaren satt Iran, berett att trycka på knappen. Och reglerna ändrades under spelets gång. Nya spelare kom till och andra försvann. Som Peter Hansson.

Jag kände mig minst av allt som någon Zlatan där jag satt. Tvärtom. Jag var förvisad till avbytarbänken med mina luftiga teorier och hugskott om vem som mördat vem och varför. Frågan var bara hur jag skulle komma in i matchen och, med handen på hjärtat, vad jag egentligen hade där att göra?

Mina filosofiska betraktelser fick ge vika för ett nytt inslag i Rapport. Ett femtiotreårigt före detta landstingsråd hade fått en pension på 650 000 om året utan krav på att skaffa ett nytt jobb. Andra exempel på arbetsfria inkomster i samma klass gavs också. Var tionde som avgått fick pension fast de var femtio eller yngre och den arbetsfria ersättningen utgick tills de fyllde sextiofem. Som skattebetalare gladde jag mig åt att de fick sin välförtjänta belöning efter slitsamma år i det allmännas tjänst där den skandalösa försäljningen av Serafimerlasarettet bara var ett exempel på deras insatser.

En hoppfull ljusglimt fick jag i alla fall med mig. Jag skulle kunna bli 104 år om jag hade tur. Eftersom de sa det på Rapport så måste det ju vara sant.

Så avbröt jag mitt kverulerande, stängde av tv:n och gick ut i köket där jag tinat mina wallenbergare i mikron och lade dem i stekpannan, teflonstekpannan, med en skvätt ”smör&rapsolja” ur den gula plastflaskan. Satte på spisfläkten för att få bort stekoset.

Cléo, som hoppat upp på köksbordets rödrutiga vaxduk, följde min verksamhet med spänd uppmärksamhet. Hon älskar köttbullar och wallenbergarna är ju en sorts förvuxen variant. Knepet är bara att man inte får steka dem för hårt så att de blir torra.

Men hon behövde inte vara orolig. Jag skulle spara en bit till henne.

Jag kokade upp ärtorna och värmde potatismoset, men då visade inte Cléo samma intresse utan hoppade ner från köksbordet och slank in i vardagsrummet. Där skulle hon inta sin position vid mina fötter när jag åt för att vänta på de smulor som kunde falla från den rike mannens bord.

Nästa morgon ringde jag till Calle Asplund.

– Jag kommer upp till dig nu på förmiddagen.

– Är det ett löfte eller ett hot? Calle skrattade och det gladde mig för då var han på gott humör. Jag sitter lite trångt, kan du inte ta det på telefon?

– Nej, det är för känsligt och jag tror att jag är avlyssnad.

– Du? Avlyssnad? Nu tar du väl i. Och skrattet var tillbaka. Du får ursäkta men vem skulle vilja avlyssna dig?

– CIA.

– Du har sett för många agentfilmer på tv.
– Det är möjligt, men jag behöver tala med dig.
– Kom om en halvtimme. Jag har ett hål i agendan. Ett litet hål så du får fatta dig kort.
– Jag lovar.
En stund senare satt jag på Calles kontor.
– Vi hoppar kaffet, sa han. Jag har ett sammanträde om en kvart. Längre tid får du inte.
– Man får vara tacksam för det lilla.
Så berättade jag om mötet med Louise och om CIA-agenten som stoppat mig på Köpmangatan.
– Intressant. Tror du att den här Wells kan vara inblandad?
– Jag vet inte, men det verkar som om han kan vara med på ett hörn i Sytenkos affärer med krigsmateriel. Jag ska se vad jag kan få ut av honom när vi ses.
– Han kan knappast ha mördat Bergman och Hansson i vilket fall. Om han inte gjort det på distans från London. Distansmord. Calle log.
– Jag håller med dig. Nej, honom får vi nog skriva av som dubbelmördare. Har du förresten fått fram nånting ur Hanssons anteckningar? Den där boken jag hittade.
– Faktiskt. Mina killar är skickliga och det visade sig inte vara så svårt som vi trodde. Det gällde alltså pengar. Utbetalningar och inbetalningar. Dom berörde S, som vi utgår från är Sytenko. Och R som naturligtvis är Rickard. Det var rätt stora belopp ibland. Noteringarna sträckte sig ju över flera år. Sen fanns det andra bokstäver som vi inte har kunnat tyda. Vi kan åtminstone inte koppla dem till nån av dom andra i den här kretsen, inte än.
Calle tog upp ett papper från skrivbordet.
– J W är väl din kompis från London. Och C I, till exempel. Känner du nån som heter Carina, Calle eller Caesar i förnamn? Calle skrattade.

– Kanske.

– Vad menar du? Han såg frågande på mig.

– Det kan vara Rickards ”nya” dotter som jag berättade om. Det fanns faktiskt en Carin med i dödsannonsen. Fast jag tror att det kan vara intressantare än så. Jag tänker på att Peter Hansson inte kunde ha pengarna i byrålådan och kontoret ansåg han ju inte vara säkert av olika skäl. Och Sytenko kom knappast med en resväska för att hämta ut pengar. En gissning kan därför vara att C I betyder Cayman Islands, en trygg hamn för olika sorters transaktioner. Men det är bara en hypotes.

– Inte bara kanske. För du har säkert rätt i att det måste finnas en depå för pengarna nånstans, ett diskret konto. Vi får nysta vidare i det.

– Jag förstod på Hanssons syster att det här var firmans privata bokföring, sa jag. Transaktionerna kanske kan spåras via Bergmans konton.

– Inte nödvändigtvis. Du sa själv att Bergman inte ville använda sig av banker för alla sina affärer. Du fick ju dina femtiotusen i cash. Jag är tacksam för att du håller mig underrättad men var försiktig. Det är inga småpojkar som är i farten. CIA och ryska oligarker lägger inte fingrarna emellan. Och obekväma personer kan lätt tystas. Förstår du vad jag menar?

Jag nickade. Jag hade sett tillräckligt.

– Förresten har jag en nyhet för dig. Vi har tittat närmare på branden i Ivar Lindström Agencys lagerhus och kommit fram till att det var mordbrand. Elden var anlagd.

– Har ni fått fram vem det var som tände på?

– Nej, men vi hittade nånting annat. Det visade sig att huset var skrivet på ett annat bolag, förmodligen av skatteskäl. Och som ägare till det står Henrik Lindström.

– Det var intressant.

– Och det innebär att det är han som får ut försäkringspengarna. Stora pengar.

– Du tror att han ligger bakom?

– Det vet vi ingenting om. Inte än. Pyromaner är tyvärr ingen bristvara. Två mord och en mordbrand. Krydda med illegal försäljning av strategiska jordartsmineraler och du får en dödlig soppa. Håll dig borta från det köket, fullt av farliga kockar. Calle log.

– Jag vet. Och jag ska ligga lågt, men hör eller ser jag nånting ska du få veta det. Och jag har faktiskt mina misstankar när det gäller mordet på Bergman.

– Verkligen?

– Du gillar ju Shakespeare. Tänk på Hamlet. Och Claudius.

Kapitel XXXVII

Tog jag i för mycket när jag drog till med Hamlet? tänkte jag när jag gick hem från Calles kontor i det stora polishuset på Kungsholmen. Jag hade ju nästan indikerat vem som var mördaren. Calle som kände sin Shakespeare skulle förstå.

Men även om jag hade bilden klar för mig, insåg vem som kunde vara mördaren och vilket motiv som låg bakom mordet räckte det inte. Jag måste ha kött på benen, bevis som höll i domstol. Och det hade jag inte. Inte än.

På tal om motiv. Jag hade ju inte talat med Maria Nyman, Rickards assistent, mer än en gång efter Rickards död. Jag visste, om jag fick tro Hansson, att Maria Nyman stått Rickard nära i många år och hjälpt fram honom till den position han nu hade i firman, men lönats illa, mycket illa. Utestängd från Rickards liv och dessutom på väg att sparkas från företaget. Ett starkt motiv, minst sagt. Jag mindes också vad Eva sagt, att Maria varit mer än Rickards högra hand.

Jag hade kommit till Kungsträdgården på min väg till affären, passerat Sergels Torg och NK. Tunnelbanan hade jag hoppat över, det var nyttigt att röra på sig och jag satt alldeles för mycket stilla.

Framme vid Drottning Kristinas gula jaktslott stannade jag, såg mot backen upp till höger. Där låg Västra Trädgårdsgatan, där fanns Rickards kontor. Skulle jag gå dit, konfrontera Maria

Nyman när hon var oförberedd på mina frågor? Det skulle kanske vara värt besväret och jag hade ju ändå tänkt tala med henne.

Jag knegade uppför backen som var brantare än den såg ut, öppnade den stora porten till det palatsliknande patricierhuset och steg in i hissen som långsamt och värdigt segade sig upp mellan våningsplanen.

När jag stängt hissdörren bakom mig tryckte jag in knappen för ringklockan vid skylten ”Ivar Lindström Agency”, en diskret skylt i mässing, långt från Rickard Bergmans storvulna framtoning.

En ung tjej med tunn guldring genom underläppen öppnade. Jag undrade hur det funkade när hon åt men frågade istället om Maria Nyman var inne.

– Ja. Vem får jag hälsa från?

– Johan Homan. Hon känner mig.

– Ett ögonblick. Så gick hon.

Efter en stund kom Maria Nyman ut i hallen. Frågande såg hon på mig.

– Du ville träffa mig?

– Ja, jag har en del frågor.

– Frågor?

– Det gäller Rickard. Och Peter Hansson.

– Det är väl polisens sak och jag har redan pratat med dom. Sagt allt jag vet om dom här förfärliga händelserna. Vad har du med utredningen att göra?

– Jag kände ju båda, åtminstone Rickard, och det är en del saker jag har funderat över. Och du kanske kan ge svaret.

– Det tror jag knappast, men kom in på mitt kontor så får vi se.

Hon lät ogillande och jag förstod henne. Vad hade hon egentligen för anledning att besvara mina frågor, och för andra gången dessutom? Jag var trots allt ingen polis. Eller skulle hon ta tillfället i akt att lägga fram sin egen version av det som skett?

En friserad version som passade hennes syften? Hur som helst skulle hennes svar bli intressanta.

Vi satte oss i var sin fåtölj. Maria spänd, avvaktande.

– Jag ska på ett möte på Chinateatern. Det gäller en musikal dom funderar på att sätta upp. Vi har rättigheterna. Rickard höll i det, men jag var naturligtvis inblandad. Nu får vi se hur det går.

– Jag förstår. Jag ska inte uppehålla dig, har bara några frågor.

– Jag berättade ju för dig vad jag visste om Sytenko och annat när du var här sist. Jag sa vad jag visste då och vet inte mera nu.

– Två saker. Dels har polisen hittat Peters privata kassabok och dels undrar jag om du känner till Jeremy Wells.

– Wells? Det är väl den där engelsmannen som kom hit ibland? Jag vet bara att Rickard köpte en del av honom. Han är ju antikhandlare. I London. Jag minns att han var trevlig. Och jag tror att dom hade andra affärer ihop också. Han kom hit en gång tillsammans med Sytenko.

– Vilken sorts affärer?

– Jag vet faktiskt inte. Jag frågade inte och Rickard berättade inte nånting. Men han hade ju många järn i elden och Peter höll i ekonomibiten.

– Jag har förstått det. Men för att återgå till hans kassabok så måste han ha haft stora inkomster. Systern berättade om ett hus i Provence och en dyrbar bil. En stor Mercedes. En konstsamling hade han också.

– Jag vet. Han påstod att han hade fått ärva, men jag tror att han förskingrade. Det sa jag ju förra gången också. För på dom löner Rickard betalade kunde han inte köpa hus vare sig i Provence eller nån annanstans. Hon log. Jag hade ju mina misstankar och nu har jag fått dom bekräftade.

– Henrik arbetar här, har jag förstått.

– Det gör han. Var ansvarig för Norden och nu har han tagit över allt.

– Hur var hans relation till Rickard?

– Inte särskilt bra. Han hade alltid kroniskt dålig ekonomi, tyckte att han borde ha högre lön. Sen Rickard i praktiken tog över ledningen kände han sig också åsidosatt. Bara nån vecka före Rickards död blev det ett våldsamt uppträde här. Ett gräl där Rickard skällde ut Henrik inför öppen ridå. Kallade honom odugling. Verkligen pinsamt.

– Men Henrik måste väl ha varit delägare i firman? Hans pappa hade ju grundat den.

– Ja, men Rickard hade solochvårat Louise och manipulerat sig till posten som VD så Henrik hade fått stryka på foten. Och det har han aldrig accepterat. Han hatade Rickard. Och jag hoppas han har alibi för mordet.

– Du menar...

– Jag menar ingenting, avbröt hon.

Då öppnades dörren, Henrik kom in. Förvånat såg han på mig.

– Hej, Johan, söker du jobb eller har du skrivit en pjäs? Du kan alltid få hoppa in som statist. Han skrattade, men det kom lite ansträngt.

– Johan kom för att prata om Peter Hansson, sa Maria snabbt, som för att hindra mig från att säga nånting oöverlagt.

– Han har betalat ut mitt arvode, sa jag. Du vet ju att jag köpte en grekisk hjälm i Miami för Rickards räkning. Ett tag trodde polisen att jag hade nånting med mordet att göra. Det fanns inga kvitton på pengarna som jag satt in på mitt konto dan efter mordet. Och kassaskåpet var tomt när man hittade honom.

Henrik skrattade.

– Du var alltså misstänkt för rånmord? Först skjuter du Rickard och sen tar du pengarna. Snyggt jobbat.

– Det kan man säga. Men Peter Hansson räddade mig, för i hans bokföring ser man att han har betalat ut pengarna till mig.

– Vilken bokföring?

– Hemma hos hans syster fanns ett slags kassabok där han hade fört in olika transaktioner som han tydligen tyckte var för känsliga för att förvaras på kontoret. ”Hemlighetsboken” kallade han den enligt systern.

– Var finns den nu? Henrik såg spänt på mig.

– Hos polisen. Dom håller på att analysera innehållet. Och dom har visst fått fram mycket matnyttigt.

– Vem har lämnat boken till dom och vad fan har polisen med den att göra?

– Om jag förstått rätt så ingår den i mordutredningen. Och dom har redan fått fram att Peter förmodligen hade förskingrat pengar från Ivar Lindström Agency.

– Varför har jag inte fått veta det?

– Förmodligen för att du inte har frågat. Men du kan vända dig till kommissarie Calle Asplund. Han leder utredningen.

Henrik stod tyst, såg avvaktande på mig. Det märktes tydligt att han inte kände sig bekväm med vad han fått veta. Hade Peter Hanssons bok innehållit flera hemligheter?

– Och hur vet du allt det här?

– Därför att jag har suttit i förhör. Dom misstänkte ju ett tag att jag möjligen hade stulit mina pengar i samband med mordet.

Det var ju inte alldeles sant, men ändamålet fick helga medlen. Och jag ville inte komplicera livet i onödan.

– Jag ska ringa den där kommissarie Asplund, sa Henrik. Peter kan ju ha fabulerat om vad som helst i sin ”hemlighetsbok”. Ett löjligt namn förresten. Och handlar det om firman måste jag få veta det. Trots allt är jag VD.

Kapitel XXXVIII

Francine och jag satt tillsammans med Anastasia och Jeremy på den flytande restaurangen nere vid Djurgårdsbron. Solen gick ner över Nordiska museets riddarborg, en blå spårvagn skramlade fram uppe på bron. Vita motorbåtar gled förbi ute på den blanka vattenspegeln och snattrande änder slogs om brödbitar som gästerna vid bordet intill slängde över räcket. Ett vitt svanpar höll sig avvaktande en bit längre ut. Så plöjde de sig fram och andflocken vek respektfullt undan, lämnade smörgåsbordet till övermakten.

Vi hade börjat med en drink i Francines våning och sedan gått ner genom Narvavägens gröna allétunnel. Jeremy hade ringt på förmiddagen och anmält sin ankomst och jag hade briefat Francine om vad som hänt och vad jag ville få ut av mötet med Jeremy och Anastasia.

– Om jag förstår rätt, hade hon sagt, så vill du veta om han gjorde affärer med Sytenko och Rickard Bergman som rörde nån form av krigsmateriel.

– Precis. Och om han kan ha nån uppfattning om vem som mördade Rickard.

– Du tror väl inte att han berättar det rakt upp och ner? Export till Iran av dom där mineralerna är ju ett lagbrott.

– Jag vet, men det är värt ett försök. Och Rickards sekreterare berättade ju om Sytenkos besök och i Peter Hanssons bokföring finns en koppling till Sytenko och Jeremy. Att Anastasia dessutom jobbat på Sytenkos museum i Moskva är ju också intressant i sammanhanget.

Vi hade beställt gravlax och husets vita vin. Jag visste ingenting om restaurangens kulinariska förmåga, men gravlax är svårt att förstöra och vitt vin är ju alltid vitt vin. Lagom kylt brukar det vara bra oavsett märke.

Efter inledande förpostfäktningar om väder och vind, antikmarknaderna i London och Stockholm och gemensamma vänner närmade jag mig målet.

– Den stora skillnaden på din och min business är ju marknaden, sa jag. England har varit ett imperium, är fortfarande rikt och det finns enorma skatter ute på alla slott och herresäten. Du måste få in objekt som jag aldrig ser skymten av, även om det kan dyka upp fantastiska grejer hos oss också. Sen har ni en oerhört köpstark publik. Ta bara araberna som köper upp hela kvarter i London och som samlar på sig statusprylar.

– Jag vet, Jeremy log. Som du sa var vi ju ett imperium och vi startade den industriella revolutionen. Många samlade på sig stora förmögenheter.

– Du ska väl inte klaga, sköt Anastasia in och såg på mig. Tänk på vad Sverige rövade under stormaktstiden. Oerhörda skatter. Stormningen av Prag till exempel, när ni plundrade kejsarens skattkammare. Och det kommer väl ut på marknaden?

– Jag ska inte klaga, men England ligger bättre till. Det transatlantiska utbytet gav ju också resultat.

– Nu förstår jag inte, sa Francine. Vad menar du med det?

– Köttmarknaden, Jeremy log igen. Johan har rätt. Unga amerikanskor från rika uppkomlingsfamiljer gifte sig med våra lorder och hertigar som ibland bara ägde kläderna på kroppen för att nu överdriva, men det var svårt för många under den konfiskatoriska arvskattens dagar. En miss Vanderbilt, Ford, Morgan eller motsvarande kunde bli hertiginna och hertigen blev ekonomiskt oberoende. Churchills familj är ett bra exempel.

– Men han var väl inte hertig?

– Nej, men det fanns i släkten och hans pappa gifte sig med en rik amerikanska.

– Jag förstår varför du gjorde stora affärer med Sytenko, sa jag och avlossade min första salva. För en rysk miljardär var väl din affär rena godisbutiken.

– Det stämmer. Rysk korruption har vi haft mycket glädje av. Jeremy skrattade, men Anastasia verkade inte lika road.

– Jag förstod på Rickard att du introducerade Sytenko i ”rätt” kretsar?

– Det är väl att ta i, men han hade nytta av mitt kontaktnät. Jag sammanförde honom ibland med potentiella säljare av större objekt och då såg man kanske mig som en garant för att Sytenko var seriös. Han kopplade mig också till andra ryska samlare. Det verkar som om dom har insett att konst är en bra investering. För några år sen såldes en tavla av Cézanne för två miljarder i era pengar, svenska kronor alltså. Så var det också världen dyraste tavla.

– Då ligger van Gogh i lä, sa Francine. En av dom senaste noteringarna lär ligga på en halv miljard. Och då sålde han bara ett par tavlor under sin livstid. Den som köpt upp hans produktion hade varit rikare än både Putin och Castro. Här hemma når vi inte upp till dom nivåerna.

– Zorn toppar vår lista med sitt ”Sommarnöje”, sa jag. Den gick på Auktionsverket för närmare trettio miljoner för ett par år sen.

– Fickpengar, Anastasia log, men Zorn är en härlig målare, särskilt hans vatten.

– Rickard sa också att ni hade andra affärer på gång tillsammans med honom, sa jag, inte enbart antikviteter. Jag ville föra in samtalet på rätt spår, på mitt spår, innan det svävade ut i periferin.

– Vad skulle det vara för sorts affärer?

– Strategiska mineraler, blev min andra salva.

Jeremy stelnade till, ansiktet nollställt.

– Det måste han ha fått om bakfoten. Sytenko köpte en hel del exklusiva objekt av mig, men jag är faktiskt inte i mineralbranschen.

– Jag förstår. Vad tycker du om honom? Som person, som människa?

– Jag brukar inte diskutera mina klienter med andra, men rent allmänt kan jag väl säga att han inte direkt är nåt charmtroll. Han är skolad i gamla KGB där han blev kompis med Putin och det har han ju haft glädje av. Leendet var tillbaka.

– Där håller jag inte med, sköt Anastasia in. Jag arbetade i hans museum i Moskva en period och han verkade mycket seriös. Gick in för att bygga upp sin samling och var påläst och kunnig. Rent privat kunde han faktiskt vara trevlig, bjöd på sig själv, och han var generös mot oss i personalen. Fast i affärer lär han vara stenhård. Stod man i vägen för honom blev man överkörd. Inte av en bil, men en ångvält. Hon skrattade. Men om man börjar med två tomma händer och slutar som miljardär måste man väl ha hårda nypor.

Och inflytelserika vänner, tänkte jag. Känna "rätt" personer vid "rätt" tillfälle, som när Sovjetunionen styckades upp. Och jag tänkte på vad hon sagt om ångvält. Hade Rickard Bergman råkat ut för det? Hade han blivit en belastning i deras affärsrelation? Hade CIA:s intresse för honom blivit för närgånget?

– Kände du Peter Hansson, förresten?

Frågande såg Jeremy på mig.

– Peter Hansson? Det ringer ingen klocka.

– Han var Rickards närmaste man. Höll i ekonomin.

– Tyvärr.

Men han kände dig, tänkte jag. Du finns med i hans "hemlighetsbok" tillsammans med Vladimir Sytenko. Bokstavskombinationen J W kunde knappast avse någon annan. Fast jag fick inte dra för stora växlar på det. Pengarna kunde ju ha gällt Rickards inköp från Jeremy.

– Hansson är också död, sa jag. Mördad.

– Det menar du inte? Jeremy såg förskräckt på mig.

– Ett till mord? Vad händer egentligen i Stockholm? Anastasia var upprörd. Det är väl inte New York vi talar om?

– Varför skulle nån vilja mörda Hansson?

– Jag tror att det finns ett samband. Den som mördade Rickard Bergman mördade också Peter Hansson.

– Varför tror du det?

– Jag har inga bevis, inte än, men Hansson var Bergmans närmaste man, höll i ekonomin på företaget, också Bergmans affärer vid sidan av Ivar Lindström Agency. Och han visste allt om Bergmans privatliv. Jag tror helt enkelt att han insåg vem mördaren var. Den som dödat Bergman förstod det. Kanske hade Hansson försökt utpressa honom? Därför måste han bort.

– Det låter som en deckare, sa Anastasia. Rickard Bergman skjuts i sitt stora hus, en grekisk hjälm försvinner och hans närmaste man mördas.

– Kan inte sanningen vara enklare? sa Jeremy. Det behöver ju inte alls finnas nåt samband. Rickard kan ha skjutits av en rånare. Pengarna var ju borta och hjälmen. Fast den blir svårsåld. Och Hansson kanske hade fiender. Låter du inte fantasin skena iväg med dig?

– Det är möjligt. Jag har inga bevis, bara min intuition.

Jag såg på Francine, men taktfullt nog kommenterade hon det inte, bara log.

Kapitel XXXIX

Dagen efter vår middag vid Djurgårdsbron kom Anastasia till min affär. Vi satte oss i fåtöljerna som tillhörde den gustavianska soffgruppen, sorgligt osåld trots den nya klädseln.

– Tack för en trevlig kväll, hon log men blev sedan allvarlig. Jeremy är ute i Bergmans villa. Louise ville ju att han skulle göra några värderingar och själv ska han försöka köpa en del föremål.

– En rysk droskkusk?

– Hur vet du det?

– Louise berättade det. Men det verkar som om Sytenko också är intresserad.

– Han har bett Jeremy att skaffa tavlan.

– Kan han inte köpa den själv? Behöver han några mellanhänder?

– Jag vet inte om du känner till det, men Sytenko och Bergman avskydde varandra. Det var en affär som gått snett. Därför vill han inte ha nån kontakt med Louise. Han tror inte att hon vill sälja tavlan till honom.

– Sytenko var faktiskt på begravningen. Men money talks, särskilt om det är stora belopp.

– Jag vet. Och det var egentligen för att tala om Sytenko som jag kom. Hon såg allvarlig ut.

– Jeremy ville inte prata om det igår. Han vet att Francine är polis, och jag vill inte att du ska få fel uppfattning om honom. Men Sytenko har lurat honom. Dragit in Jeremy i nånting han har svårt att komma ur.

Anastasia tystnade. Utanför det stora skyltfönstret kom Eric Gustafson. Han vinkade till oss, jag vinkade tillbaka.

– Sytenko hade köpt en tavla i mångmiljonklassen, en van Dyke. Han var ju verksam i England på 1600-talet, kunglig hovmålare tror jag och en av hans specialiteter var kungafamiljen.

– Jag vet. Det finns en stor duk med alla Karl I:s barn plus några hundar i förgrunden. Minns jag rätt hänger den i Dresdengalleriet.

– Sytenko köpte målningen och lämnade en del aktier i ett av sina bolag som dellikvid. Jeremy kontaktade sin bank som gav klartecken. Bolaget var okej liksom Sytenko. Man kände ju till honom, en av Rysslands rikaste. Sen började problemen. Anastasia tystnade, som om hon tvekade.

– Efter ett tag började Sytenko ställa krav när det gällde hans kontakter i England. Ville att Jeremy skulle ställa upp. Det gjorde han i början. Men sen ville han inte. Tyckte det var för känsligt för honom att vara nån sorts agent för Sytenko. Alla visste att han var miljardär, men många visste också hur han hade kommit över sina tillgångar. Då berättade Sytenko att han hade omfattande affärer med krigsmateriel i bolaget där Jeremy fått aktier som han inte hunnit sälja. Formellt var bolaget i oljebranschen, men gjorde vapenaffärer med Iran och andra svartlistade länder. Man hade till och med tidigare sålt vapen till IRA på Irland. Om Jeremy inte ställde upp så skulle hans inblandning i affärerna läckas till engelska media.

– Det skulle bli skandal, eller hur?

– Om, sa Anastasia med eftertryck. Att ha sålt vapen till IRA ses som en dödssynd. Förtroendet Jeremy byggt upp genom åren och hans ställning som en av Englands ledande antikhandlare skulle gå upp i rök.

– Utpressning, med andra ord.

– Exakt. Så Jeremy var tvungen att spela med. Sen kom Rickard Bergman in i bilden. Han gjorde ju affärer med Sytenko och han kom med samma krav på "samarbete". Men han var värre. För han krävde pengar, inte direkt, men han krävde att Jeremy sänkte priserna på sina objekt till långt under värdet. Jeremy försökte prata med honom bara för några veckor sen, här i Stockholm. Men det gick inte. Han skrattade och frågade hur mycket Jeremy tyckte att hans rykte var värt.

Jag såg på henne, tårar i ögonen. Nu förstod jag ännu bättre varför hon kallat Rickard "an evil man", inte enbart för att han antastat henne.

– Men Jeremy kom till begravningen.

– Han ville försöka få fram hur mycket Louise och Henrik visste. Om utpressningen skulle fortsätta. Tack och lov blev det grönt ljus. Ingen av dom verkade förstå vad Jeremy menade när han frågade. Ja, inte direkt förstås, men inlindat.

– Jag förstår.

– Jag hoppas du gör det. Jag ville tala med dig eftersom du inte är polis, men jag inser att du kommer att berätta för Francine. Om det kommer fram nånting negativt om Jeremy och hans "samarbete" med Sytenko och Bergman så ska ni veta vad som ligger bakom.

När hon gått tänkte jag på vad hon berättat. Och hon hade ju rätt. Om Sytenko avslöjade Jeremys koppling till hans vapenaffärer skulle Jeremy verkligen sitta illa till. Det han mödosamt byggt upp under åren i en bransch där mycket byggde på tillit och förtroende skulle brutalt sopas bort. Sytenko skulle det inte bekomma. Han satt tryggt i sitt bo i Ryssland och en mediastorm i England skulle inte drabba honom, om man var cynisk. Han hade väl redan dåligt rykte.

Bilden började klarna. Men innan jag gick vidare med Henrik och mina teorier så måste jag klara av en annan sak. Den felande biten i mitt läggspel, Rickard Bergmans okända dotter. Inte för att jag trodde att hon skulle mörda sin pappa för att komma åt arvet, men jag ville kunna lägga henne till handlingarna. Och man kunde ju aldrig veta? Kanske satt hon på vital information när det gällde mordet? Men jag visste ju inte ens vad hon hette. Maria Nyman kanske visste? Hon hade ju stått Rickard nära.

Jag knappade in hennes nummer ur min agenda och hon blev förvånad, förstod inte varför jag ville ha informationen. Men hon gav med sig när jag förklarat.

– Jag vet inte om hon vill tala med dig, hon ligger väldigt lågt, har alltid gjort. Jag ska ringa henne och berätta att du sökt henne. Om det är okej så kontaktar hon dig.

Hon ringde inte på eftermiddagen eller kvällen. Inte på förmiddagen nästa dag heller och jag hade gett upp hoppet där jag satt med Svenska Dagbladet på mitt kontor. Och varför skulle hon ringa till en vilt främmande människa och tala om sin pappas död? Om mordet på Rickard Bergman, hennes frånvarande pappa.

Det fanns i alla fall en glädjande nyhet i tidningens nyhetsflöde som dominerades av krig, våld och annat elände, en information som lyste upp min vardag. Det var rubriken över en artikel: ”Småfeta överlever smala.” Budskapet gick ut på att vetenskapen nu kommit fram till att överviktiga och småfeta löper mindre risk att dö i förtid än gravt feta och normalviktiga. Närmare tre miljoner människor i hela världen hade man studerat. Nu fick kroppsmoralisterna någonting att tänka på, konstaterade jag belåtet.

Jag tog den stora saxen som låg på skrivbordet. Jag skulle spara artikeln och visa den för Francine. Hon var ofta framme och påminde mig i all välmening om att jag borde tänka på vikten, att en Dry Martini innehöll över tvåhundra kalorier. Nu skulle hon förstå att om jag fortsatte som jag gjort hittills så blev jag äldre. Fast jag tog till. Jag kunde verkligen inte kallas småfet. Visserligen spände det ibland i byxlinningen, men det brukade gå tillbaka om jag höll igen på kalorierna.

Mina funderingar kring fetma och övervikt avbröts av telefonen.

– Hej, jag heter Carin Ingvarsson och jag har förstått att du vill tala med mig.

Rickard Bergmans dotter, tänkte jag. Men Ingvarsson? Hon kanske var gift?

– Vad snällt att du ringde. Jag bad Maria Nyman att kontakta dig.

– Det gjorde hon, men hon sa inte varför du ville prata med mig.

– Det gäller din pappas död, Rickard Bergman. Jag har förstått att du är hans dotter.

Det blev tyst i luren, hade hon lagt på?

Så kom rösten tillbaka.

– Jag förstår bara inte vad du har med det att göra? Min pappa mördades och polisen utreder mordet.

– Jag har blivit inblandad trots att jag är totalt oskyldig. Jag kände din pappa och vi gjorde affärer ihop. Jag är alltså antikhandlare.

– Maria sa det.

– Jag vill inte gärna ta det på telefon, men det är några saker jag vill fråga dig om.

– Det låter lite konstigt. Att du inte kan tala om vad du vill, men jag är inne i stan idag på eftermiddagen. Jag bor i Nacka alltså. Och vi kan ses vid tvåtiden på serveringen i Kungsträdgården. Den som ligger mot Hamngatan, snett emot NK. Är det okej för dig?

– Det blir utmärkt.

– Hur känner jag igen dig?

– Jag kan sitta och läsa Svenska Dagbladet.

– Då får jag gå runt och prata med alla som läser Svenskan.

Hon skrattade.

– Det ordnar sig. Hur kan jag känna igen dig?

Men hon hade lagt på. Och jag förstod henne. Hon hade velat träffa mig ute bland andra människor. På en servering, och hon ville inte ge någon beskrivning av sig själv. Och det var ju klokt. Nu kunde hon kolla upp mig och se vad jag var för en figur. Verkade det skumt kunde hon ju bara gå därifrån.

Kvart i två gick jag till Kungsträdgården, förbi Molins fontän och statyn av Karl XIII mellan de skulpterade lejonen. ”En kruka bland fyra lejon” som elaka tungor kallade honom i motsats till Karl XII en bit längre ner mot Strömmen: ”Ett lejon bland fyra krukor.” Folkhumorn hade verkat också under tidigare sekler.

När jag kom fram till serveringen satte jag mig vid ett bord ute på terrassen med utsikt över Kungsträdgården. Jag vecklade upp mitt Svenska Dagblad och beställde kaffe och en mazarin. Inte för att jag är förtjust i mazariner, men det kändes futtigt att bara beställa kaffe.

Tio minuter gick, en kvart. Så hörde jag någon bakom mig. En kvinna ställde sig vid mitt bord.

– Doctor Livingstone, I presume.

– Welcome, miss Stanley.

Vi skrattade båda. Hon var blond, solbränd, jeans och jeansjacka. Loafers och stora solglasögon. Hon satte sig ner vid mitt bord, tog av solglasögonen och såg på mig. Och jag slogs av att hon var så lik Rickard Bergman. Draget över ögonen och munnen. Men hennes leende var varmare.

– Carin Ingvarsson, sa hon. Och du är Johan Homan?

– Det stämmer. Snällt att du kom. Du undrar väl varför jag bad dig ringa mig?

– Det är inte utan och jag skulle inte kommit om det inte varit för Maria Nyman.

– Verkligen?

– Hon sa att du var okej, att du inte var ”farlig”. Leendet kom tillbaka.

– Åtminstone inte på offentlig plats. Jag vet inte om Maria sa nånting om vad jag ville?

– Nej, bara att du var god vän till pappa och hade en del frågor.

– Det stämmer. Som jag sa när du ringde har jag blivit indragen i mordutredningen. Jag köpte en grekisk hjälm till honom i Miami.

– Det låter spännande. Jag har alltid längtat efter att resa dit. Deras art déco-arkitektur lär vara fantastisk. Men jag har aldrig haft råd.

Det kanske du får nu, tänkte jag. Carin var väl hans enda barn och Rickard hade säkert inte varit barskrapad, även om Louise skulle ha sin del om de nu inte hade haft äktenskapsförord.

– Det är den verkligen. En estetisk upplevelse. Men för att gå rakt på sak så ville jag tala med dig om Rickards död. Polisen trodde som sagt ett tag att jag var inblandad, men jag hoppas att dom har lugnat ner sig nu.

– Varför trodde dom det?

– Jag var ute hos Rickard på kvällen samma dag han mördades. Och då blir man ju automatiskt misstänkt. Det hör väl till budorden i handboken för mordutredare. Och nu undrar jag om du känner till nån eller några som kunde ha motiv.

– Jag hade ju inte så mycket kontakt med pappa. Han hade ju en egen familj, sa Carin bittert. Han skickade pengar, underhåll. Men det var sällan vi sågs. Han var en "frånvarande" pappa minst sagt. Men han hade en kontaktperson för mamma och mig på sitt företag. Peter Hansson.

– Du vet att han också blev mördad?

– Jag läste om det. Och jag var på hans begravning. Det var inte många som kom. Hans syster och Maria och några från firman. Det var i alla fall dom enda jag kände. Men jag vet att Peter inte gillade pappa. Han sa det kanske inte rakt ut, men jag förstod det på honom. Jo, Henrik var ju där förstås. Från agenturen. Jag har träffat honom några gånger, men vi umgås inte. Han tycker väl att det är pinsamt att det finns en gökunge i boet. Carin log ett ironiskt leende. Men han hade inga hämningar. Han sa rent ut vad han tyckte om pappa. Och det var ord och inga visor.

– Men du var inte på Rickards begravning. Åtminstone såg jag dig inte.

– Jag ville inte gå, sa hon trotsigt. Kunde inte. Han dödade min mamma.

– Dödade? Menar du det?

– Indirekt. Hon tog livet av sig, kunde inte klara att han brutit med henne och stuckit. Mamma arbetade alltså på firman för många år sen. Och han lovade guld och gröna skogar, skulle gifta sig med henne och hela köret. Så blev mamma gravid och då var det roliga slut. Hon blev sittande ensam med mig. Så gick det som det gick och jag växte upp hos mammas syster, min moster. Så därför heter jag Ingvarsson efter min mamma, inte Bergman.

Då hade jag inte ringt förgäves, tänkte jag och såg på henne. Ett helt nytt motiv. Hade Carin kommit ut till villan på kvällen sen jag gått? Rickard sa ju att han väntade besök. Hade hon beskyllt honom för mammans död? Tog hon pistolen som låg framme och sköt? Pengarna som försvunnit ur det öppna kassaskåpet kanske var hennes skadestånd för allt Rickard gjort hennes mamma och henne själv?

Jag insåg att det var luftiga teorier, ett korthus som en skicklig advokat kunde blåsa omkull i rätten. Jag fick inte låta min jakt på Rickards mördare tas över av önsketänkande.

– Fast när jag tänker efter tror jag att det var nån i familjen som mördade pappa. Jag har ju mött dom i samband med boutredningen. Och jag kände deras negativa vibbar. Allvarligt såg hon på mig.

Kapitel XL

Högt över slottet såg jag en stor havsörn segla fram i ensamt majestät när jag gick tillbaka över Strömbron. Miljökampen hade gett resultat och stammen ökade. Och jag tänkte på hur delar av Stockholm blivit ett eldorado för fågelskådare och i utkanterna en attraktiv miljö för olika djurarter, från räv och hare till rådjur, inte bara för den miljonstora råttpopulationen. Om vintern var det varmare mellan huskropparna och de jagande rovdjuren höll till i skog och mark. Fast jag hade läst att man sett varg i Gamla stan under mörka vinternätter. Men det var på 1800-talet, så jag behövde inte vara orolig. I motsats till i Berlin hade vildsvinen hittills hållit sig borta. Fast det var bara några år sedan man såg en varg på Västerbron.

När jag var tillbaka i affären signalerade min telefonsvarare med sitt röda blink. Louise. Hon ville bjuda på middag nästa dag hemma hos sig. Klockan sju "och du känner nog alla". Hennes barn skulle komma liksom Jeremy och Anastasia. Maria Nyman var också bjuden. "Kände jag henne? Rickards högra hand i firman." Liksom Eric Gustafson, "din kollega och konkurrent. Kom som du är."

Intressant, tänkte jag. Inte att hon hade middag för sina barn, det var ju inte originellt, heller inte att hon velat bjuda Jeremy och Anastasia. Hon var ju på deras bröllop i Stratford-upon-

Avon och Jeremy hade kommit för att köpa in en del av Rickards bättre objekt. Eric Gustafson förstod jag inte riktigt, men Rickard hade ju varit hans kund, hans "klient" som Eric föredrog att man sa, och Louise och han hade läst konstvetenskap samtidigt på universitetet. Men att bjuda Maria Nyman var väl lite mer oväntat. Hon hade ju varit kvinnan "bakom" Rickard och haft siktet inställt på att en dag få sin rätta plats i solen ute på Djurgården.

Det hade tydligen inte varit något ovanligt i Rickards relation till kvinnor. Jag tänkte på Carin Ingvarssons mamma som han dumpat. Kanske det fanns flera? Anastasia som berättat att han försökt våldta henne. Och så Eva. Det hade varit ännu värre. Hon var hans styvdotter och dessutom bara femton år. Vilket svin! Och Judy hade ju berättat hur han försökt "kladda" på henne.

Ett onormalt driftsliv som slagit över gång på gång? Var det vanligt bland män med makt? Att de kände sig osårbara, kunde ta för sig. Igen tänkte jag på den franske politikern som föll på eget grepp. Kennedy, Clinton och andra fanns med i bilden. Och Per Albin Hansson hade haft två fruar.

Och jag tänkte igen på Maria. Var hon verkligen välkommen? Det var ju möjligt att Louise inte kände till Rickards relation till henne, att de hade lyckats hålla sitt förhållande hemligt för Louise även om andra visste, som Peter Hansson. Det sas ju att det alltid var hustrun som sist fick veta. Hursomhelst ringde jag Louises telefonsvarare och talade om att jag tyckte det var trevligt att få komma. Inte bara trevligt. För gästerna runt bordet i Djurgårdsvillan representerade också en fyrklöver från min lista över potentiella mördare. Men det sa jag inte till telefonsvararen.

Så gick jag tvärs över gatan till Eric. Om vi båda nu var bjudna kunde vi samåka, dela taxi. Och det hade Eric ingenting emot, tvärtom, ekonomisk som han är.

– Jag undrar bara varför hon bjöd oss, sa jag där vi satt inne på hans kontor. Inte minst dig, tänkte jag, men sa det inte.

– Louise är smart. Jag tror att vi är där som nån sorts motvikt till Jeremy.

– Varför tror du det?

– Jag vet att han kommit för att värdera en del av hennes grejer. Och då skadar det inte att få en ”second opinion”. Om två av Stockholms ledande antikhandlare, åtminstone en av dom, bedömer föremålen så förstår hon om han bjudit för lite. För mycket är ju ingen risk.

– Vi blir alltså nån sorts garanter för att hon får ut vad hon ska?

– Precis. Ibland tänker du fortare än du talar. Och hans sardoniska leende var på plats.

– Sen kan det bli intressant om vi bjuder över Jeremy. En sorts miniauktion, eller hur?

– Jag förstår vad du menar. Om det är som du säger så är Louise smartare än jag insett.

– Kvinnans list övergår mannens förstånd, heter det ju. Det ligger mycket i det.

Och det skulle jag få erfara, men inte på det sätt jag kunnat förutse.

Tjugo i sex nästa kväll kom den beställda bilen från Taxi Stockholm. Jag gick ut genom dörren på Köpmangatan och Eric kom ut mitt emot.

– Du är vacker som ett poem, sa jag och såg på honom. Köpmangatans Beau Brummel och Oscar Wilde i egen hög person.

Röda byxor, mörkblå klubbkavaj med stora, förgyllda knappar. En kanariegul skjorta, öppen i halsen där han flaggade med en scarf i samma färg som byxorna.

– Det enda som fattas är en seglarmössa med KSSS framtill.

– Det får duga, men tack för komplimangen. Jag önskar jag kunde besvara den.

Eric såg kritiskt på mig. Uppifrån och ner. Jag är ju inte lika extrovert som Eric. Inte lika fåfäng heller utan kom i kostym, vit skjorta och diskret slips.

– Helan och Halvan, sa jag. ”Mannen till höger på fotot är cirkusens direktör.”

– Skämtare. Säg som det är, du är bara avundsjuk. Kom loss ur ditt skåp, lämna bankkamreren inom dig hemma och kom ut som du verkligen är. Stor. Stark. Stilig. Alla kvinnors överman. Klä dig inte som en pastorsadjunkt även om din pappa var prost. Eric skrattade.

– Kom nu, taxin kan inte stå här hela dan.

När vi satt i bilen ringde min mobiltelefon. Till min förvåning kom Sytenkos röst.

– En sista varning, mr Homan. Lägg av innan det blir för sent. Den här gången är det allvar.

– Vem var det? undrade Eric nyfiket. Har Louise ställt in sin fina middag?

– Oroa dig inte, det var nån som ringde fel. Du kommer inte att gå och lägga dig hungrig. Inte nykter heller, om jag känner dig rätt.

– Döm inte andra efter dig själv. Jag hinkar inte i mig ren sprit, gin, som du. Jag håller mig till årgångsvinerna.

Men jag brydde mig inte om Erics små giftigheter, jag var van. Jag tänkte på Sytenko. Varför varnade han mig? ”En sista varning” lät verkligen hotfullt. Var mina telefoner avlyssnade av honom också, inte enbart av CIA om de nu alls var det? Eller hade någon berättat? Visste han om mina förfrågningar om honom och hans affärer? Jag måste ta upp det med Calle Asplund. Han fick ställa en konstapel utanför min dörr. Gärna modell pickelhuva och sabel. Men jag var inte säker på att det skulle avskräcka ryska torpeder.

Vår taxi hade blivit sittande i trafikköerna på Strandvägen

och Djurgårdsbron. En vacker sommarkväll lockade till Gröna Lund, Skansen och andra förlustelser. Kanske med fyllda picknickkorgar också. Det var en gammal tradition för stockholmarna, att söka sig ut till stadens gröna lunga. Förr kunde man ju också ros dit från Slussen till Allmänna gränd av manhaftiga och skarptungade roddarmadammer.

– Vi kommer för sent, sa jag och såg på klockan.

– Vi kommer i stil. Dom finaste kommer sist. Nånting har du väl lärt dig? Fast det kanske är annorlunda i dina kretsar? Tänk bara på kungligheterna.

– Vi är faktiskt inte kungliga, vi är oartiga antikhandlare som kommer för sent till en fin middag hos en viktig kund.

– Tala för dig själv. Det kanske kan intressera dig att min mormors mormors mor var ung hushållerska hos en prästfamilj när Karl XV kom på besök i trakten och inkvarterades hos dom. Så blev det som det blev och här sitter jag.

– Nu tar du väl i så byxorna spricker. Skulle du ha kungligt blod dina ådror?

– Blått blod, min käre. Blått blod. Visa respekt. Så skrattade han, jag med.

Säga vad man vill om Eric, tänkte jag, men han är uppfriskande i all sin narcissism.

Till slut svängde taxin upp framför järngrinden till villan, Eric lät mig betala, what else is new? tänkte jag. Gruset knastrade under skorna när vi gick den krattade trädgårdsgången fram till det stora, gula huset. På den höga trappan väntade Louise, sträckte leende händerna mot oss.

– Välkomna! Alla är redan här men jag förstår att det var tjockt på Strandvägen. Det finns en reservväg, men det kan ni ju inte veta. Man kan köra ut Valhallavägen och svänga ner till Djurgårdsbrunn och sen hit via Manilla. Det brukar inte vara några problem.

– Vi ska komma ihåg det till nästa gång, sa Eric och kysste henne chevalereskt på hand. Såg snabbt på mig som om han ville säga att så där ser det ut, så där gör man. Hos mina klienter. Man jag kanske inbillade mig. Det är problemet med Eric. Man vet aldrig riktigt om han menar allvar.

Ute på den nyklippta gräsmattan på andra sidan villan fanns de andra gästerna. Alla med långskaftade champagneglas.

– Här kommer dom sista, sa Louise. Nu är vi fulltaliga. Det är alltså Eric Gustafson och Johan Kristian Homan. Ni har säkert träffat dom. Båda är antikhandlare, båda var vänner till Rickard och båda lurade på honom saker som han inte behövde. Hon skrattade.

– Henrik, var snäll och hämta två glas.

Jag såg ur över gräsmattan. Jeremy och Maria stod framme vid ett knallblått stort solparasoll. I en vit trädgårdsstol satt Anastasia och bredvid henne Eva.

Prunkande rabatter och en välklippt grön häck stängde ute omvärlden. Högt över oss pilade vindsnabba svalor. Blommande sommaridyll och ute på Saltsjön, på andra sidan häcken, var båttrafiken nästan enkelriktad. Alla ville ut ur staden, alla hade samma mål. Ut till skärgårdskobbar, öar, sol och bad. Avkoppling. Där fanns allt från vräkiga grosshandlarvillor till sjöss med biffiga kaptener på kommandobryggan till enkla plasttråg med en puttrande utombordare i aktern. Igen tänkte jag på att i ett land där nära nog allt var beskattat så var mångmiljonbåtar undantagna. Bilar, motorcyklar och förmodligen mopeder betalade för sig och sin framfart, men inte båtmiljonärerna. Fast jag sa det aldrig högt. Skattemyndigheterna kunde få idéer. Och jag var inte den som lade sten på börda på ett av världens mest hårdbeskattade folk, även om Pomperipossas dagar var svunna, när man kunde få betala 102 procent i skatt. Lånade man pengar till det? Bankerna kunde gå ut i stora kampanjer. ”Låna till din skatt, förmånlig ränta.” Och ironiskt nog var den avdragsgill till viss del. Louise avbröt mina skattekverulantiska funderingar.

– Jeremy och Anastasia känner ni redan. Kanske Maria Nyman också, som var Rickards högra hand på Ivar Lindström Agency. Och jag har förstått att ni har träffat Henrik och Eva.

Vi gick ut på gräsmattan och Henrik kom mot oss med champagneglas i händerna.

”Kom som ni är”, hade ju Louise sagt när hon ringde. Och det hade Henrik gjort. Knälånga vita shorts. Barfota och en mörkblå tröja med texten ”Ostindiefararen” på. Men han var barn i huset och kunde tillåta sig en mer avslappnad attityd. I min kostym kände jag mig avundsjuk när jag såg Erics utstyrsel och Henriks minimala dress, hans absoluta motsats. Jag skulle ha satt på mig någonting mer anpassat till dresskoden i villan. Fast gränsen gick vid barfota. Där hade jag satt stopp.

– Varsågoda. Pol Roger. Det bästa är gott nog. Själv blir jag sur i magen av det, men det finns whisky och gin på bordet därborta.

Han log när han räckte oss glasen och jag kände en doft av något betydligt starkare än champagnebubblorna i glasen.

– Trevligt att börja med lite fransk kultur, sa Eric. Det anglosaxiska barbariet kan vi ta om en stund.

Jag gick bort till de andra, hälsade runt. Det tröstade mig att Jeremy också var korrekt klädd, hade till och med sin slips med klubbränder. ”St. John’s College i Cambridge” hade han sagt när jag frågat. Så jag var inte den ende som var överdrivet klädd för en solig sommarkväll som börjat med champagne i solnedgången.

Eva kysste mig på kinden, en gång på var sida och Maria Nyman log när jag kom fram till henne.

– Det var en överraskning, sa hon. Jag visste inte att du umgicks med Louise.

– Det är mycket du inte vet. Tack i alla fall för hjälpen med Carin Ingvarsson.

– Hade du nån glädje av det?

– Jag fick en viktig pusselbit.

– Pusselbit? Oförstående såg hon på mig. Men jag berättade inte. Höll mina kort tätt till bröstet. Tids nog skulle jag spela ut dem, tids nog skulle hon få veta.

Vårt samtal avbröts av Louise som klappade i händerna.

– Ta med era glas till bordet där borta. Middagen är serverad. Vi äter ute i trädgården. Det är synd på en sån här kväll att sitta inne. Och det är självservering. Sa jag inte att det var i all enkelhet när jag ringde? Ni är här för att arbeta, inte bara för att roa er. Skål och välkomna förresten! Det hade jag alldeles glömt att säga. Louise skrattade och höjde sitt glas mot kvällshimlen. Solen blänkte i det höga glaset, fick champagnen att skimra i guldtoner.

Jag såg på hennes gäster. Upprymda efter all champagne skålade de med henne. Men det var ett spel för kulisserna och jag tänkte på hennes man som mördats inne i den gula villan. Hennes förre man hade också dött där.

Och vad tänkte gästerna som Louise hade bjudit till villan. Skulle man vara brutal kunde man kalla det "mordplatsen". Vad hade hon hoppats få ut av kvällen? Hitta en mördare?

Närmast henne stod Jeremy i sin tweedkavaj med läderskodda armbågar. Han hade utpressats, inte bara av Sytenko, av Rickard också. Hans framtid i den internationella antikvärlden hade stått på spel.

Anastasia bredvid. Slank, blek. Vacker. Det svarta håret utslaget över hennes baraxlade turkosfärgade klänning. För henne var Rickard en "evil man." Och jag förstod henne.

Bredvid henne Maria Nyman, den försmådda och lämnade. Bakom fanns Eva och Henrik, barnen som sörjde sin döde far och aldrig accepterat Rickard, hatat honom.

Sen en frånvarande gäst. Vladimir Sytenko. Som en ond ande lurade han i skuggorna. Han hade makt, han hade resurser och framför allt hade han motiv. Att eliminera en konkurrent i mineralhandeln. Han hade någonting annat också. Alibi. En middag med Putin på mordkvällen vägde tungt. Vem kunde slå det?

Jag tänkte på hederliga engelska detektivromaner. Gammal herrgård i en öde trakt, snöstorm isolerade och stängde av. Telefonledningar som klippts. Och alla gästerna samlade i biblioteket där hjälten, gentlemannadetektiven, lägger ut texten med ett glas sherry i handen för att till slut vända sig till en av dem, alltid den minst misstänkte. ”Det var ni, Lord Ashton, som hällde stryknin i Lady Douglas drink för att komma över den ovärderliga Leonardo da Vinci-tavlan i slottets riddarsal.”

Skulle jag bli den som samlade gästerna till Louises bibliotek för att peka ut mördaren?

Jag gick fram mot det dukade bordet. På vägen dit lyste något rött på gräsmattan. Erics eleganta sidenscarf som han kokett knutit i halsen på sin gula skjorta. Han måste ha tappat den.

Jag böjde mig ner, lyfte upp den, kände det mjuka, lena silket, såg den djupröda färgen. Och plötsligt förstod jag. Insåg vem som mördat Rickard och kanske Peter. Det var inte Hamlet. Det var någon helt annan ur Shakespeares dramatiska värld.

Kapitel XLI

– Jag var ganska övertygad om att det var Henrik, sa jag och såg på henne.

Francine och jag satt ute på min balkong i den ljumma sommarkvällen. Solen blänkte i Nationalmuseets fönster, en vit sightseeingbåt signalerade dovt över Strömmen och högt över våra huvuden sänkte sig ett flygplan ner mot Bromma, lämnade en silverstrimma mot himlen efter sig.

– Det var honom du kallade Hamlet?

– Precis. Som du kommer ihåg mördades hans far av en rival, hans bror Claudius, som snabbt gifte sig med kungens änka Gertrude för att själv bli kung. Och drottningen hade säkert stått bakom honom.

– Vad har det med företaget att göra?

– Ganska enkelt egentligen. Ivar Lindström, Henriks pappa, är gammal och sjuklig. Många år äldre än sin fru. Eric berättade ju att han med åren dessutom hade blivit alkoholiserad och tyrannisk och att affärerna gick sämre. Hon blir passionerat förälskad i Rickard Bergman som arbetar på företaget. Han utnyttjar situationen och dom mördar Ivar för att sen kunna gifta sig.

– Det verkar lite långsökt. Varför skilde hon sig inte? Vi lever trots allt i tjugohundratalet, en helt annan värld än Shakespeares. Francine log mot mig där hon satt med Cléo i knät.

– Du är vacker, sa jag och strök henne över kinden. Och jag älskar dig.

– Tack. Jag vet. Men fortsätt. Jag undrar hur du ska klara dig ur det här med kungar och drottningar.

– Det fanns tydligen ett äktenskapsförord. Skilde hon sig skulle hon stå nästan på bar backe, vara tvungen att lämna det hon hade som gift med en mångmiljonär. Och Rickard hade inte kunnat ta över som han planerade.

– Då skulle alltså Henrik göra som Hamlet menar du? Döda sin styvfar som hämnd?

– Precis. Och jag tror att Rickard var psykopat, åtminstone totalt känslokall och hänsynslös när det gällde andra människor. Inte minst i sina relationer till kvinnor. Och som jag berättade våldtog han till och med sin styvdotter. För att göra en lång historia kort så knuffar Rickard ner Ivar i trappan, han faller och bryter nacken. Allt är frid och fröjd. Rickard gifter sig med Louise, tar över mer och mer av företaget och knuffar undan Henrik som ju var tronarvingen. Kungen mördas alltså av prinsen för att ta tillbaka kungariket.

– Och det hade du kunnat bevisa?

– Nej, men jag trodde att jag var på rätt spår. Sen mördades ju Peter Hansson. Jag tror att han fått klart för sig vad som låg bakom olycksfallet i trappan. Han hade arbetat många år i firman, kände alla mycket väl, insåg vad Rickard gick för och lade ihop två och två. Jag tror också att Peter var CIA:s ”andre” man, svensken som varit Bergmans kompanjon i mineralaffärerna. Han hade insett vad Rickard höll på med och ville ha sin del av kakan. Det förklarar bland annat huset i Provence.

– Gissar du nu?

– Kalla det intuition. Jag log. Sen använde han sig av sina kunskaper. Utpressning alltså. Han hade ju en egen bokföring över udda affärer. Där fanns bokstavskombinationer tillsamman med siffror. När Rickard mördades förstod Peter vem som låg bakom. Han hade ju sett Rickards agerande på företaget, sett hur han förtryckt Henrik och förstått hans känslor.

– Han utpressade Henrik menar du och det slutade med mordet på honom?

– Just det. Så tänkte jag. Men det var fel, fast lite rätt. Peter Hansson mördades för att han visste för mycket. Vladimir Sytenko var en annan kandidat.

– Ryssen med dom strategiska mineralerna?

– Precis. Han hade också motiv. Dom konkurrerade på samma marknad och Sytenko var säkert rädd för att CIA misstänkte Rickard för handeln med Iran och att han kunde skvallra för att rädda sitt eget skinn. Det är ju bara teorier, men jag har ju själv sett hur dom agerade. Du kan ju fråga Jonas. Han var involverad på den kanten.

– Så Rickard kunde ha mördats av storpolitiska skäl?

– Det hade väl inte varit helt osannolikt. Sytenko blev av med en besvärlig konkurrent, Rickard stoppades från sina illegala transaktioner med Iran och CIA kunde bidra till att eliminera hotet mot Israel. Mossad, deras underrättelsetjänst, kunde också varit med på ett hörn.

– Men så var det inte?

– Nej, det fanns andra motiv, mera jordnära. Maria Nyman som hjälpt fram Rickard i hans karriär hade starka motiv. Hon hade brutalt blivit utestängd från Rickards liv och en framtid som hans fru. Andra kandidater fanns också, som hatiska skådespelare och konkurrenter som han lurat. Och tänk på Carin, Rickards dotter. Hennes mammas självmord som hon anklagade Rickard för. Plus arvet efter honom. Och vi får inte glömma ett annat alternativ: rånmord.

– Jeremy Wells och hans fru? Var dom också inblandade?

– Där fanns ett annat starkt motiv. Rickard utnyttjade det

han visste om Wells koppling till Sytenko. Men jag insåg att det fanns för många bollar i luften för att jag skulle klara av det så jag lade av, lät Calle sköta ruljangsen.

– Snällt av dig. Jag hoppas han blev glad. Francine skrattade.

– Jag överdriver naturligtvis. Jag deltog inte i nån mordutredning så jag överlämnade inte nåt ”ärende” till honom. Jag levde ju bara i min egen fantasivärld, men jag hade bestämt mig för att följa Henrik i spåren. För jag var övertygad om att han var en dubbelmördare.

– Men det var han inte.

– Precis. Och det som ledde mig rätt var Eric Gustafsons röda scarf.

– Nu hänger jag inte med.

– Snobbig som han är hade han en röd scarf om halsen den där kvällen hos Louise. Han måste ha tappat den för jag hittade den på gräsmattan och då slog det mig plötsligt att jag hört nån tala om en röd scarf förra gången jag var där.

– Nu går det lite för fort för mig.

– Nästan för mig också. Men för att ta den korta versionen så är jag övertygad om att Louise var involverad i mordet på sin förste man, fast Rickard stod för genomförandet. Sen fick hon så småningom klart för sig vad Rickard gick för, hans ständiga ”affärer” och att hon blivit utnyttjad. Droppen som fick bägaren att rinna över var nog när hon förstod att han tänkt lämna henne för Maria. Dessutom hade han spekulerat med företagets pengar när han blev inblandad i transaktionerna kring dom där strategiska mineralerna.

– Men var hon inte utomlands när Rickard mördades?

– Jo, men bara i Köpenhamn. Tar du tåget upp till Stockholm behöver du inte gå igenom tullen eller lämna andra spår efter dig. Hon kommer hem en sen kväll, har en uppgörelse som går överstyr med Rickard, skjuter honom. Tar pengarna i kassaskåpet och den grekiska hjälmen och försvinner sen diskret tillbaka till Köpenhamn.

– Vad skulle hon med hjälmen till?

– För att leda in polisen på fel spår.

– Men hennes alibi måste väl kunna kontrolleras?

– Ja, och Calle Asplunds utredare har kommit fram till att hon hyrt ett hotellrum i Köpenhamn men varit borta natten då Rickard mördades.

– Så Henrik är oskyldig?

– Ja, istället för Hamlet var det Lady Macbeth. Men jag tror att han kan ha legat bakom branden i Nacka. Hämnd och försäkringspengar.

– Men Lady Macbeth? Hur kommer hon in i bilden?

– Hon finns ju också i Shakespeares värld. Lady Macbeth drev sin man Macbeth att mörda den skotske kungen Duncan för att själv bli kung.

– Det här hade du alltså räknat ut. Men vad säger Louise? Säger hon ja och amen till dina påståenden? Har du pratat med henne?

– Jag dröjde mig kvar på kvällen, dom andra hade gått och jag sa till Eric att jag måste stanna för att diskutera affärer med henne. Han trodde naturligtvis att det gällde nånting jag ville köpa och blev sur. Men det var väl mest för att han fick betala taxin själv.

– Säkert. Francine log

– Jag talade med Louise och berättade vad jag kommit fram till. Först blev hon ursinnig, frågade vad jag menade med att förolämpa henne. Men hon lugnade sig när jag tog till den röda scarfen.

– Hurdå?

– Hon hade sagt till mig när jag var ute i villan att Peter Hansson hade mördats i ett sexmord, och med en röd sidenscarf. När jag frågade henne hur hon visste det blev hon arg och sa att hon hade läst om det. Haken var bara att polisen legat lågt och inte släppt ut den informationen, inte om sexmord och inte om den röda scarfen.

Hansson pressade er på pengar i alla år, eller hur? sa jag till henne. Först om ”olyckshändelsen”. Nu misstänkte han att du mördat Rickard och ville ha mera. Du insåg att han måste bort. Att han annars skulle vara ett hot för resten av ditt liv. Du kom hem till honom för att ”diskutera” hans krav. Du fick i honom en massa whisky och sen låg du med honom. När han slocknat ströp du honom med den röda scarfen.

Louise hade hånlett mot mig.

– Peter var gay, sa hon. Du kan ingenting bevisa.

– Han var bisexuell, det har hans syster berättat. Och han upplevde det kanske som en hämnd på Rickard.

– Sen åkte jag hem, fortsatte jag, ringde Calle Asplund som först blev arg för att han blivit väckt, men sen var han tacksam. Och nu ligger bollen hos honom. Men jag har svårt att tro att Louise ska kunna klara sig. Indicierna är för starka och enligt Calle har dom ju spräckt hennes alibi i Köpenhamn. Hon är redan anhållen.

– Då är jag glad för en sak på tal om Shakespeare och alla hans ruskiga figurer som inspirerat dig.

– Vad skulle det vara?

– Att du och jag är Romeo och Julia, inte Hamlet och Lady Macbeth.

– Men bara i första akten. Var försiktig med Shakespeare.

– Hurså?

– Mot slutet dog dom ju båda två.

– Var inte så petnoga. Men om jag tar ett annat citat kanske det duger?

– Det beror på.

– ”All’s well, that ends well.” Francine log.
– Det köper jag. ”Slutet gott, allting gott.”
– Åtminstone för dig och mig.
Jag böjde mig fram och kysste henne.
Hon har rätt, tänkte jag. Definitivt rätt.
– Hamlet och Macbeth, sa Francine. Det låter som en deckare. Du borde skriva en. Det gör ju alla nu för tiden. Och ta med den grekiska hjälmen.
– Kanske. Jag kysste henne igen. Kanske. När jag får tid.

Marias fröflarn

Det här hårda brödet har många fördelar. Det kan ätas vilken tid på dygnet som helst, tillsammans med vilken måltid som helst: frukost, lunch middag eller mellanmål. Eller som tilltugg till drinken eller godis på kvällen. Det är helt enkelt otroligt gott – dessutom innehåller det en mängd nyttiga ingredienser och är lämpligt även för glutenallergiker.

Gör så här:
Sätt ugnen på 175 grader.
Blanda ordentligt ihop i en skål:
2 dl äkta majsmjöl
0,3 dl pumpafrön
0,7 dl solroskärnor
0,4 dl linfrö
0,6 dl sesamfrö

Den exakta mängden av varje frösort kan varieras efter smak. Viktigt är dock att den totala mängden förblir någorlunda konstant.

Tillsätt sedan:
2,5 dl vatten
0,5 dl olivolja

Rör om och låt smeten stå i ca 10 minuter. Dela och kavla ut den i två lika delar på bakplåtspapper på två plåtar. Ett bra knep är att lägga smeten mellan två bakplåtspapper, kavla ut till några millimeters tjocklek och sedan ta bort det översta pappret.

Nu kommer det viktiga: strö flingsalt över den utkavlade degen, mängden kan varieras beroende på hur mycket sälta man gillar. Dock ger sältan en viktig smakingrediens till brödet.

Grädda varje plåt i 50–60 minuter beroende på ugnsvärmen. Brödet skall vara välgräddat, dvs. ha en mörk guldton. Ta ut, låt brödet svalna och bryt i lagom stora bitar. Servera till måltid eller som tilltugg till drink eller som kvällsgodis.

Av Jan Mårtenson har tidigare utgivits:

32 om kärlek (lyrik), 1970
Telegrammet från San José, 1971
Tre skilling banco, 1971
Nobelpristagaren och döden, 1972
Helgeandsmordet, 1973
Drakguldet, 1974
Demonerna, 1975
Häxhammaren, 1976
Döden går på museum, 1977
Döden går på cirkus, 1978
Släkten är bäst, 1978
Vinprovarna, 1979
Djävulens hand, 1980
Döden gör en tavla, 1981
Middag med döden, 1982
Utsikt från min trappa, 1982
Vampyren, 1983
Guldmakaren, 1984
Drottningholm – slottet vid vattnet, 1985
Häxmästaren, 1985
Sverige (tills. m. andra), 1986
Rosor från döden, 1986
Den röda näckrosen, 1987
Neros bägare, 1988
Mord i Venedig, 1989
Slottet i staden, 1989
Akilles häl, 1990
Ramses hämnd, 1991
Arvfurstens palats (tills. m. Alf Åberg), 1991
Midas hand, 1992
Gamens öga, 1993
Kungliga svenska konstnärer (tills. m. andra), 1994
Mord och mat, 1994
Tsarens guld, 1994
Karons färja, 1995
Caesars örn, 1996
Högt spel, 1997
Sofia Albertinas palats (foto: Ralf Turander), 1997
Residens – Svenska EU-ambassader (foto: Ralf Turander), 1997
Det svarta guldet, 1998
Häxan, 1999
Mord på Mauritius, 2000
Att kyssa ett träd, 2000
Ikaros flykt, 2001
Mord i Gamla stan, 2002 (guidebok)
Mord ombord, 2002
Dödligt svek, 2003
Mord på menyn, 2003 (receptsamling)
Ostindiefararen, 2004
Den beridna högvakten (foto: Ralf Turander), 2005
Döden går på auktion, 2005
Den kinesiska trädgården, 2006
Kungliga Djurgården (foto: Ralf Turander), 2007
Spionen, 2007
Dödssynden, 2008
Tessin, en lysande epok (foto: Ralf Turander), 2009
Palatsmordet, 2009
Mord i Havanna, 2010
Safari med döden, 2011
Jubileumsmord (noveller), 2012
Mord i Blått, 2012
Oss håller inga bojor, oss binder inga band! (med Susanne Giraud) 2013